LOS PÁJAROS DOMÉSTICOS

PREGUNTAS Y RESPUESTAS

DAVID ALDERTON

LIBSA

© 2002, Editorial LIBSA
San Rafael, 4
28108. Alcobendas. Madrid
Tel. (34) 91 657 25 80
Fax (34) 91 657 25 83
e-mail: libsa@libsa.es
www.libsa.es

Traducción: Macarena Rojo González

© MM, Andromeda Oxford Limited

Título original: *The Cage Bird*

ISBN: 84-662-0361-3

Contenido

INTRODUCCIÓN

L A CRÍA DE AVES ES UNA AFICIÓN LLENA DE NUEVAS POSIBILIDADES. POR UN LADO, LAS ESPECIES CAPACES DE VIVIR EN CAUTIVIDAD SON MUCHO MÁS NUMEROSAS Y DIVERSAS ENTRE SÍ (EN LO que respecta al tamaño, el aspecto, el color y la forma de vida) de lo que parece. Por otro lado, quien se dedica a criarlas no sólo puede disfrutar de su vistoso plumaje, su canto y sus extrañas y fascinantes costumbres, sino también, llegado el caso, convertirse en criador especializado o ganar premios en concursos y exposiciones internacionales.

Si lo que usted desea es una mascota a la que enseñar a hablar, evidentemente elegirá un miembro de la familia de los loros. O puede que un miná del Himalaya. Pero tal vez ignore que no todos los miembros de la familia de los sitácidos son tan buenos imitadores como el yaco o loro gris, o que algunos de ellos, como los loros amazona, son muchísimo más chillones que las cacatúas de cara amarilla o los periquitos de Australia, por ejemplo. Y, desde luego, este dato es muy importante, sobre todo cuando hay vecinos cerca. Si va a instalar la pajarera en plena ciudad y no desea perturbar al vecindario, probablemente sea mejor que se olvide por completo de los loros y opte por una colección de conirrostros, o bien por ciertas especies no granívoras, ya que resultan mucho menos escandalosos.

Por otra parte, si vive en un clima templado (y no cálido o tórrido), también debe tener en cuenta la tolerancia al frío de la especie elegida. Por regla general, todos los loros, cotorras y pericos son resistentes, mientras que los pajaritos muy menudos (como cualquier fringílido, por ejemplo) son mucho más propensos a sufrir hipotermia durante el invierno, al menos en zonas de clima templado, no sólo por el frío, sino también porque los días son demasiado cortos y tienen pocas oportunidades de alimentarse.

▲▶ Los loros amazona, los nectarínidos y algunos estorninos, además de ser tan bellos como fascinantes, pueden vivir perfectamente en cautividad, pero tal vez resulten demasiado complicados para un/a criador/a sin experiencia.

4

▲► *Los periquitos inseparables, los diamantes mandarín, los canarios y los periquitos de Australia son especies tan baratas como fáciles de cuidar.*

Gracias a los modernos piensos especializados, alimentar a las aves ya no es problema. Sin embargo, siempre será más cómodo dar de comer a un granívoro que a un ave que necesite, por ejemplo, tomar a diario néctar y/o presas vivas. Las aves no granívoras, además, exigen más atención que las demás durante la época de cría.

Las especies de jaula y pajarera son tantas y tan diversas entre sí que el coste total de mantenimiento depende enteramente de la variedad elegida. Siempre saldrá mucho más caro construir y equipar la pajarera si ha de alojar destructivas cacatúas, por ejemplo, que si está destinada a una colección mixta de pequeños conirrostros. El presupuesto aumenta más aún si hay que instalar a las aves en una *birdroom* exterior y la calefacción y la luz artificial van a permanecen conectadas durante todo el invierno. Y no olvidemos el coste de las aves en sí. Incluso cuando hablamos de especies tan populares como el canario y el periquito de Australia, su precio puede variar enormemente de un ejemplar a otro. Un canario de vistoso colorido y dulce canto destinado a ser mascota familiar puede salirle barato, pero si lo adquiere en un criadero especializado con la intención de convertirlo en campeón internacional, o tal vez de convertirse usted mismo en criador profesional, desde luego le saldrá mucho más caro. El precio refleja el pedigrí del animal, así como sus posibilidades de triunfar en exposiciones y concursos ornitológicos.

El objetivo de la presente obra es ayudar los aficionados sin experiencia a elegir las especies e individuos que más les convienen y hacer que los cuidados cotidianos les resulten fáciles y divertidos. También nos proponemos resolver las dudas más habituales de los aficionados con experiencia previa, así como presentar a los criadores más expertos nuevas especies poco conocidas aún y perfeccionar los conocimientos que ya poseen.

DAVID ALDERTON

LA CRÍA DE AVES

LO MÁS HABITUAL, cuando no se tiene experiencia, es elegir la especie pensando sólo en el animal en sí, en vez de tener en cuenta factores tan importantes como el tipo de alojamiento que necesita o la cantidad de tiempo que habrá que dedicarle. Con frecuencia, cuanto más exigente sea una especie en lo que respecta al alojamiento, menos tiempo y dedicación requerirá, y viceversa. Las aves no granívoras, por ejemplo, dan más trabajo normalmente que la mayoría de los conirrostros, pero en muchos casos pueden pasar perfectamente el invierno al aire libre y sin calefacción ni luz artificial de ningún tipo, lo que abarata sensiblemente el coste de la pajarera y su mantenimiento.

La variedad elegida influye, pues, en gran medida, en el diseño del alojamiento. Afortunadamente, no hace falta ser un experto ni un *manitas* para hacerse con una buena pajarera, ya que existen empresas especializadas que las fabrican e incluso las instalan a domicilio. De todos modos, una vez lista y equipada la pajarera, siempre hace falta algo de tiempo para que las aves se familiaricen con el nuevo entorno y sean capaces de criar, y también para que la plantas instaladas en (y posiblemente también fuera de) la zona de vuelo se desarrollen. En cualquier caso, al cabo de un año, tanto las plantas como las aves se habrán adaptado perfectamente al nuevo entorno y la pajarera será uno de los principales atractivos de su jardín.

Obviamente, es mucho más fácil iniciarse en la avicultura manteniendo un solo ejemplar, como mascota y dentro del propio hogar, pero incluso en este caso hay que informarse muy bien de cuántos son los modelos de jaula disponibles, para elegir el que más convenga a nuestra futura mascota. Tanto planificar de forma incorrecta la pajarera como comprar una jaula inadecuada son errores que pueden pagarse muy caros. En esta sección nos proponemos ayudarle a evitar los errores más comunes que suelen cometerse en ambos casos.

También intentaremos ayudarle a comprender las necesidades nutricionales y reproductivas de las aves de jaula y pajarera y a mantenerlas en perfecto estado de salud.

▶ *Periquitos de Australia picoteando ricas panojas de mijo. Muchas aves de jaula y pajarera se nutren básicamente de semillas surtidas.*

¿Qué es un ave?

LO QUE DISTINGUE a las aves de cualquier otro ser vivo son las plumas. Éstas les permiten volar, y además les ayudan a mantener constante su temperatura, al crear bolsas de aire entre su piel y el exterior. Las plumas sirven también, algunas veces, para llamar la atención del sexo opuesto. En algunas especies, el colorido del plumaje ayuda a las aves a camuflarse ante sus predadores. La mayoría de las aves mudan la pluma anualmente, lo cual les lleva varias semanas pero también les permite sustituir cualquier pluma deteriorada por otra nueva. A diferencia de los demás vertebrados, que poseen colas óseas, las colas de las aves están formadas básicamente por plumas.

El pico y la nutrición

En vez de mandíbulas y dientes, como los mamíferos y los reptiles, las aves han desarrollado un pico. El pico también es bastante fuerte, pero pesa mucho menos, lo cual facilita el vuelo. Dependiendo de la especie, los pi-

cos cumplen funciones muy diversas: descascarar semillas, arrancar porciones de alimento más pequeños y fáciles de tragar, filtrar la comida presente en el agua, atrapar insectos al vuelo o succionar el néctar de las flores. El pico sirve también para atraer al sexo opuesto, para combatir y para peinarse, ya que sólo acicalándose las plumas es posible conservar el plumaje liso y brillante.

Con los dientes desaparecieron otras partes del cuerpo asociadas, como los músculos que intervienen en la masticación. En vez de masticar los alimentos, las aves los engullen enteros, enviándolos directamente al buche, un órgano en forma de bolsa alojado en la base de su cuello (el buche puede observarse a simple vista en los polluelos, cuando aún no están cubiertos de plumas). El alimento pasa después, a través de un órgano denominado proventrículo, del buche a la molleja, que es un órgano provisto de gruesas paredes musculosas en el caso de los granívoros. Es aquí donde las semillas y los otros

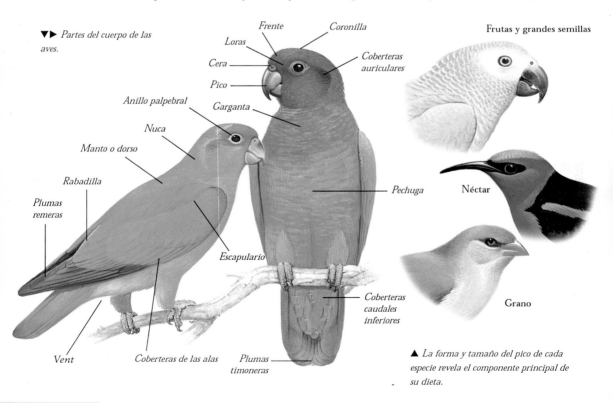

▼▶ *Partes del cuerpo de las aves.*

Frente

Loras

Cera

Pico

Anillo palpebral

Nuca

Manto o dorso

Rabadilla

Plumas remeras

Coronilla

Coberteras auriculares

Garganta

Pechuga

Escapulario

Coberteras caudales inferiores

Vent

Coberteras de las alas

Plumas timoneras

Frutas y grandes semillas

Néctar

Grano

▲ *La forma y tamaño del pico de cada especie revela el componente principal de su dieta.*

La estructura ósea

El organismo de las aves sufrió diversas modificaciones destinadas a hacer su cuerpo más liviano para el vuelo. Una de ellas es la estructura hueca de los huesos principales, formados por celdillas tal como muestra la ilustración.

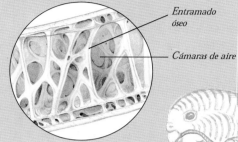

Entramado óseo

Cámaras de aire

1 *boca*
2 *buche*
3 *proventrículo*
4 *molleja*
5 *intestino delgado*
6 *hígado*
7 *páncreas*
8 *corazón*
9 *riñones*
10 *vejiga*
11 *cloaca*

alimentos son triturados. En la molleja hay partículas de gravilla que ayudan a moler el alimento ingerido. La mezcla resultante pasa a continuación al intestino delgado, encargado de absorber los nutrientes. La molleja es mucho menos musculosa, obviamente, en aquellas especies que se nutren de néctar, ya que el alimento que deben digerir es un fluido.

Las aves no poseen una vejiga urinaria capaz de almacenar grandes cantidades de orina, ya que el peso del líquido almacenado entorpecería su vuelo. En vez de esto, sus riñones producen una sustancia nitrogenada de elevada concentración y consistencia semisólida que pasa directamente de los uréteres a la cloaca, desde donde se expulsa junto con las heces. Las deposiciones de las aves pueden dar muchas pistas acerca de su estado de salud.

▲ *El peculiar aparato digestivo de las aves está diseñado para compensar la ausencia de mandíbulas y dientes, órganos presentes en otros vertebrados de los cuales debieron prescindir para poder volar. Aquí aparecen los principales órganos que integran el aparato digestivo.*

P/R...

● *El veterinario ha dicho que mi mascota tiene una enfermedad en uno de sus sacos aéreos. ¿Qué es eso?*

Los sacos aéreos son una parte muy importante del aparato respiratorio de las aves. Hay cuatro pares a cada lado del cuerpo, más otro impar. Los pulmones de un ave no pueden ensancharse demasiado para llenarse de aire, así que los sacos aéreos actúan como fuelles, insuflando el aire en su aparato respiratorio. Por desgracia, las aves pueden inhalar esporas de ciertos hongos que pueden desarrollarse en los sacos aéreos, dificultando la respiración.

● *¿De los cinco sentidos, cuál es el más importante para las aves?*

El de la vista, que les sirve para cazar, para huir de sus predadores y para calcular con precisión las distancias durante el vuelo. La visión de las aves es binocular, lo que les permite ver y localizar los objetos que tienen en frente con enorme precisión. Además, gracias a la posición de sus ojos, poseen un campo visual muy amplio.

● *¿Los pájaros tienen otros sentidos, aparte del de la vista?*

Si separa con delicadeza las plumas que están justo detrás de los ojos, verá que las aves tienen un agujerito a cada lado de la cabeza. Son los oídos. Como carecen de orejas, las aves no pueden determinar la procedencia de los sonidos que oyen (aunque los búhos, lechuzas y mochuelos cuentan con plumas especiales que realizan esta función). Además, y lo que es más importante, su oído es mucho menos fino que el de la mayoría de los mamíferos. También su sentido del gusto está bastante poco desarrollado, ya que hay relativamente pocas papilas gustativas en la superficie de su lengua. La mayoría de las aves no utilizan en absoluto el olfato.

Qué especie elegir

HAY VARIAS FORMAS de elegir nuestra especie favorita. En la segunda parte de este libro describimos gran número de especies conocidas, y en las pajarerías, e incluso los zoológicos y parques naturales, podrá ver numerosas especies haciendo su vida normal. También es posible que usted conozca a alguien dedicado a la cría de aves que esté dispuesto a mostrar su colección. O que asista a un concurso o exposición ornitológica, una experiencia que le permitiría conocer las grandes diferencias existentes entre las aves de exposición y las que habitualmente se utilizan como mascota, así como ver maravillosos ejemplares de especies muy numerosas y diversas, algo que puede en gran medida ayudarle a descubrir la especie que más le atrae.

▲ *Las aves sanas, como este hermoso tucán, se interesan por todo lo que ocurre a su alrededor.*

Una vez decidida la especie y la variedad, llega el momento de elegir el proveedor. Hay varias posibilidades, dependiendo en parte de la especie elegida. En las pajarerías y tiendas de mascotas suele haber ejemplares de las especies más conocidas (canarios, periquitos de Australia, loros y algunas otras variedades de conirrostros o pericos), pero no siempre es posible obtener demasiada información acerca de los animales que tienen en venta. Además, una vez los pollos adquieren su plumaje de adultos, es prácticamente imposible calcular su edad con un

mínimo de rigor, a no ser que cuenten con el anillo de identificación oportuno.

Otra posibilidad es acudir a un gran criadero o granja especializada. Allí se pueden encontrar muchísimas más especies, y también todo tipo de accesorios utilizados en avicultura. Normalmente, estos establecimientos ofrecen un buen surtido de pollos de la familia de los loros nacidos en el propio criadero y criados a mano en las mismas instalaciones.

Las claves de la elección

- ¿Quiere un ave de jaula o de pajarera?

- ¿Hasta qué punto le importa que pueda *hablar*?

- ¿Qué le interesa más, el colorido o el carácter de las aves?

- ¿Desea utilizarlo como reproductor?

- ¿Piensa participar en exposiciones y concursos ornitológicos con cierta regularidad?

- ¿Le molestaría alimentarlo con insectos y gusanos vivos?

- ¿Molestaría un ave ruidosa a su vecindario?

- ¿Cuánto desea gastarse en el animal y en su alojamiento?

▶ *Si lo que busca en un ave de exposición y concurso, trate de asistir a tantos eventos como pueda. Allí conocerá muchos criadores profesionales y verá con sus propios ojos ejemplares de máxima calidad.*

▲ *Esta colección de estrildas, pinzones y maniquíes en perfecto estado de salud quedaría perfecta en cualquier pajarera mixta. En el caso concreto de los conirrostros, es posible combinar diferentes especies sin que por ello surja ningún problema, pero es preferible adquirir todos los ejemplares en el mismo proveedor.*

Criadores privados

Otra posibilidad es comprárselos a un criador a través de revistas especializadas o en asociaciones de criadores. Existen sociedades nacionales de criadores de diferentes especies, y hoy en día, gracias a Internet, es muy fácil encontrar un buen proveedor.

A pesar de ello, no siempre se puede adquirir el ejemplar deseado al instante, sobre todo si lo que se busca es un animal muy joven, capaz de convertirse en mascota. La oferta está determinada en gran medida por la estación, ya que hay aves que sólo crían en cierta temporada, si bien otras pueden procrear casi en cualquier momento del año.

Indudablemente, si lo que usted desea es dedicarse a la cría de ejemplares de exposición, no tendrá más remedio que comprárselos a un criador profesional especializado, que podrá ayudarle a elegir y emparejar los machos y hembras más adecuados para lograr ciertos fines, gracias a su conocimiento de futuros progenitores y de los antepasados de éstos. En este caso, no sólo debe comprobar que los ejemplares está en perfecto estado de salud, sino también que se ajusta al estándar de su especie y raza.

Síntomas de salud

El **plumaje** ha de ser apretado y abundante. Si hubiese calvas, éstas indicarían que el ave se arranca las plumas de forma compulsiva, o bien que padece pstacosis, una infección vírica propia de los loros que destruye progresivamente los tejidos de las plumas y el pico.

Las **coberteras** de la zona de la cloaca deben estar limpias. Si están manchadas, normalmente significa que el animal padece algún trastorno digestivo.

Los **ojos** deben parecer limpios y brillantes.

El **pico** debe tener la forma típica de cada especie, sin deformaciones o irregularidades. No debe faltarle ninguna uña (al menos si desea participar en concursos y exposiciones), y no debe tener ni las patas ni los dedos inflamados, ya que eso indicaría que sufre alguna infección en las garras.

La **quilla** o esternón, que atraviesa el centro de la pechuga, no debe ser huesuda y muy prominente, ya que en los ejemplares sanos se halla revestida de tejido muscular.

Las **deposiciones** deben ser suficientemente consistentes, salvo en las especies que se alimentan de néctar (cuyas deposiciones son bastante líquidas en condiciones normales).

La jaula

ELEGIR LA JAULA ADECUADA desde el primer momento es muy importante, ya que cualquier error puede traer consecuencias muy graves. Planifique con cuidado el alojamiento del ave que ha decidido adquirir, teniendo en cuenta todas las necesidades de cada especie y sin olvidar que tal vez el día de mañana desee ampliarla para alojar más ejemplares.

No se deje seducir por los modelos sofisticados y elegantes, porque a menudo las jaulas muy decoradas no son aptas para alojar en condiciones ningún ave. Evite ante todo los diseños altos y estrechos que no dejan casi ningún espacio al pájaro para volar. Los sencillos modelos rectangulares son los que ofrecen más oportunidades de ejercitarse. En las granjas y criaderos industriales normalmente se encuentra más variedad de modelos que en ningún otro comercio.

Piense en qué parte de la casa desea tener la jaula. Lo mejor es que la instale en la habitación en la que vaya a pasar más tiempo. Hay que descartar la cocina, no sólo por motivos de higiene, sino también porque los cacharros antiadherentes, al recalentarse, desprenden gases tóxicos que pueden fácilmente provocar la muerte de cualquier ave.

Dónde poner la jaula

Una vez decidida la habitación, hay que pensar en dónde en concreto se va a colocar la jaula. El animal deberá sentirse seguro en ese sitio. Jamás coloque un pájaro justo delante de una ventana. Al atravesar el cristal, los rayos solares podrían provocarle un golpe de calor capaz de matarlo casi al instante. Lo mejor es colgar la jaula de la pared, protegiendo ésta previamente de deposiciones y restos de comida de forma conveniente.

Puede que también necesite un pie para colgar la jaula (si ésta no es excesivamente alta), de modo que quede a la altura de los ojos, más o menos, aunque siempre es preferible colocarla sobre una cómoda u otro mueble que tenga la altura adecuada. Además, un mueble resulta mucho menos fácil de derribar que el típico pie, algo muy importante cuando en la casa hay niños pequeños o animales revoltosos. Puede proteger la superficie del mueble colocando un tablero melaminado o plastificado entre éste y la jaula. No es mala idea medir la superficie sobre la cual se tiene planeado instalar la jaula antes de comprarla, para evitar sorpresas desagradables cuando ya esté comprada. Las jaulas grandes suelen venderse desmon-

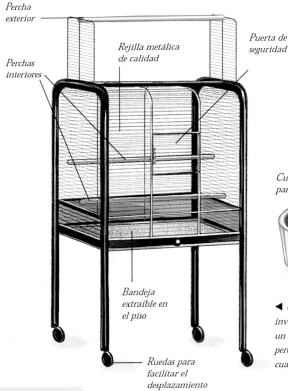

Percha exterior

Rejilla metálica de calidad

Perchas interiores

Puerta de seguridad

Bandeja extraíble en el piso

Ruedas para facilitar el desplazamiento

Cuenco esmaltado para loros y papagayos

Juguete especial para periquitos de Australia

Bebedero de tipo sifón

◄ Una jaula de calidad es una buena inversión. Proporcionará a su mascota un refugio seguro y agradable. Las perchas pueden cambiarse de posición cuando se desee.

Una buena jaula

- Debe ser lo más amplia posible, con mucho espacio para volar.

- Las perchas de plástico deben poderse sustituir fácilmente por ramitas naturales

- Compruebe la resistencia de las puertas

- El comedero y el bebedero, ¿podrán extraerse fácilmente siempre que sea necesario?

- La bandeja extraíble que forma el piso de la jaula, ¿se puede retirar con comodidad para limpiarla, y sin correr el riesgo de que el pájaro se escape?

tadas. Es conveniente lavar todas las piezas antes de ensamblarlas, por motivos de higiene. Compruebe que ninguna pieza está deformada o mal rematada, lo cual podría causar lesiones a sus pájaros.

Las perchas

Las perchas de plástico que se venden con las jaulas son fáciles de limpiar, pero su diámetro es siempre el mismo, y esto provoca incomodidad en muchas aves. Es mucho mejor quitarlas y sustituirlas por auténticas ramitas de árboles que no resulten venenosos a los pájaros, como el sicomoro o el manzano, por ejemplo. Antes de instalarlas hay que fregarlas bien, si han sido contaminadas por aves silvestres, y deben evitarse las

▼ *Las jaulas pueden equiparse con accesorios muy numerosos, entre los que se incluyen comederos, bebederos y diferentes tipos de juguetes. Los diseñados para fijarse en los barrotes suelen estar provistos de cómodas pinzas o ganchos de fijación.*

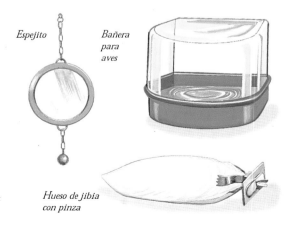

Espejito

Bañera para aves

Hueso de jibia con pinza

procedentes de árboles que hayan sido tratados recientemente con pesticidas.

Estos palitos se pueden recortar y tallar para que encajen perfectamente en los lugares destinados a los palitos de plástico que venían con la jaula. Vaya haciéndose a la idea de que tendrá que sustituir estos palitos con regularidad, ya que algunas aves tardan bastante poco en destrozarlos con sus picos. Es una hábito perfectamente natural que les permite mantener el pico en buenas condiciones: no caiga en la tentación de sustituirlos por perchas indestructibles, pero artificiales. Si desea una percha capaz de resistir bastante tiempo los picotazos del loro, elíjala de madera muy dura, como la *manzanita*, por ejemplo, que se puede adquirir en comercios especializados.

Comederos y bebederos

Muchas jaulas se venden ya con comedero y bebedero, pero éstos no son siempre los más adecuados. Los recipientes que simplemente se enganchan en los barrotes pueden ser desenganchados por las aves, y entonces su contenido se derramaría por toda la jaula.

Las jaulas casi nunca se entregan con bebederos de sifón, así que tal vez tenga que comprar uno. Un simple recipiente abierto con agua anima al pájaro a bañarse, pero también se contamina fácilmente con las deposiciones y los restos de comida, si no se cambia el agua a menudo. Las bacterias se multiplican con rapidez y podrían amenazar la salud de su mascota.

- **¿Es buena idea colocar la jaula del loro en el vestíbulo?**

Los vestíbulos no son recomendables a causa de las corrientes de aire, que pueden poner en peligro la salud de las aves. Además, si alguien abriese la puerta de improviso estando el loro fuera de su jaula, éste podría escaparse a la calle. Por otra parte, en el vestíbulo las aves corren mucho más riesgo de ser importunadas por el perro o el gato, cuando hay otra mascota en casa.

- **¿Será segura una jaula de segunda mano?**

Eso depende de lo que le haya ocurrido al anterior ocupante. Si murió, hay muchas posibilidades de que lo hiciera a causa de una enfermedad infecciosa, y por lo tanto es mucho más seguro comprar una jaula nueva para evitar el contagio. En todo caso, antes de usar una jaula de segunda mano hay que desmontarla y fregarla concienzudamente con un desinfectante avícola especial.

Planificar la pajarera

ANTES DE DECIDIR dónde va a colocar la pajarera, debe tener en cuenta varios factores. En primer lugar, el diseño general del jardín. Para hacerse una idea global, lo mejor es que lo observe desde el piso de arriba, por ejemplo. Lo ideal sería que la nueva pajarera complementase y realzase los demás elementos del jardín, pero no que los eclipsase u ocultase. La forma y el tamaño del lugar también cuentan, ya que es simplemente imposible instalar la pajarera en muchos lugares concretos. Desde luego, nunca hay que colocarla en un jardín que dé directamente a la calle, ya que sería una constante tentación para los ladrones y los gamberros, y además las luces del tráfico perturbarían a las aves durante la noche.

Indudablemente, deseará disfrutar una buena vista de la pajarera desde el jardín, pero no se olvide del interior de la casa, desde donde también debe ser po-sible disfrutar algún aspecto atractivo de la misma. Intente que la entrada de seguridad (el pequeño recinto situado a la entrada de la pajarera) no se vea demasiado, tal vez colocando la entrada en la parte trasera de la estructura y dejando en primer plano y despejada la zona de vuelo. Si coloca la pajarera cerca de la casa, además, será mucho más fácil derivar una toma de corriente para enchufar un calefactor y mantener caldeado el habitáculo durante los días más crudos del invierno, algo esencial para muchos conirrostros y aves no granívoras.

Evite instalar la pajarera bajo un árbol alto, o su follaje no dejará a la luz del sol penetrar durante el verano y en otoño las hojas secas se acumularán sobre la techumbre del aviario obstruyendo los canalones de desagüe y provocando inundaciones más o menos graves. Además, si alguna rama del árbol se desgajase, caería sobre la pajarera, tal vez dañando la propia estructura.

Tenga siempre en cuenta a sus vecinos, sobre todo si sus planes podrían afectarles de algún modo. Siempre será mejor consultar a tiempo que verse envuelto en pleitos caros el día menos pensado. Si la estructura es pequeña, probablemente no se requiera ningún permiso de obra, pero de todos modos consulte la normativa y las disposiciones locales antes de empezar.

El material

Los fabricantes de pajareras se anuncian en las revistas especializadas, y viene muy bien leer los catálogos para comparar los diseños y los precios. Por ejemplo, no todos los paneles están cubiertos de malla del mismo grosor, y algunos fabricantes hacen el presupuesto sobre materiales sin tratar, mientras que otros incluyen materiales que duran toda la vida (madera pretratada o *tanalizada*) y que no requieren tratamiento adicional alguno.

Si puede, visite a los proveedores de la zona para ver con sus propios ojos los productos, o asista a alguna feria o exposición importante, donde podrá encontrar gran variedad de pajareras. Así tendrá una buena base para elegir lo mejor.

El grosor de la malla

● El calibre de la malla se expresa mediante cifras que indican el grosor de su alambre. Cuanto más elevada sea la cifra, más fino es el alambre de la malla.

● Si las aves no son destructivas, como es el caso de los periquitos australianos, bastará con una malla del 19 (19G). Otros pericos, sin embargo, necesitan mallas más fuertes (del 16=16G). Y los miembros más grandes de la familia de los loros, como algunos papagayos, necesitan mallas del 14 (14G) e incluso del 12 (12G).

● El espesor de la malla también es muy importante, ya que no sólo debe impedir que las aves escapen del recinto, sino también que los roedores penetren en él. La mayoría de las mallas de pajarera están formadas por rectángulos de alambre de 2,5 x 1, 25 cm.

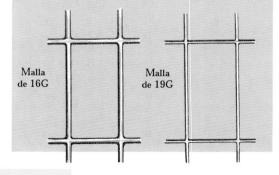

Malla de 16G

Malla de 19G

► *La pajarera puede convertirse en uno de los principales atractivos de su jardín. Hay distintos estilos para elegir, según el gusto personal. Además, la estructura se puede combinar con elementos naturales como las plantas.*

◄ *Pajarera de tamaño mediano muy utilizada en las exposiciones ornitológicas. En este tipo de eventos se pueden ver modelos muy diversos, y también es posible indicar las necesidades particulares a los fabricantes.*

P/R...

● **¿Es importante la forma de la pajarera?**

Las de planta rectangular son las más usadas, y también las que ofrecen más espacio para volar (algo muy importante, sobre todo cuando se trata de especies muy activas, como los pericos de origen australiano). Cuando no se dispone de mucho espacio, se suelen instalar pajareras octogonales. Éstas son perfectas para pequeños conirrostros y pájaros no granívoros, aunque no protegen tan bien como las otras de los rigores del clima. Por si acaso, no es mala idea proteger el lado más expuesto de la instalación con láminas de plástico.

● **¿Las pajareras de algunas especies son más caras?**

Las grandes aves parlantes, como los guacamayos y las cacatúas, son las más caras de alojar, no sólo por su tamaño, sino también por sus hábitos destructivos.

Normalmente, no se las aloja en pajareras de madera, sino formadas por paneles con marco de acero o de aluminio, y con columnas de sostén y refugio para las aves de cemento o de ladrillo. Al coste adicional de los materiales hay que sumar, además, el de la mano de obra, ya que normalmente hace falta ayuda profesional para construirlos.

● **¿Qué son las pajareras colgantes?**

Este tipo de pajarera, utilizada sobre todo en Norteamérica, tiene tanto el refugio para las aves como la zona de vuelo a cierta distancia del suelo. Resultan más baratas de construir que las convencionales, levantadas a ras de tierra. El piso de estos aviarios está hecho de malla gruesa para que las deposiciones caigan directamente al suelo y no entren en contacto con las aves ni en la zona de vuelo ni en el refugio, pero aún así la limpieza sigue siendo un problema, ya que las plumas caídas acaban acumulándose sobre la gruesa malla del piso.

Construcción de pajareras

LO PRIMERO QUE HAY QUE HACER es despejar bien la zona y marcar con precisión la planta de la pajarera sobre el terreno. Después, el suelo debe ser nivelado, y a continuación habrá que excavar zanjas de unos 30 cm de profundidad. Hay que verter una capa de cemento en el fondo de estas zanjas para crear los cimientos, que además de aportar solidez a la estructura impedirán que las sabandijas penetren excavando túneles en la zona de vuelo. Cuando el cemento fragüe se pueden levantar paredes de cemento de al menos 30 cm de altura, o de ladrillo, si se prefiere. A continuación, hay que poner cimientos similares en el interior de la pajarera, empezando por donde se unen las paredes exteriores del refugio nocturno y de la zona de vuelo, para asentar la fachada y las paredes laterales del refugio.

En este momento hay que decidir cómo se va a revestir el suelo de la pajarera, porque el solado sería mucho más engorroso si la estructura ya estuviese montada. Eso sí, habrá que esperar a que la pajarera esté terminada para introducir plantas. El suelo de cemento es el más higiénico, y además se puede fregar y desinfectar fácilmente. Otra posibilidad es cubrir el piso de grava, que es lo que suele hacerse cuando las pajareras van a alojar pericos, aunque combinando la grava con losetas estratégicamente colocadas bajo las perchas, para que recojan la mayor cantidad posible de excrementos, ya que se limpian con suma facilidad. El suelo debe estar ligeramente inclinado para conducir el agua hacia uno de los extremos de la zona de vuelo, lo más lejos posible del refugio, donde se habrán dejado algunos agujeros de drenaje. Sea cual sea el revestimiento de la zona de vuelo, el piso del refugio suele revestirse siempre con cemento.

Los paneles

Cuando se compran los paneles de la zona de vuelo, también hay que los comprar tornillos o pernos adecuados para ensamblar la estructura. A la hora de ensamblarla siempre viene muy bien algo de ayuda, porque, aunque los paneles no suelen ser muy pesados, debido a su tamaño resultan bastante incómodos de manejar. Empiece colocando dos paneles que hagan esquina, como el de la fachada de la zona de vuelo y uno de los paneles laterales de ésta. Fije el panel más corto en el suelo, atorni-

▲ *Si hay plantas abundantes en la pajarera, las aves tendrán dónde refugiarse, sentirse seguras y anidar, y a muchas de ellas también les servirán de alimento. Además, la vegetación de un aspecto más natural a la estructura.*

llándolo en la base, y a continuación fije el panel lateral sobre él, no sin antes comprobar que no está del revés, y que la malla queda por la parte de dentro.

Si la malla metálica queda por dentro, protegerá la estructura de madera del destructivo pico de las aves, y además resultará más fácil atornillarlos desde fuera. Para hacerlo, hay que practicar agujeros en el marco superior e inferior de los paneles que van a formar la zona de vuelo y después atravesarlos con tornillos. Entre éstos y las tuercas hay que insertar zapatillas (arandelas), y todo el conjunto deberá mantenerse bien engrasado.

La parte del techo se extiende sobre los paneles que forman los lados. Se fija atornillándola a los marcos de los paneles desde abajo, y contribuye a afianzar la estructura. El refugio se monta de forma similar, teniendo mucho cuidado para no rajar ni deteriorar el techo de fieltro. Éste material debe ser de primera calidad.

Colocar las perchas

Es más fácil colocarlas en su sitio cuando aún no se han montado las puertas. La mayoría de los pericos necesitan que las perchas estén colocadas a ambos extremos de la pajarera y se deje entre ellas el mayor espacio posible para volar. Eso sí, tampoco hay que llegar al extremo de colocarlas tan pegadas a las paredes que las aves se enganchen las plumas de la cola entre ellas y los paneles. Los pájaros pequeños también necesitan una buena distancia entre las perchas para volar, y abundante follaje que les proporcione intimidad cuando aniden.

El último toque

Coloque un tejadillo de plástico en la parte de la zona de vuelo más cercana al refugio, para que las aves estén protegidas cuando haga mal tiempo. También se puede fijar en las paredes. El siguiente paso es colocar canalones de desagüe a lo largo de borde inferior del plástico y en la parte trasera del refugio, para canalizar hacia fuera el agua de lluvia. Coloque cerraduras en todas las puertas exteriores de la pajarera.

Las aves necesitarán una plataforma donde posarse cuando entren o salgan del refugio, y éste debe estar iluminado o no sentirán deseos de entrar. Las ventanas del refugio deben estar cubiertas de malla metálica.

P/R...

● **¿Merece la pena poner una entrada de seguridad en la pajarera?**

Sí. Así evitará el riesgo de que las aves se escapen cada vez que usted entre en la pajarera. La puerta exterior de este vestíbulo debe abrir hacia fuera y la interior, hacia adentro. Si coloca un cerrojo por dentro en la puerta exterior, podrá dejarla cerrada antes de abrir la puerta interior y así, si algún ave se le escapase, nunca podría llegar pasar del vestíbulo de seguridad en el peor de los casos.

● **¿Qué es la malla doble?**

Cuando se instalan pajareras adyacentes, el panel que comparten debe estar cubierto de malla por ambos lados, en vez de por uno solo, para evitar que las aves puedan entrar en contacto y lesionarse mutuamente las garras.

● **¿En qué se diferencia una birdroom del refugio nocturno de las pajareras?**

Las *birdroom* son verdaderas casitas para las aves en las que siempre hay un espacio reservado para las jaulas de cría. En muchos casos, también hay una zona de vuelo a cubierto, un refugio nocturno al fondo, y un almacén para semillas y utensilios. Estas casetas son ideales para alojar a las especies no resistentes durante el invierno.

▼ *Pajarera típica ya terminada. Ahora sólo falta instalar las plantas, los comederos, algunas perchas adicionales y los cajones de anidación. Los tornillos, las tuercas y las bisagras deberán ser engrasados periódicamente.*

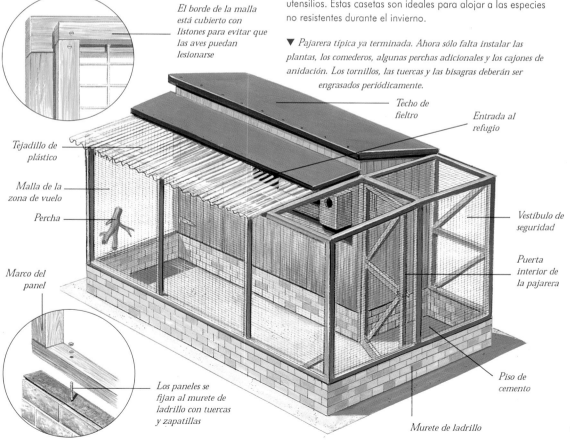

El borde de la malla está cubierto con listones para evitar que las aves puedan lesionarse

Tejadillo de plástico

Malla de la zona de vuelo

Percha

Marco del panel

Los paneles se fijan al murete de ladrillo con tuercas y zapatillas

Techo de fieltro

Entrada al refugio

Vestíbulo de seguridad

Puerta interior de la pajarera

Piso de cemento

Murete de ladrillo

La alimentación

NO ES CASUAL que las aves que se contentan con poco más que un puñadito de semillas secas de cuando en cuando (como los periquitos de Australia) fueran las primeras en domesticarse. No obstante, hoy en día es fácil encontrar piensos y alimentos para aves muy diversos, y los avicultores nunca han tenido tantas facilidades como ahora para alimentar y criar las más variadas especies, incluso las que se alimentan de néctar de flores o insectos vivos. Y todo ello gracias a que ahora se conocen mucho mejor las necesidades nutricionales de todos los tipos de aves.

Todas las aves necesitan básicamente las mismas proteínas, carbohidratos y grasas. Lo único que las diferencia entre sí, y mucho, es la fuente de la que obtienen estos nutrientes básicos. Muchas especies necesitan también alimentos complementarios durante la época de cría, no sólo para sacar adelante a los polluelos, sino también para proporcionar a los adultas un suplemento nutritivo.

¿Cuánta comida hay que darles?

Eso depende de cada individuo, así como de la época del año y del clima. Hay que rellenar los comederos a diario, retirando los restos de la ración anterior. Conviene ajustar las raciones al apetito de las aves, para no desperdiciar el

Nutrientes esenciales

Carbohidratos: Aportan energía. Los excesos se almacenan en el cuepo en forma de grasa.

Grasas: Además de ser una fuente de energía concentrada, cumpen otras funciones muy importantes, como por ejemplo formar las membranas celulares y permitir la producción de hormonas.

Proteínas: Esenciales para un desarrollo saludable, por lo que son muy necesarias durante la época de cría, la muda de la pluma y también para los pollos que acaban de emplumecer.

Vitaminas: Muy importantes para numerosas funciones corporales. Sólo algunas de ellas pueden ser sintetizadas por el propio organismo. Las aves son sumamente propensas a padecer deficiencias de vitaminas liposolubles, sobre todo la A.

Minerales y oligoelementos: Diversos compuestos inorgánicos son también esenciales. El calcio, por ejemplo, es necesario para un buen desarrollo de los huesos y para que los huevos tengan cáscaras resistentes. Los oligoelementos (como el yodo, imprescindible para el buen funcionamiento de la glándula tiroides) son sólo necesarios en pequeñas cantidades.

alimento. Cuando se trate de semillas secas, hay que retirar el cascabillo (las cascarillas) antes de llenar el recipiente hasta arriba. Dos o tres veces por semana conviene tamizar las semillas para eliminar el polvo.

Las semillas

Desde siempre se ha alimentado a los *sitaciformes* (loros, pericos, cacatúas, etc.) con una mezcla de grandes semillas. Los pájaros más pequeños se alimentan básicamente de alpiste y mijo (que son los granos de forma redondeada que pueden verse en la mezcla de semillas comercial). Tanto el alpiste como el mijo son cereales. Poseen un contenido relativamente alto de carbohidratos y constituyen una importante fuente de energía. La mezcla comercial incluye otros cereales como la avena descascarada y los granos de maíz partidos (ya

◀▼ *Comederos para aves granívoras. El modelo abierto (abajo), como se engancha en los barrotes, es fácil de colocar muy cerca de las perchas, pero con él se desperdicia mucho grano, ya que los pájaros tienden a desparramarlo al comer. Si utiliza un comedero vertical con dispensador, compruebe que la mezcla de semillas fluye siempre de manera homogénea.*

que secos y enteros serían demasiado duros para el pico de un pequeño conirrostro). Algunas mezclas de semillas incorporan maíz en copos, por lo que pueden ser consumidas por muchas más especies.

La mezcla típica para loros se compone básicamente de dos semillas oleaginosas: las semillas de girasol y los cacahuetes, pelados o con cáscara. Aunque se utilizan con mucha más frecuencia la variedad de cáscara negra y rayada, las semillas de girasol de cáscara blanca son las que más alimentan y tienen menos grasa. Hay que tener mucho cuidado cuando se compran cacahuetes, porque pueden estar contaminados por un hongo llamado *aspergillus*, que hace enfermar del hígado de las aves. Es muy difícil detectar este hongo a simple vista, y con frecuencia estas semillas son analizadas antes ponerlas a la venta. Por eso es importante comprarlas sólo en establecimientos de toda confianza.

Las semillas pueden transmitir diferentes virus muy peligrosos para la salud de las aves, por lo que no se debería comprarlos a granel en los establecimientos que también vendan aves. Los piensos preenvasados, además, son una garantía contra la contaminación por roedores o insectos, que también pueden transmitir enfermedades. Las semillas deben guardarse siempre en envases bien cerrados y que no dejen pasar el aire, para protegerlas de cualquier tipo de plaga.

▲ *Muchos amantes de los pájaros prefieren comprar las semillas ya mezcladas en vez de adquirirlas por separado y hacer la mezcla personalmente.*

▶ *No todas las semillas contienen la misma proporción de nutrientes, y con frecuencia es preciso mezclar varios tipos para lograr una dieta equilibrada. La nabina aporta muchas grasas y proteínas, pero pocos carbohidratos. El mijo es muy rico en carbohidratos. La linaza es una semilla reconstituyente que ayuda a desarrollar un hermoso plumaje.*

P/R...

● *¿Salen más rentables las semillas de girasol gigantes?*

Con frecuencia no, porque, aunque en la cáscara parezcan enormes, el tamaño de la semilla, que en definitiva lo que se va a aprovechar, es prácticamente el mismo que en las variedades pequeñas. Lo mismo puede decirse de los cacahuetes con cáscara, en relación a los pelados.

● *¿Qué son las semillas reconstituyentes?*

Son semillas que se considera muy útil incorporar a la mezcla de los pájaros sometidos a estrés, convalecientes o que están emplumeciendo. La más típica es la perilla, pero hay otras, como las de camilina y las de la llamada hierba del asno. Es costumbre añadir este tipo de granos al pienso de los canarios y otros conirrostros, y también se venden cócteles de semillas reconstituyentes para mezclar en casa con el pienso normal u ofrecer como complemento nutritivo. En la época de cría se suele recurrir a otro tipo de semillas reconstituyentes, sobre todo el negrillo, al que se atribuye la virtud de ayudar a las hembras durante la puesta, facilitando la expulsión de los huevos.

● *Tengo un loro como mascota. ¿Puedo darle los mismos frutos secos que yo como?*

No, si están salados o han recibido cualquier tipo de tratamiento, porque podrían perjudicar seriamente su salud. Las nueces, las avellanas y las nueces de Brasil suelen gustar mucho a toda la familia de los loros y, aunque sólo las especies de mayor tamaño puedan descascararlas con el picos, todos los demás estarán encantados si sus amos se las ofrecen peladas. ¡Pero no vaya a darle una de esas nueces de Brasil cubiertas de chocolate! El chocolate puede ser un veneno mortal para los loros.

Nabina

Mijo

Linaza

Remojado de granos

Los granos remojados son una alimento excelente para los polluelos, y también para las aves convalecientes. El mijo, el alpiste y hasta las pipas de girasol se prestan bien a este tratamiento, después del cual quedan más tiernos, más digestibles e incluso más nutritivos, cuando ya han empezado a germinar.

● Coloque en un tamiz entre una cuarta y una tercera parte de la ración habitualmente consumida por sus aves a diario y lave bien las semillas bajo el grifo de agua fría. Escúrralas y páselas a un cuenco.

● Cubra las semillas lavadas con agua muy caliente, tape el cuenco con un plato para evitar que le entren bichos o suciedad y déjelo reposar durante toda la noche.

● Por la mañana, enjuague muy bien los granos y échelos en un comedero limpio.

● Al final del día, retire todos los granos que no hayan sido consumidos, para evitar que críen moho.

Una dieta equilibrada

Las semillas por sí solas no contienen todos los elementos nutritivos que un ave necesita, y si no comen otra cosa acabará resintiéndose su salud y no podrán reproducirse con éxito. Para evitarlo se les pueden ofrecer fruta y verdura, además de incorporar suplementos nutritivos en su pienso. Estos suplementos se venden en forma líquida o en polvo en cualquier tienda de animales. Eso sí, asegúrese de no exceder la dosis indicada en el envase, o a la larga sus aves caerían enfermas.

▼ *Hay que ofrecer a los loros fruta del tiempo en abundancia (izda.). También agradecen las legumbres y otras semillas germinadas (dcha.).*

▶ *Muchos granívoros necesitan también vegetales frescos, porque las semillas secas no aportan suficientes vitaminas. Además, pueden ofrecérseles mojadas en una solución de polvos reconstituyentes.*

Pienso seco

Otra posibilidad es alimentar a los loros, cacatúas, etc. con pienso completo en forma de bolitas. Estos piensos están formulados para sustituir por completo a las semillas y, aunque a primera vista puedan parece caros, no hay que olvidar que de las semillas que compramos ellos sólo aprovechan la mitad, ya que todo lo demás son simples cáscaras. Otra ventaja de este preparado es que incorpora todas las vitaminas y minerales que el ave necesita, y por tanto permite prescindir de cualquier suplemento nutritivo.

El principal inconveniente de este alimento es que, por mucho que le digamos a nuestro loro que es, desde el punto de vista nutricional, infinitamente superior a la comida fresca, probablemente ni siquiera intente probarlo. Lo mejor es empezar a alimentar a los loros con esto antes de que ya hayan decidido qué es lo que más les gusta. Cuando se crían a mano pollos de loro, este pienso se suele utilizar como alimento de transición antes de pasar a la alimentación típica de los adultos.

Frutas y verduras de hojas

No siempre es fácil, al principio, acostumbrar a algunos ejemplares a consumir fruta y verdura. Los granos de granada suelen ser bastante aceptados por casi todos los miembros de la familia de los loros, pero sólo se pueden conseguir en otoño. Las manzanas dulces y las uvas, en cambio, se pueden adquirir durante todo el año. Estas frutas también pueden ofrecerse a las aves no granívoras.

Todas las frutas hay que dárselas preparadas. Siempre hay que lavarlas bien, y en algunos casos habrá que dárselas troceadas para evitar desperdicios, ya que lo que no consuman en el día va necesariamente a la basura. Los loros acostumbran a agarrar la fruta con las patas, de modo que las porciones deberán ser de un tamaño adecuado para sus garras. Las uvas se les pueden dar enteras. Hay ofrecer la fruta muy picadita a casi todas las aves no gra-

● *¿Cuál es la mejor forma de acostumbrar a un ave al pienso completo?*

Hay dos formas de hacerlo. La primera consiste en retirarle de golpe la dieta habitual y sustituirla por pienso, pero siempre es posible que el pájaro, simplemente, se niegue a comer en redondo y enferme. La segunda consiste en incorporar gradualmente el nuevo alimento, mezclándola con la comida habitual en proporciones cada vez mayores, pero en muchos casos el ave come la que le gusta y simplemente se deja el pienso en el comedero.

● *¿Es verdad que algunos sitaciformes aceptan mejor que otros el pienso completo?*

Parece que sí. Las cacatúas y los loros grises africanos suelen ser muy conservadores con la comida, mientras que a los pyrrhura les encanta probar alimentos nuevos, por lo que suele ser bastante fácil acostumbrarlos a tomar pienso completo.

● *¿Puedo recoger hierbas en el campo para mis aves?*

Sí, pero sería mejor que las recogiese en su propio jardín para asegurarse de que no han sido fumigadas con ningún producto químico peligroso. Nunca les ofrezca hierbas recogidas al borde de la carretera, porque son las que más pueden estar contaminadas con herbicidas.

nívoras, ya que sólo pueden tragar porciones muy pequeñas de alimento.

Los sitaciformes también ingieren muchas hojas verdes, pero las aves no granívoras rara vez lo hacen. A muchos conirrostros les encanta picotear algunas hierbas frescas como la pamplina, el diente de león y las gramíneas. Los loros pueden comer hojas frescas de espinaca durante casi todo el año, pero si es posible hay que intentar que sean de una variedad pobre en ácido oxálico, porque esta sustancia interfiere en la absorción del calcio.

▼ *Muchas hierbas silvestres son un buen suplemento nutritivo para las aves de la familia de los loros, los conirrostros y los turacos. Se pueden recoger en el jardín y muchas veces también prosperan en macetas, pero hay que asegurarse de que no han estado en contacto con ningún producto químico.*

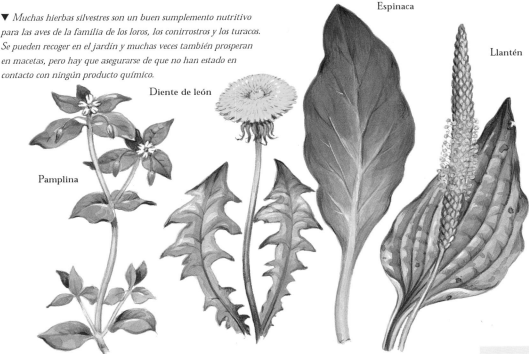

Espinaca

Llantén

Diente de león

Pamplina

Piensos para aves no granívoras e invertebrados vivos

Las aves no granívoras resultan menos cómodas de alimentar que las que apenas consumen otra cosa que semillas secas, pero existen piensos especiales para ellas, y también se pueden comprar los animalillos vivos que necesitan. Los insectos y gusanos son una parte importante de la dieta de muchas especies, y también son imprescindibles para alimentar a los polluelos de algunos conirrostros como las estrildas.

La dieta de las aves no granívoras suele incluir proporciones variables de fruta fresca, invertebrados vivos y pienso especial, ya sea en pasta o granulado. Algunas especies necesitan también néctar de flores. Existen varias marcas de comida preparada para elegir, pero al hacerlo hay que tener muy en cuenta la proporción de hierro que contienen. Este elemento les es muy necesario en pequeñas cantidades, pero su cuerpo lo absorbe con avidez y puede acumularse en su hígado rápidamente, provocando una intoxicación característica en estas especies.

Invertebrados comerciales

Gusanos de la harina: Larvas del escarabajo de la harina *tenebrio mollitor* muy utilizadas, ideales para las especies más grandes, pero desaconsejables para las aves que estén criando a sus polluelos, porque éstos no podrían digerir su exoesqueleto.

Larvas de polilla: Son adecuadas para muchas especies, pero se convierten en crisálidas, por lo que no conviene almacenar grandes cantidades, sino comprarlas con regularidad.

Pinkies: Ratones muertos de sólo un día de edad, adecuados para las aves no granívoras más grandes. Se pueden comprar congelados, pero nunca los vuelva a congelar una vez descongelados.

Grillos: (abajo) Se venden de todos los tamaños, desde 2,5 hasta 25 mm, y son adecuados para todas las aves y sus pollos.

Las bolitas de pienso para aves no granívoras deben ser bajas en hierro. Son especialmente adecuadas para las especies que tienen dificultad para ingerir piensos en pasta o granulados. Estas bolitas se pueden servir secas, pero resultan más apetitosas a las aves si se remojan previamente unos diez minutos.

Los nectarínidos utilizan el néctar azucarado de la flores como fuente de energía, y los invertebrados como fuente de proteínas. Las soluciones de néctar se preparan mezclando la proporción indicada de concentrado y agua fría y removiendo bien con una cuchara. Nunca intente acelerar el proceso utilizando agua caliente, porque sus aves se quemarían la lengua.

Los grillos tal vez sean el invertebrado vivo más utilizado, y están a la venta en diferentes tamaños, desde los casi microscópicos (grillos *mini*) hasta los ejemplares adultos de unos 2,5 cm de longitud. Como todos los invertebrados, contienen más fósforo que calcio, por lo que hay que servirlos previamente espolvoreados con el complemento nutricional adecuado.

Para incrementar el valor nutritivo de los gusanos de la harina, en vez de espolvorearlos antes de servirlos con un complemento nutricional, se los alimenta con un producto especial que se acumula en su intestino y después es asimilado por las aves cuando los digieren. Estos gusanos se pueden almacenar durante varias semanas si es preciso, siempre que se conserven en un recipiente aireado en el que se haya introducido también harina o salvado, así como una rodaja de manzana. Los grillos, por el contrario, deben ser consumidos rápidamente, o bien guardarse en una grillera especial, junto con hojas verdes y pedazos de esponja húmedos que les proporcionen el agua que necesitan.

Preparados de huevo

Los preparados de huevo son el alimento comercial más utilizados, después de las mezclas de semillas. Suelen usarse en la época de cría, aunque hay quien los utiliza, en pequeñas cantidades, en cualquier época del año. Aún hay criadores que fabrican sus propios preparados de huevo mezclando yemas de huevo cocido con otros ingredientes, como hojas de diente de león muy picaditas, por ejemplo, pero hoy en día lo más habitual es comprarlos ya preparados en la pajarería. La mayoría de las preparaciones pueden servirse tal como salen del envase, lo que garantiza la consistencia adecuada además de facilitar su uso. Como ocurre con cualquier alimento fresco, es necesario retirar los restos no consumidos y lavar y llenar el comedero de nuevo a diario.

▶ *En comercios especializados es posible encontrar dispensadores de néctar como éste. Los de plástico son prácticamente indestructibles, comparados con los de vidrio, que suelen estar teñidos para evitar que las vitaminas presentes en la solución de néctar se deterioren tan rápidamente con la luz.*

P/R...

● **¿Cuáles son los síntomas de esa enfermedad que se produce cuando se almacena demasiado hierro en el hígado de las aves?**

Al principio, tienen dificultades para volar y las plumas se les encrespan, pero no pierden el apetito. De hecho, suelen tener más apetito del normal. Después se les hincha el abdomen, y a partir de este momento ya hay pocas probabilidades de curación.

● **¿Cómo les doy los grillos vivos a mis pájaros?**

Lo mejor es echarlos primero en una bolsa y espolvorearlos con el complemento nutricional. Esto resulta más fácil si han estado un rato antes en el frigorífico, porque el frío reduce su movilidad. Después, páselos a un comedero para aves alto y difícil de volcar, para evitar que se escapen. No les sirva más grillos de los que puedan consumir en una hora aproximadamente.

● **¿Puedo recoger bichos para mis pájaros en mi jardín?**

Puede recoger algunos invertebrados, como los pulgones, valiéndose de un pincel limpio, pero la mayoría de los invertebrados que se encuentre (caracoles, babosas y lombrices) resultan demasiado peligrosos, ya que son los huéspedes intermedios de varios tipos de parásitos de las aves silvestres. Si fuesen ingeridos por un ave doméstica, ésta acabaría infestada de parásitos.

Las marcas rojas que aparecen en el pico o pitorro del dispensador están destinadas a atraer al ave imitando las flores de las que obtienen el néctar en el entorno natural.

● **Tengo una grillera, pero los grillos saltan sobre el recipiente del agua y se ahogan. ¿Cómo puedo evitar que esto ocurra?**

Utilice un recipiente poco profundo, llénelo hasta arriba con esponja sintética y después humedézcala. La esponja retendrá la humedad. También existen ciertos productos que convierten la humedad del aire en agua líquida que los grillos pueden beber.

▼ *Se pueden comprar gusanos de la harina, aunque los gusanos mini (izda.) son los más adecuados para los pájaros pequeños. Guárdelos en un lugar fresco para refrenar su desarrollo.*

Instalación de un ave en el hogar

TENGA ABSOLUTAMENTE TODO preparado en casa antes de llevar el ave. Lo único que debe quedar por hacer es llenar el bebedero e introducir el animal en la jaula a continuación. Le costará algo de tiempo acostumbrarse a su nueva casa y no sería mala idea añadir algún preparado *probiótico* especial al agua del bebedero durante los primeros días. Estos productos contribuyen a estabilizar la flora bacteriana intestinal, reduciendo el riesgo de sufrir trastornos digestivos que conlleva cualquier situación estresante. Por esta misma razón hay que seguir dandole el mismo tipo de alimento que consumía en el criadero durante algún tiempo, aún cuando en el futuro se tenga planeado cambiar su alimentación.

Aunque sea muy difícil resistirse a la tentación de empezar a jugar con la nueva mascota de inmediato, hay que dejarla tranquila uno o dos días para que se acostumbre al nuevo entorno. Si llega a casa con el pájaro por la noche, tendrá que dejarle la luz de la habitación encendida un par de horas, para darle la oportunidad de comer algo después del ajetreo del viaje. Muchas aves encuentran la comida sin problemas, pero los pollos de periquito de Australia pueden tener alguna dificultad, sobre todo si el comedero es uno de esos modelos cerrados. Si esparce algunas semillas por el piso de la jaula, alrededor del comedero, les ayudará bastante a encontrar el camino.

En principio, ganarse la confianza de su mascota no tiene por qué ser difícil, sobre todo si ha sido criada manualmente por otros seres humanos. Un buen truco para convencerla de que se pose en su mano es colocar ésta a lo largo de la percha, con los dedos exten-

Principales peligros del hogar

Ventanas: Hay que tenerlas cerradas cuando se deje salir al ave de la jaula, y revestir de tela metálica o similar la ventana del cuarto donde esté instalada su jaula para evitar que se escape por accidente.

El fuego: Cualquier llama que no esté debidamente protegida es un peligro en potencia. Coloque siempre la protección adecuada.

Peceras y acuarios: Si están descubiertos, el ave no sólo podría caer en ellos y ahogarse, sino también beber de su agua e ingerir bacterias nocivas para su salud.

Perros y gatos: Asegúrese de que no están en la habitación antes de dejar salir al ave de su jaula.

Plantas venenosas: Algunas plantas ornamentales muy utilizadas, como la *poinsettia*, resultan muy venenosas para las aves. Los cactos pueden provocar lesiones con sus espinas.

▶ *Posarse en la mano del propietario es parte del proceso de domesticación de las aves. Una porción de su alimento favorito es el mejor incentivo para hacerlo, como en el caso de este periquito de Australia.*

● ¿Cómo hay que lavar a los pájaros para que sus plumas se mantengan bonitas y sanas?

Algunos pájaros de jaula se bañan ellos solos si se les deja un recipiente donde hacerlo, pero hay otros, como los loros, que necesitan ser duchados con regularidad. Para hacerlo se utilizan los mismos pulverizadores con los que se limpian las hojas de las plantas, llenándolos de agua limpia y templada y rociando a las aves muy suavemente. Lo mejor es que no apuntar directamente hacia ellas, sino dejar que las minúsculas gotitas caigan sobre sus plumas desde arriba. Nunca hay que rociarles directamente la cara, porque se asustarían de nosotros.

● Compré un ejemplar joven hace un mes, y todavía no dice una sola palabra. ¿Qué puedo hacer?

Tener paciencia. Los papagayos grises, que son los mejores imitadores de la voz humana de la creación y pueden retener hasta unas 800 palabras en su memoria, muchas veces necesitan un mínimo de seis meses para pronunciar su primera palabra. De todos modos, esto varía mucho de un ejemplar a otro, y algunos papagayos criados a mano por seres humanos empiezan a hablar incluso antes de estar preparados para ponerse en venta.

● Acabo de comprarme un loro adulto y resulta que dice palabrotas. ¿Cómo puedo quitarle esa costumbre tan fea?

Puede no ser fácil. Intente cubrir la jaula cada vez que lo haga, y dejarle a oscuras durante unos diez minutos. Tal vez así logre disuadirle de repetirlas. Con un poco de suerte, si el animal deja de oír esas palabras (y, sobre todo, si usted consigue enseñarle otras nuevas), acabará olvidándose de ellas. Los loros y papagayos siguen ampliando su vocabulario durante toda la vida, pero aprenden más fácilmente de jóvenes.

didos, y premiarla si lo hace con alguna golosina, por ejemplo un trocito de zanahoria. Lo que no tiene sentido es mostrarse contrariados cuando un ave no reacciona como esperamos, porque ella jamás entendería el porqué de nuestra contrariedad.

¿Cómo aprenden a hablar?

La mejor arma que se puede utilizar para enseñar a hablar a estas aves es la paciencia. No hay ninguna regla de oro, pero a veces ayuda que su propio amo grabe en una casete las palabras que se desea que aprendan y haga que las escuchen una y otra vez. Existen discos compactos para enseñar a hablar a los loros, pero no suelen dar tan buenos resultados como cuando sus amos les enseñan directamente, en parte porque nunca reaccionan igual ante la voz de un extraño que ante la de su propietario.

Cuando se les intenta enseñar a hablar, o a dejarse tocar por sus amos, las sesiones de adiestramiento no deben prolongarse más allá de algunos minutos, repartidos a lo largo de todo el día, siempre que esto sea posible. Así será más fácil conseguir que el animal preste atención, sobre todo si hay otros elementos en el cuarto capaces de distraerle. Siempre hay que repetir las palabras o frases con claridad. Resulta muy útil enseñarles a pronunciar el nombre y dirección de su propietario porque de este modo, si se escapasen y alguien los recogiera, tardarían muy poco en informar a esa persona de cómo puede restituirlos a su dueño, y con un poco de suerte usted podría recuperar al animal en seguida. Por otra parte, si alguien se lo roba, al decir su nombre y su dirección disiparía cualquier duda sobre su identidad y la de su verdadero propietario.

▶ *Los loros deben pasar bastante tiempo fuera de la jaula. Lo ideal es instalar una percha especial en forma de «T» en la habitación, con su bebedero y su comedero para que el animal pueda beber y comer también cuando está fuera de la jaula.*

Aves de pajarera

CUANDO VAYA A INSTALAR nuevas aves en su pajarera, no debe dejarlas sueltas en la zona de vuelo, sobre todo si es de noche. No encontrarían el camino del refugio y, si un gato u otro animal pasasen cerca de la instalación, podría hostigarlas y ellas, presas del pánico, volarían frenéticas y a ciegas de un lado a otro, tal vez causándose lesiones muy serias.

Durante los primeros días, por el contrario, las aves deben quedar confinadas en el refugio, con el recipiente del agua y el comedero a mano. Así, usted podrá observar si comen bien o mal y cuánto beben, y comprobar que tienen aspecto saludable antes de soltarlos en la zona de vuelo.

▼ *En ocasiones tendrá que agarrar a sus pájaros para examinarlos. Para hacerlo, rodee su cabeza con el dedo índice y el corazón de su mano izquierda (suponiendo que usted no sea zurdo/a) y mantenga sus alas plegadas contra el cuerpo utilizando la palma de su mano.*

Cómo manipularlas

Las aves de pajarera, como las de jaula, viajan en cajas de transporte hasta su nuevo hogar. Para sacarlas de la caja tal vez baste con abrir ésta y depositarla suavemente sobre el piso del refugio nocturno. Si las aves no son agresivas, es posible sacarlas una a una sin dificultad. Introduzca suavemente su mano izquierda en la caja de transporte (suponiendo que usted no sea zurdo/a), y rodee el cuerpo del ave con sus dedos tal como muestra la ilustración. Los loros y cotorras pueden hacer mucho daño con sus fuertes picos, así que con ellos lo menor es colocarse un par de guantes de jardinero bien resistentes antes de exponerse a sus picotazos. Tenga cuidado cuando lleve puestos los guantes, porque le harán perder sensibilidad y correría el riesgo de asfixiar a las aves si apretase demasiado al agarrarlas.

Una vez instaladas en la pajarera, habrá ocasiones en las que necesite capturarlas. Para hacerlo necesitará forzosamente una red especial, profunda y con los bordes almohadillados. Antes de empezar, retire todas las perchas de la zona de vuelo, para poder desplazarse más cómodamente por el recinto y para obligarlas a posarse o bien en la malla o bien en el suelo, lo que le facilitará enormemente la captura. Eche suevemente la red sobre el ave que necesita atrapar, para no hacerle ningún daño. Cuando ya esté bien atrapada en su interior, tápela con una mano para que vuelva a escaparse volando y baje con suavidad la red y el ave hasta posar

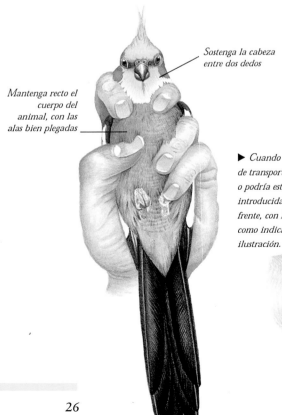

Sostenga la cabeza entre dos dedos

Mantenga recto el cuerpo del animal, con las alas bien plegadas

▶ *Cuando vaya a sacar al ave de su caja de transporte, evite agarrarla con fuerza, o podría estrujarla. Las aves deben ser introducidas en sus cajas de transporte de frente, con la cabeza por delante tal como indica la ilustración.*

Respiraderos

Instalación en la pajarera

● Al principio, siga dando a cualquier ave recién adquirida el mismo tipo de alimento que solía tomar, especialmente si no es granívora o se alimenta de néctar, para prevenir trastornos digestivos.

● Rocíe con un acaricida de uso avícola cualquier ejemplar recién adquirido antes de introducirlo en la pajarera.

● Consulte a su veterinario acerca de la desparasitación antes de instalar el ave.

● Al principio, mantenga a las aves nuevas confinadas en el refugio.

● Evite en lo posible situaciones y objetos perturbadores alrededor de la pajarera.

● Anime a las nuevas aves a pernoctar bajo techo colocando más altas las perchas del refugio que las de la zona de vuelo para que allí se sientan más seguras.

▶ *Algunas aves, como los barbudos o capitanes, pueden mostrarse muy agresivas con los nuevos ocupantes, y es preciso tomar precauciones para evitar las peleas hasta que se acostumbren a los recién llegados.*

ambos en el suelo. Use entonces la otra mano para sacar el ave de la red.

Vigilar su salud

Durante sus primeras semanas en un nuevo entorno, las aves corren bastante riesgo de contraer enfermedades, por lo que hay que verificar su estado de salud durante todo este tiempo, comprobando que no ostenten ningún síntoma de enfermedad (véase pág. 36). Si antes vivían en un entorno cálido, no hay que dejar que salgan del refugio hasta que el frío disminuya y haya pasado el riesgo de heladas.

▶ *Extienda delicadamente las alas de sus aves, sosteniéndolas entre el dedo índice y el pulgar tal como indica la ilustración, para asegurase de que no tienen parásitos externos, pequeñas lesiones o plumas rotas.*

P/R...

● ¿Cómo puedo evitar que mis pájaros entren o salgan del refugio cuando no deben?

La mejor forma es construyendo una puerta corredera que permita cerrar el orificio de entrada al refugio desde fuera de la pajarera. Bastará con una plancha de contrachapado que encaje en carriles instalados en la parte superior e inferior del orificio de entrada y que se pueda desplazar hacia la izquierda y la derecha tirando de una cuerda o de un alambre que cuelgue fuera de la pajarera, después de atravesar la malla.

● ¿Cómo qué hay que revestir por dentro el refugio de las aves no granívoras?

El mejor aislamiento térmico es un revestimiento acolchado especial que hay que utilizar siguiendo al pie de la letra las intrucciones del fabricante. Para proteger este revestimiento de las aves, se puede cubrir a su vez, por la parte de dentro, con planchas de madera o contrachapado tratadas con aceite. La superficie de éstas, lisa y brillante, se limpia con facilidad en caso de que se manchen.

● ¿Qué diferencia hay entre «cuarentena» y «aclimatación»?

La cuarentena es un período de aislamiento al que se deben someter todas las aves importadas o traídas de fuera para evitar que contagien a las otras aves cualquier enfermedad infecciosa que pudieran traer consigo. La cuarentena suele durar entre 30 y 35 días. La aclimatación, en cambio, es un proceso de adaptación gradual al clima del nuevo lugar, cuando las aves proceden de un clima distinto. Las aves recién llegadas de climas más cálidos, incluso aunque pertenezcan a una de las especies consideradas resistentes, deben pasar en una zona de vuelo bajo techo (*birdroom*) o refugio climatizado su primer invierno.

Cuidados diarios de la pajarera

TÓMESE EL TIEMPO NECESARIO cada día para observar a sus aves. Observe no sólo su aspecto físico, sino también su conducta, porque ambas cosas le pueden ayudar a detectar los primeros síntomas de algunas enfermedades que podrían llegar a ser graves si no se detectan a tiempo y se toman las medidas oportunas. Incluso una enfermedad mortal puede atajarse a tiempo si se detecta precozmente.

Comederos y bebederos

El comedero y el bebedero necesitan también atención diaria. El comedero de las periquitos de Australia y de otras aves de la familia de los loros puede ser un dispensador. Estos modelos mantienen limpias las semillas no consumidas, y a veces incluso incorporan una especie de bandeja protectora que recoge las cáscaras para facilitar la limpieza. Siempre es preferible instalar los comederos en el refugio, en vez de en la zona de vuelo, porque así el alimento queda mucho menos expuesto a la humedad y el posible ataque de los roedores.

Si se trata de aves no granívoras, no es mala idea sustituir el comedero convencional por un simple tablero que se pueda limpiar y desinfectar fácilmente, ya que tienden a ensuciar mucho cuando comen y cualquier resto acabaría descomponiéndose y poniendo en peligro la salud de las aves. El tablero puede tener patas o estar fijado en la pared del refugio, pero en ese caso habría que asegurarse de que la superficie de esa pared también es lisa y fácil de desinfectar y limpiar. En el caso de las codornices y las otras aves que comen en el suelo, hay que colocar los comederos con cuidado, evitando que queden bajo las perchas y puedan

Para limpiar la pajarera necesita...

- Bolsas de basura para los restos de comida y los periódicos usados.

- Escoba o cepillo de barrer.

- Cepillo y recogedor para retirar las cáscaras.

- Pala para recoger las deposiciones de las aves bajo las perchas de la zona de vuelo.

- Cepillo y cubo de agua para limpiar las perchas.

- Cepillo y barreño para lavar los comederos.

- Detergentes y desinfectantes no agresivos.

P/R...

- Los canalones de desagüe sueltan agua y la pajarera se inunda. ¿Qué puedo hacer para evitarlo?

Puede que no estén soldados o unidos correctamente y el agua de lluvia fluya por las juntas en vez de correr hacia abajo. También puede ser que los canalones se hayan obstruido con hojas caídas o con una bolsa de plástico que se haya quedado atrapada en su interior. Tal vez le convenga invertir algo de dinero en unos protectores que filtren el agua, dejando pasar ésta y reteniendo las hojas y otros detritos en el exterior.

- ¿Cuál es la mejor forma de limpiar los comederos?

Si son de esos recipientes de plástico que se cuelgan de la pared, con un cepillo, para acceder a todos los rincones del recipiente. También se limpian así los comederos circulares en forma de cuenco. Enjuague siempre bien el cepillo después de usarlo. Reserve un barreño para lavar los comederos y desinféctelo después de cada uso con un producto especial de uso avícola.

◄ *Este modelo de ratonera evita sufrimientos innecesarios a los roedores. Coloque dentro un buen cebo, por ejemplo un trocito de chocolate, y deposítelo en el piso de la pajarera para evitar posibles infecciones a sus aves.*

▶ *Una vegetación exuberante en la pajarera facilita la reproducción de muchas especies, pero hay que podar con regularidad las plantas y arbustos para que no entorpezcan la limpieza de la instalación.*

contaminarse con las deposiciones de las otras aves. Si ha caído sobre el piso cualquier porción de un alimento perecedero, es preciso limpiarlo ese mismo día para evitar que las aves lo consuman cuando haya empezado a descomponerse.

Higiene y mantenimiento de la instalación

Viene muy bien colocar hojas de periódico sobre el piso del refugio, fijándolas con cinta adhesiva para que no las descoloquen las corrientes de aire ni las aves en movimiento. El papel de periódico es absorbente, fácil de retirar una vez usado y mucho más barato que los productos comerciales destinados a este uso, como la arena especial para aves, por ejemplo. Eso sí, no utilice papeles coloreados, porque pueden contener tinta venenosa. Por regla general, hay que cambiarlo una o dos veces a la semana, dependiendo del número de aves que se tengan y de la dieta de éstos. Los restos de alimentos perecederos que hayan caído sobre él sí deben ser retirados a diario, y las perchas hay que fregarlas a conciencia y desinfectarlas con regularidad.

Al final de la época de cría hay que hacer limpieza general en la pajarera, y no es mala idea llevar las aves a otro sitio mientras se limpia, para tener más facilidad de movimientos. Si el suelo es de cemento, baldosa o losetas, hay que fregarlo exhaustivamente y desinfectarlo antes del aclarado final. Si tiene plantas, hay que recortarlas y podar los arbustos, comprobando que el peso de las ramas no haya deteriorado la malla protectora creando huecos por los que las aves pudieran escapar. También hay que retirar todas las hojas secas.

Por último, hay que examinar la estructura exterior de la pajarera. Si fuera preciso, habría que tratar la madera con el producto adecuado para protegerla y prolongar su duración. Observe con especial atención la parte inferior de los paneles, porque entre ellos y la base se acumula la humedad y es en esta zona donde la madera suele empezar a pudrirse.

▲ *Las aves que duermen a ras de suelo, como esta avefría, son propensas a congelarse las patas debido a la longitud de sus dedos. Si hay peligro de que las temperaturas caigan por debajo de 0 ºC, asegúrese de que pasan la noche a cubierto.*

La reproducción

DETERMINAR EL SEXO de las aves a veces es fácil, debido a las diferencias de color que exhiben las hembras y los machos en el plumaje u otras partes de su cuerpo, como es el caso de los periquitos de Australia (véase pág. 119). En otros casos, sin embargo, sólo es posible distinguir un sexo de otro por su conducta, y es sumamente difícil acertar justo cuando se intenta emparejarlos, porque tal vez no exhiben ese tipo de conducta en ese preciso momento. Para sexar muchas aves de pajarera, y en especial los grandes papagayos, se recurre sistemáticamente a pruebas de ADN que, desde el punto de vista del propietario o criador, son tan sencillas como recoger una pluma del ejemplar y enviarla al laboratorio pertinente.

También se puede averiguar el sexo de un ave usando técnicas quirúrgicas (endoscopia). En ellas, un veterinario observa los genitales del animal a través de pequeño tubo, y no son muy populares porque requieren anestesia y además sólo sirven con ejemplares adultos.

Algunas especies tienen más facilidad que otras para criar en cautividad. Los periquitos de Australia y los diamantes moteados australianos, por ejemplo, requieren poco más que su dieta habitual para sacar ade-

Para criar se necesita...

● Una pareja compatible de aves en celo que sean de distinto sexo (a veces, se requieren tres ejemplares).
● Aislar a los futuros padres en su propia jaula o pajarera.
● Proporcionarles el tipo de nido que necesiten según su especie (hojas, ponederos, cajoneras, plataformas, cestillos de mimbre o plástico, etc.).
● Colocar los cajones de anidación sobre una base firme y segura.
● Proporcionarles los materiales necesarios para que preparen y acondicionen sus nidos.

lante a sus polluelos, pero las aves no granívoras son mucho más exigentes, y rara vez anidan si en la pajarera no hay una vegetación exuberante y pueden disponer de cantidades casi ilimitadas de animalillos vivos muy pequeños con que alimentar a sus pollos.

Normalmente, las aves necesitan algún tiempo, después de instalarse en la pajarera, para sentirse como en casa y estar en condiciones de procrear, y los ejemplares antiguos empiezan a dar muestras de que se inicia la época de cría antes que los recientemente adquiridos. En los países de clima templado (y no cálido o tórrido), la época de cría de casi todas las aves (incluso las tropicales) coincide con la primavera. Esto ocurre porque, en su cerebro, la glándula pineal, al detectar que los días son más largos, desencadena una serie de cambios

▼ *Surtido de nidos y cajones de anidación a la venta en pajarerías y criaderos. El diseño y las dimensiones de los cajones se adaptan a las distintas especies de aves.*

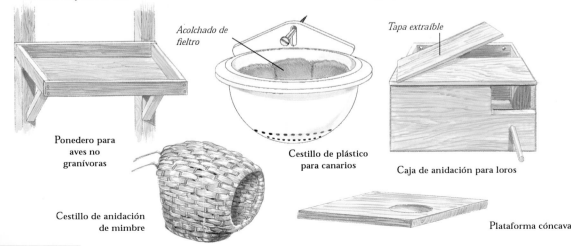

Acolchado de fieltro

Tapa extraíble

Ponedero para aves no granívoras

Cestillo de plástico para canarios

Caja de anidación para loros

Cestillo de anidación de mimbre

Plataforma cóncava

▲ *Durante el cortejo, el macho suele ofrecer alimentos a la hembra, iniciando una relación estrecha entre ambos.*

hormonales que estimulan a su vez la actividad reproductora, y con ella, la puesta de huevos. Es en esta época cuando hay que colocar los nidos y cajones de anidación en la pajarera. Si se hiciese antes, las aves podrían anidar antes de tiempo, y el frío sería aún demasiado intenso.

Si una pareja va a anidar por primera vez, hay que colocar varios nidos o cajas de anidación en diferentes lugares, para que puedan elegir el que prefieran. Si no les gusta el nido o el lugar donde está el nido, probablemente ni siquiera críen. En las pajareras mixtas, la presencia de extraños también puede hacer que una pareja se niegue a anidar, y suelen obtenerse mejores resultados, sobre todo tratándose de conirrostros, alojando al macho y la hembra por separado en colonias de cría formadas por una sola especie de aves.

La «birdroom»

En el recinto destinado a las jaulas de cría, éstas suelen apilarse unas sobre otras, pero siempre conviene apoyar el conjunto sobre algún andamio, ya que las aves no se sienten seguras estando tan cerca del suelo y podrían negarse a anidar. Otra posibilidad es colocarlas sobre un armario, cuyo interior puede además aprovecharse para guardar las jaulas de exhibición y otros artículos. Con frecuencia resultan más rentables las jaulas dobles que las sencillas, porque son más versátiles, ya que el tabique central se puede retirar más adelante, convirtiéndolas en jaulas para los jóvenes pollos.

P/R...

● **¿Qué tipo de jaula necesitan mis diamantes mandarín para criar?**

Lo mejor para estas aves es una jaula de cría tipo cajón, con un frontal para conirrostros exóticos. Se puede equipar con una caja de anidación abierta por delante o con un cestillo abovedado de mimbre, que se pueda enganchar en el frontal de la jaula, para que sea más fácil inspeccionar su contenido.

● **¿Qué otras especies pueden criar con éxito enjauladas?**

Los pinzones society, los pinzones degollados, los diamante de Gould y los bengalíes pechigualdos, por ejemplo. Los barrotes del frontal, como en las jaulas para conirrostros exóticos, están poco separados entre sí, para impedir que los pajaritos se escapen. El frontal de las jaulas de cría para canarios es algo mayor, y cuenta con espacio para enganchar, y las de los periquitos de Australia tienen los barrotes más separados. Las jaulas de cría siempre deben ser amplias, para permitir a las parejas hacer ejercicio durante la época de anidación y evitar el sobrepeso.

● **¿Cuál es el mejor sitio para instalar el cajón-nido de los loros?**

Siempre bajo techo, para protegerla de la humedad cuando llueva, ya que de lo contrario los huevos y los pollos podrían morirse literalmente de frío. Es preferible colocarla en el refugio nocturno, para que esté algo más aislada. A pocas aves de la familia de los loros, salvo las procedentes de Australia, les gusta anidar a la intemperie. Eso sí, no olvide que en las zonas de clima cálido la temperatura bajo el techo de la pajarera puede ser demasiado alta si no se proporciona algún tipo de sombra.

La época de cría

DIVERSOS CAMBIOS en la conducta de las aves indican al propietario que una pareja pronto estará en condiciones de criar. Los machos de los fringílidos cantores y los shamas empiezan a cantar más a menudo y con mayor insistencia, y las hembras se muestran más activas e inquietas, porque están explorando la pajarera en busca del rincón más apropiado para anidar. Las parejas que construyen sus nidos buscan afanosamente materiales de construcción y los transportan hasta el lugar elegido, y en ese momento sus propietarios deben proporcionarles ramitas, hierbas y cualquier otro material por el estilo en abundancia.

Las aves de la familia de los loros se vuelven aún más destructivas y ruidosas de lo habitual, y picotean furiosamente sus perchas y sus huesos de jibia (esenciales en esta época del año, ya que son una fuente de calcio adicional muy necesaria para formar las cáscaras de los huevos). También destrozan con el pico bloques de madera blanda, para acolchar con las virutas de la madera el fondo del nido, y las hembras pasan cada vez más tiempo en los ca-

◀ *Las hembras de canario, como esta Norwich, incuban solas los huevos, pero en muchas especies (incluyendo las palomas) el macho y la hembra se reparten la tarea.*

jones de anidación durante el día. Los papagayos grandes se muestran cada vez más territoriales, y a menudo tratan de ahuyentar incluso a su propietario si sienten que se está aproximando más de lo debido a sus cajón.

Incluso los pequeños conirrostros se esfuerzan en ahuyentar a los intrusos de la zona elegida para anidar, y en esta época es mucho más probable que se produzcan peleas. A veces incluso no queda más remedio que sacar a la fuerza a cualquier ave que merodee por esa zona, para evitar lesiones que podrían llegar a ser graves.

Los alimentos especiales para la cría (véanse págs. 22-23) deben empezar a ofrecerse desde el principio de la estación, para que los padres se vayan acostumbrando a consumirlos y los utilicen para nutrir a sus pollitos cuando ya hayan salido del cascarón.

Pollitos y huevos

Justo antes de la puesta, es posible que note que las deposiciones de las hembras han cambiado. Suelen ser mucho más grandes de lo normal, y tal vez despidan un olor desagradable (por ejemplo, en las hembras de periquito de Australia). Es posible que no empiecen a incubar inmediatamente tras poner el primer huevo, y algunas hembras no lo hacen hasta después de haber

● *¿Hay algo en especial a lo que se deba prestar mucha atención durante la puesta?*

Sí, hay que observar mucho a la hembras para asegurarse de que no tienen dificultades para expulsar los huevos, porque cuando un huevo se atasca en su interior, ésta puede tardar poco en morir si no se interviene a tiempo. Actúe sin demora si se ve a una hembra salir de su nido o cajón, encrespada, o con las alas caídas a los lados del cuerpo, muy bajas. El siguiente síntoma es que se vuelve incapaz de posarse en la percha, pero cuando esto sucede, tal vez su recuperación sea ya imposible.

● *¿Qué hay que hacer cuando un huevo se queda atascado en el cuerpo de una hembra?*

Hay que agarrarla con suavidad y llevarla a un veterinario especializado en aves sin pérdida de tiempo. Manipúlela con sumo cuidado, porque si no el huevo podría romperse en su interior. Normalmente, una inyección de borogluconato de calcio suele provocar la explusión casi inmediata del huevo atascado, porque esta sustancia facilita la contracción de los músculos. En muchos casos, estos huevos no están rodeados de una cáscara normal, sino envueltos en una especie de membrana gomosa.

● *¿Suele haber complicaciones después de que esto ocurra?*

Hay cierto riesgo de prolapso, es decir, de que la cloaca haya descendido debido a los tremendos esfuerzos del ave por expulsar el huevo, y aparezca en el exterior del cuerpo como un bulto de color rosa. Normalmente, el veterinario puede corregir este problema realizando una sutura. Lo normal es que la hembra se recupere sin problemas, pero no se le debe permitir volver a anidar hasta que se acerque la temporada siguiente.

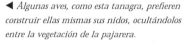

◀ *Algunas aves, como esta tanagra, prefieren construir ellas mismas sus nidos, ocultándolos entre la vegetación de la pajarera.*

▲ *A medida que crecen, los polluelos necesitan cada vez más comida especial, hasta que les llegue el momento de alimentarse como adultos.*

puesto el segundo, o incluso el tercero. Pero no se preocupe si esto sucede: siempre que se deje a la pareja tranquila, lo más normal es que todo vaya bien. Tras la eclosión, todos los polluelos parecen tener la misma edad. Eso incrementa sus posibilidades de sobrevivir.

A veces, los periquitos de Australia y otros pericos australianos destruyen sus propios huevos poco después de la puesta. Si esto ocurriese, habría que sustituirlos por huevos falsos, y pronto abandonarían esta conducta. También es posible hacer que otra pareja los adopte, pero ésta debe haber puesto sus propios huevos más o menos al mismo tiempo que la primera para que todos los polluelos salgan del cascarón aproximadamente a la vez. Para saber si los huevos de la primera pareja lograron convertirse en pollitos, se pueden marcar muy suavemente con un lápiz antes de la *adopción*.

Los polluelos

CUANDO EL PROCESO DE INCUBACIÓN está tocando a su fin, hay que ofrecer más alimento especial a las aves. Tras la eclosión, el apetito de los padres aumentará a pasos agigantados. Si de pronto éstos empiezan a comer menos, o si pasan más tiempo del normal fuera del nido, probablemente algo no va bien. Si las aves acostumbran a abandonar el nido cuando usted entra en la pajarera, puede echar un vistazo, pero jamás, bajo ningún concepto, debe espantar a un ave que está empollando para averiguar qué pasa: las consecuancias podrían ser catastróficas. Si descubre un pollito muerto, retírelo.

Los pollos de faisán y de codorniz, que normalmente se incuban en incubadora, deben mantenerse a la misma temperatura de ésta durante un tiempo, y después ser trasladados a un nido para que se mantengan calientes. Hay que dejarles a mano agua y comida desde el momento mismo en el que salen del cascarón, porque nacen capaces de alimentarse por sí mismos. Los pollos de loro incubados en incubadora, en cambio, no pueden valerse por sí mismos cuando salen del huevo, y es preciso alimentarlos manualmente, a ser posible con un alimento especial. Límpieles el pico después de darles de comer, antes de que los restos de comida se resequen, porque podrían deformar los tejidos en crecimiento.

◀ A veces es preferible alimentar a los polluelos con una cucharilla, en vez de con una jeringuilla, para no introducir a la fuerza el alimento en la garganta del animal.

Para saber con cuánta frecuencia debe alimentarlos, observe su buche, situado en la base del cuello. Cuando está flácido, es la hora de comer. Los intervalos entre toma y toma se incrementan a medida que el pollo crece.

Genética

Las aves, como los humanos, poseen dos juegos de cromosomas con los genes que determinan sus características, cada uno de ellos procedente de uno de los progenitores. Algunas características de los polluelos, como el color, normalmente se pueden predecir si éstos pertenecen a una especie con variedades perfectamente establecidas.

La mayoría de las veces, una variante de color es recesiva hacia la forma normal, lo que significa que, por ejemplo, si una cacatúa gris y otra de cara blanca procrearan, todos sus polluelos saldrían grises por fuera, aunque tuviesen el gen de la cara blanca en su código genético. No se les denominaría *homócigos* o puros, sino *heterócigos* o «escindidos hacia la cara blanca», es decir, «de cara gris/blanca». Con el tiempo, si estos polluelos procrearan entre sí, producirían algunos ejemplares de cara blanca, como indica la tabla de la página 34.

VARIANTES DE COLOR

1. Gris x Cara blanca

100% cara gris/blanca

2. Cara gris/blanca x Cara gris/blanca

50% cara gris/blanca	25% gris	25% cara blanca

3. Cara gris/blanca x Cara blanca

50% cara gris/blanca	50% cara blanca

4. Gris x Cara gris/blanca

50% gris	50% cara gris/blanca

5. Cara blanca x Cara blanca

100% cara blanca

En algunos casos, el rasgo recesivo está vinculado a los cromosomas sexuales, los que determinan el sexo de cada ejemplar. Esto cambia ligeramente el esquema de la herencia genética, porque los cromosomas sexuales de la hembra, a diferencia de los demás cromosomas, no son de igual longitud. A consecuencia de esto, en una mutación vinculada al sexo, el aspecto exterior o fenotipo de una hembra de uno de esos colores (lutino o canela, por ejemplo) debe necesariamente coincidir con su genotipo o condición genética (véase tabla bajo estas líneas).

En términos genéticos, son relativamente pocas las mutaciones dominantes. Si estas aves se aparean con otras de la forma normal, su color aparecerá en los polluelos, aunque como todas las combinaciones son aleatorias, no se puede garantizar que su porcentaje de color se corresponda con las predicciones, porque las predicciones expresan sólo una media. Se pueden distinguir por su color el factor dominante simple (fs) y el factor dominante doble (fd) en el caso de la cacatúa plateada y la de lentejuelas, pero no la mutación dominante de los periquitos de Australia manchados. De todos modos, en los ejemplares manchados, no se heredan las manchas de forma regular y los polluelos pueden variar enormemente en la disposición de las mismas. En la tabla que aparece bajo estas líneas aparecen los cruces y los resultados previsibles.

Esta tabla también puede utilizarse para calcular qué porcentajes cabe esperar cuando se unen dos variedades de factor oscuro, como las mutaciones verde oscuro (vo) y oliváceo (o), conocidas sobre todo los periquitos de Australia y algunos periquitos inseparables.

El anillado

Es esencial identificar a las aves, sobre todo cuando se pretende obtener descendencia de determinado color. La mejor forma de lograrlo es el anillado. Sólo a los pollos jóvenes se les pueden colocar anillos cerrados, porque cuando crecen sus patas se vuelven demasiado grandes. Incluso cuando no se necesita registrar los antecedentes de un ave para cruzarla y obtener así pollos del color deseado, el anillado viene muy bien para tener identificadas las aves de una colección. Si se desea colocar un anillo identificativo a un ave adulta, éste ha de ser abierto.

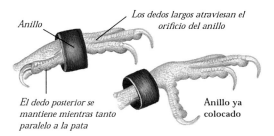

Anillo

Los dedos largos atraviesan el orificio del anillo

El dedo posterior se mantiene mientras tanto paralelo a la pata

Anillo ya colocado

▲ Los anillos cerrados se colocan cuando los pollos son jóvenes. Para colocarlos, hay que girar el dedo posterior hasta que quede pegado a la pata y sostenerlo en esa posición mientras el anillo atraviesa los dedos más largos. Al soltar el dedo posterior, el anillo ya no se sale.

Colores resultantes

MUTACIONES VINCULADAS AL SEXO

1. Macho gris x Hembra lutino

50% Machos gris/lutino	50% hembras grises

2. Macho gris/lutino x Hembra gris

25% machos grises	25% machos gris/lutino	25% hembras grises	25% hembras lutino

3. Macho gris/lutino x Hembra lutino

25% machos gris/lutino	25% machos lutino	25% hembras grises	25% hembras lutino

4. Macho lutino x Hembra gris

50% machos gris/lutino	50% hembras lutino

5. Macho lutino x Hembra lutino

50% machos lutino	50% hembras lutino

FACTOR SIMPLE (FS) Y FACTOR DOBLE (FD)

1. Plata dominante (fd) x Gris

100% plata dominante (fs)

2. Plata dominante (fs) x Plata dominante (fs)

50% plata dominante (fs)	25% plata dominante (fd)	25% gris

3. Plata dominante (fs) x Gris

50% plata dominante (fs)	50% gris

4. Plata dominante (fs) x Plata dominante (fs)

50% plata dominante (fd)	50% plata dominante (fs)

5. Plata dominante (fd) x Plata dominante (fd)

100% plata dominante (fd)

Problemas de salud

CUANDO LAS AVES se encuentran bien instaladas y adaptadas a su nuevo entorno, el riesgo de que contraigan enfermedades se reduce mucho, pero de todos modos hay que seguir vigilando su salud. Una de las medidas más importantes que hay que tomar cuando un ave cae enferma es llevarla a un lugar cálido. Para las aves pequeñas existen jaulas de convalecencia especiales, y en el caso de las grandes se suelen colgar del techo de una lámpara de infrarrojos de baja emisión lumínica para subir la temperatura de su alojamiento habitual, pero, eso sí, colocando una percha adicional que les permita alejarse un poco si empiezan a sentir demasiado calor. Las jaulas de convalecencia deben mantenerse alejadas de las otras aves, para evitar posibles contagios.

Diagnóstico y tratamiento

Es muy difícil, incluso para los expertos, diagnosticar con exactitud una enfermedad avícola sin recurrir a los análisis clínicos, porque muchas enfermedades diferentes producen síntomas iguales. Normalmente, actuar con urgencia es esencial para salvar la vida de las aves, y en consecuencia los veterinarios, cuando sospechan que se trata de una infección bacteriana, suelen inyectar de inmediato antibióticos a las aves, para que éstos pasen directamente a la sangre y empiecen a actuar lo antes posible. Un tratamiento con antibióticos jamás se debe interrumpir hasta que se haya completado, por mucho que las aves parezcan haberse curado con las primeras dosis. Si no se eliminan por completo las bacterias presentes en el cuerpo, la infección podría rebrotar.

Con frecuencia, tras inyectar la primera dosis de antibiótico, los veterinarios los recetan solubles para continuar el tratamiento. Es muy importante disolverlos siguiendo al pie de la letra las instrucciones, porque una sobredosis puede ser tan dañina para la salud como una dosificación insuficiente. Cuando las aves empiezan a recuperarse visiblemente, se puede bajar la temperatura de su entorno, sobre todo si ya han recuperado el apetito por completo. Nunca hay que devolverlas a una pajarera de exteriores hasta que estén totalmente curadas, y eso si hace buen tiempo y las temperaturas son relativamente altas. Si un ave ha enfermado en invierno, no puede ser devuelta a la pajarera hasta la primavera siguiente, salvo si ésta es interior.

Aparte de las medicinas propiamente dichas, existen alimentos especiales que ayudan a las aves a recuperarse o a mantenerse vivas hasta que empiece a hacerles efecto el tratamiento prescrito. Una vez terminado un tratamiento con antibióticos, es recomendable suministrar algún pre-

Síntomas típicos de enfermedad

● Aspecto apagado y abatido.

● Plumaje despeinado y crespo.

● Cuando el ave duerme tiende a apoyarse en las dos patas, en vez de en una sola.

● Pérdida repentina del apetito.

● Ojos cerrados.

● Deposiciones anormales y con frecuencia verdosas.

● Al ave le cuesta mucho echar a volar, incluso si alguien se le acerca.

▶ *El aspecto triste y apático de este ejemplar revela claramente que no está bien de salud. Sus ojos están semicerrados, y nada de lo que le rodea parece interesarle.*

▲ *Coloque la jaula de convalecencia en un rincón tranquilo, silencioso, tibio y libre de corrientes de aire. Una lámpara de infrarrojos, instalada frente a la jaula, proporciona calor adicional.*

parado *probiótico* de los que venden en las tiendas de mascotas, para estabilizar su flora bacteriana intestinal.

Por desgracia, a veces el tratamiento no da resultado y el ave muere. De todos modos, siempre conviene que le hagan una autopsia para determinar la causa de su muerte y, si realmente se trata de una infección, saber qué microorganismo la ha causado exactamente. Esto es especialmente importante cuando el animal convivía con otras aves, ya que podrían caer enfermas y el diagnóstico exacto permitiría en ese caso administrar el tratamiento más adecuado con menos demora.

Medicina preventiva

También es muy importante desinfectar la pajarera o la jaula después de sacar de ella un ave enferma. Hay que lavar comederos y bebederos con un desinfectante y fregar bien las perchas y demás superficies. Hay infecciones, como la candidiasis, que se pueden transmitir por los comederos y bebederos. En este caso, las levaduras microscópicas se reproducen rápidamente en las soluciones de néctar, e infectan a cualquier ave que utilice el mismo recipiente. Conviene lavarse muy bien las manos después de tocar cualquier ave enferma.

P/R...

● **Mi periquito de Australia tiene un ojo inflamado. ¿Será grave?**

Si sólo está afectado un ojo, probablemente se trate de una infección localizada y no general, y pueda curarse con unas simples gotas o una pomada. Es importante aplicar el tratamiento bastantes veces cada día, porque las lágrimas de las aves eliminan totalmente estos productos con gran rapidez.

● **¿Los pájaros contagian enfermedades a las personas?**

Como ocurre con todas las mascotas, existe cierto peligro de contagio, aunque es bastante remoto. La infección más importante es la llamada clamidiosis o psitacosis, también llamada fiebre de los loros, si bien la sufren muchos más animales, incluidos los gatos. La clamidiosis provoca una enfermedad cuyos síntomas son similares a los de la gripe, pero suele remitir con antibióticos. Actualmente se puede detectar y tratar con éxito en las aves.

● **¿Qué es exactamente la enteritis? Por lo que oigo hablar a los criadores de la zona, es un problema bastante habitual.**

Se llama «enteritis» a cualquier problema que afecte al tracto digestivo, produciendo normalmente deposiciones verdosas e incluso sanguinolentas, en los casos más graves. Literalmente, significa «inflamación del tracto digestivo», y puede deberse a causas muy diversas, no necesariamente infecciosas en todos los casos, aunque con mucha frecuencia la culpable es una bacteria llamada *e. coli*.

Parásitos de las aves

LOS PARÁSITOS SE PUEDEN DIVIDIR en dos grandes grupos: los que viven fuera del cuepo, como el ácaro rojo o *dermaniso*, por ejemplo, y los que viven en el interior del organismo, como las lombrices, los nematodos y los protozoos microscópicos. Muchos parásitos pueden infestar en muy poco tiempo toda una colección de aves. Como normalmente no es nada fácil detectarlos a simple vista, lo mejor es aplicar con regularidad un tratamiento preventivo para evitar su aparición.

El **dermaniso** o ácaro rojo (*dermanyssus gallinae*) es especialmente peligroso para los criadores de periquitos de Australia y canarios, porque estos insectos aracnoideos se reproducen rápidamente en el entorno climatizado de las *birdroom* y pueden infestar las jaulas de cría. Lo peor de todo es que, una vez instalados, son capaces de sobrevivir un año o más sin alimentarse e infestar de nuevo a las aves el año siguiente. Estos insectos prefieren los lugares oscuros, por lo que suelen invadir los cajones de anidación. Allí se nutren de la sangre de las aves, provocándoles escozor en las plumas y con frecuencia anemia, en el caso de los polluelos. Existen aerosoles especiales de uso avícola que combaten la plaga tanto en las mismas aves como en sus cajas de anidación, y además pueden utilizarse con regularidad como preventivo.

Las **lombrices intestinales** son un problema muy frecuente, especialmente en todos los pericos procedentes de Australia, que son los más aficionados a hurgar en la tierra en busca de alimento, y por lo tanto los que más se arriesgan a ingerir huevos de lombriz. El ciclo vital de estos parásitos es directo: sus huevos pasan del anterior huésped a la siguiente ave, y casi nada más ser expulsados con las heces están en condiciones de infestar a un nuevo huésped. Estos huevos duran vivos mucho tiempo cuando la tierra está mojada. Los pollos de perico pueden ser infestados sin salir del nido, a través de las deposiciones de sus propios padres. A esta edad los síntomas resultan mucho más graves, y de hecho las lombrices intestinales son una de las principales causas de muerte en esta etapa. Los veterinarios tratan las lombrices como las tenias con medicamentos.

La **tenia** pueden infestar a las aves, excepto a la familia de los loros. Esto se debe a que los huevos del parásito necesitan pasar por un huésped intermedio, como un invertebrado como el caracol, para poder infestar al ave por ingestión. Si un ave de pico blando, que se nutre de pequeños animales, se muestra apática o abatida y pierde peso, es probable que haya ingerido uno de estos huéspedes intermedios y haya desarrollado el parásito.

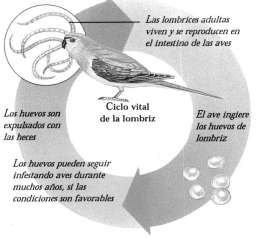

Las lombrices adultas viven y se reproducen en el intestino de las aves

Los huevos son expulsados con las heces

Ciclo vital de la lombriz

El ave ingiere los huevos de lombriz

Los huevos pueden seguir infestando aves durante muchos años, si las condiciones son favorables

La tenia se aferra a las paredes intestinales con sus ganchos y sus aparato succionador y absorbe el alimento

Siempre penetra en el cuerpo del ave a través de un huésped intermedio

Ciclo vital de la tenia

Los huevos son ingeridos por un huésped intermedio, por ejemplo un insecto o un caracol

Segmentos del cuerpo de la tenia son expulsados junto con las heces

Segmentos del cuerpo de la tenia llenos de huevos

▲▶ *Las lombrices intestinales pueden afectar seriamente a muchos tipos de loro y a las aves que se nutren de pequeños animales.*

Para evitar los parásitos

● Desparasite a todos los pericos australianos en el momento oportuno (normalmente, antes de la época de cría y en otoño).

● Recuerde que los huevos de los parásitos sobreviven durante mucho menos tiempo en el cemento que en la tierra y cualquier pavimento blando, y que los suelos duros, además, resultan mucho más fáciles de desinfectar.

● Recuerde que no tiene sentido desparasitar a las aves si no se desinfecta al mismo tiempo el suelo de la pajarera, ya que ellas mismas se volverían a infestar con sus propias deposiciones. El tratamiento y la higiene deben ir a la par.

● No deje que sus aves ingieran babosas ni caracoles, porque muchos de estos invertebrados son portadores de parásitos como la tenia.

● Trate a todas las aves nuevas con un aerosol especial contra ácaros y piojos antes de reunirlas con el resto de la colección.

● Lave todas las jaulas de cría después de usarlas con un producto acaricida específico, insistiendo especialmente en las cajas de anidación y los rincones de la jaula. Repita la operación justo antes de la época de cría. Rocíe y lave también la superficie sobre la que están apoyadas las jaulas.

● ¿Qué es esa especie de sarna que les sale en la cara a algunos pericos?

Se trata de una infestación de ácaros que afecta sobre todo a los periquitos de Australia, pero también puede observarse en otras especies, principalmente los kakarikis. Los ácaros horadan los tejidos del pico, dejando unas marcas que parecen estelas de caracol minúsculas. Si no se tratan, acaban convirtiéndose en las típicas incrustaciones con aspecto de coral que se extienden también por las mejillas. Es necesario retirar de la pajarera a cualquier ave afectada, y el problema se puede combatir con medicamentos e incluso untando toda la zona afectada con vaselina para asfixiar a los ácaros.

● ¿Puedo utilizar el esprái antipulgas de mi perro para matar a los ácaros?

No, porque podría incluso matar a las propias aves. Use sólo acaricidas especiales de uso avícola, a la venta en las tiendas de animales.

● ¿Tienen tratamiento los ácaros de los sacos aéreos?

Estos minúsculos parásitos se instalan en los sacos aéreos provocando graves molestias respiratorias, sobre todo en los diamantes australianos. Los adultos transmiten estos ácaros a sus polluelos en el nido. Antiguamente era un problema difícil de tratar, pero en la actualidad ya existe un fármaco, la ivermectina, que, diluido en la concentración apropiada, puede acabar con la infestación.

◀ *Los inseparables son propensos a sufrir infestaciones de ácaros y de parásitos del plumaje.*

Otros parásitos que infestan a las aves, sobre todo a las que viven al ras del suelo como las codornices, suelen provocar trastornos digestivos. El *tricomonas* es relativamente común en los periquitos de Australia, los fringílidos, las tórtolas y las palomas, y suele estar alojado en el buche, donde no produce síntomas aparentes. Si llega a transmitirse a los pollos, puede provocar su muerte en poco tiempo. Uno de los síntomas más frecuentes es el abatimiento y la pérdida de forma física poco después de emplumecer. En los periquitos de Australia, la tricomoniasis puede provocar una inflamación en el buche que las obliga a regurgitar una sustancia mucosa. Los ejemplares afectados suelen pasar más tiempo del habitual ante el comedero y dedicarse, más que a comer, a descascarar las semillas. El veterinario puede recetar un compuesto de azufre para combatir este problema.

Los sacos aéreos

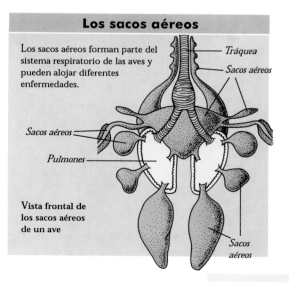

Los sacos aéreos forman parte del sistema respiratorio de las aves y pueden alojar diferentes enfermedades.

Tráquea
Sacos aéreos
Sacos aéreos
Pulmones
Sacos aéreos

Vista frontal de los sacos aéreos de un ave

Las garras, el pico y el plumaje

ES ESENCIAL comprobar el estado del pico, las garras y el plumaje de cualquier ave antes de decidirse a comprarla. Los problemas que afectan a las garras y el pico pueden necesitar cuidados durante toda la vida, y los que afectan al plumaje, en numerosas ocasiones, no tienen arreglo.

Las garras

Los conirrostros muy pequeños son especialmente propensos a sufrir un crecimiento excesivo de las uñas, y por lo tanto hay que cortárselas de cuando en cuando. Si se dejasen crecer demasiado, el ave podría quedarse enganchada en la pajarera o arrastrar tras de sí a sus polluelos, cuando abandonase el nido. Incluir herbáceas duras, juncos y bambúes en la pajarera contribuye a mantener las garras de las aves en buen estado.

Cuando las uñas crecen demasiado, se pueden recortar con un cortauñas fuerte como los que se utilizan con los perros o los gatos. Resultan mucho más seguros que las tijeras, que con frecuencia arrancan las uñas más que cortarlas limpiamente.

Si el corte se realiza en la zona irrigada por la sangre, se podría provocar una hemorragia. Para cortarla rápidamente, oprima con suavidad la punta de la garra afectada o bien utilice un lápiz hemostático o *cortasangres*.

El pico

También el pico puede necesitar algún recorte ocasional, sobre todo en el caso de los periquitos de Australia. En estos caso se procede como con las uñas, pero cortando poco y con suma precaución los laterales o comisuras del pico, para evitar hemorragias. Pida a un experto que le enseñe a hacerlo antes de intentarlo por primera vez.

El plumaje

También el plumaje se puede convertir en un problema, sobre todo en los periquitos de Australia enjaulados. Los pájaros enjaulados con frecuencia adquieren el vicio de arrancarse las plumas, y es una verdadera lástima, sobre todo porque se trata de una conducta difícil de erradicar. Se pueden comprar aerosoles que confieren un sabor desagradable al plumaje, pero utilizándolos no se resuelve el verdadero problema. Lo que habría que hacer es averiguar lo que las ha llevado a desarrollar esta conducta autodestructiva, tal vez un exceso de aburrimiento, una dieta desequilibrada, el deseo frustrado de aparearse o la falta de una bañera adecuada. Por eso, cuando un pájaro empieza a arrancarse las plumas, es esencial consultar con un veterinario especialista en aves para que averigüe el motivo de esta conducta antes de que se convierta en un problema.

La pérdida de plumaje, sin embargo, no siempre se debe a un trastorno de la conducta. Una grave enfermedad producida por un virus, la psitacosis, hace que las plumas se quiebren y se caigan. Este problema, documentado al principio sólo en cacatúas, puede sin embargo afectar a otras especies. El virus se propaga con el polvo de las plumas y puede contagiarse fácilmente. Ataca al sistema inmunológico del animal, haciéndole perder el plumaje y debilitando progresivamente su pico y sus uñas. La mayoría de las aves afectadas acaban muriendo por una infección secundaria si no se les practica antes la eutanasia. Lamentablemente, aún no existe un tratamiento eficaz.

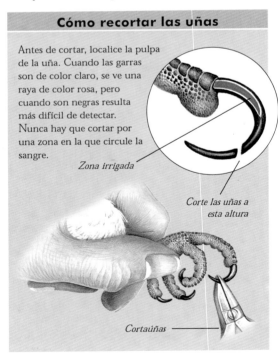

Cómo recortar las uñas

Antes de cortar, localice la pulpa de la uña. Cuando las garras son de color claro, se ve una raya de color rosa, pero cuando son negras resulta más difícil de detectar. Nunca hay que cortar por una zona en la que circule la sangre.

Zona irrigada

Corte las uñas a esta altura

Cortauñas

● *¿Hay alguna forma de saber si una mascota se está arrancando ella misma las plumas o ha contraído la psitacosis?*

Si pertenece a la familia de los loros, está sola en la jaula y tiene calvas detrás de la cabeza o en las mejillas, es más que probable que haya contraído la psitacosis, porque nunca podría arrancarse sola las plumas en esas zonas.

● *¿Qué es la alopecia vírica del periquito joven?*

Durante muchos años se ignoraron las causas de esta enfermedad, pero actualmente se ha detectado el virus que la provoca. Suele atacar sobre todo a los periquitos de Australia, haciéndoles perder las plumas de las alas y de la cola. A algunos individuos les afecta más que a otros. En los casos leves, las plumas vuelven a salir de forma más o menos normal, pero se observan restos de sangre en la caña de las plumas.

● *¿Cómo puedo controlar esta enfermedad?*

No es fácil, sobre todo cuando los periquitos de Australia están criando en colonia, porque no hay forma de separar a las parejas afectadas de las demás. Si las parejas se hallan en el recinto de cría de una *birdroom,* sin embargo, es más fácil aislar la jaulas infectadas y limpiarlas con utensilios diferentes para prevenir contagios. También pueden resultan útiles los ionizadores, ya que matan los virus propagados por las corrientes de aire, reduciendo el peligro de propagación. También es necesario mantener aislados a los pollos después de que emplumezcan.

▲ *Con frecuencia es difícil conseguir que un ave deje de arrancarse las plumas, ya que no siempre se detecta el problema que ha originado esta conducta antes de que se convierta en un vicio.*

◄ *La alopecia vírica del periquito de Australia afecta a sus pollos a la edad en la que deberían abandonar sus nidos, dejándolos incapacitados para volar. Aún no se sabe cómo curarla.*

Prevenir infecciones

Ejemplares nuevos: Jamás introduzca en su colección un ave nueva antes de comprobar que no tiene parásitos ni sufre ningún tipo de enfermedad infecciosa.

Vegetales contaminados: Lávese las manos antes preparar la comida para sus aves, y lave minuciosamente cualquier alimento crudo.

Restos de comida: Son un caldo de cultivo ideal para bacterias y hongos. Los alimentos húmedos, como algunos preparados de huevo y las semillas remojadas, por ejemplo, son particularmente peligrosos.

Aves silvestres: Los restos de comida desperdiciados por la zona de vuelo pueden atraer a las aves silvestres, y sus deposiciones pueden transmitir enfermedades a los ejemplares de su colección.

Roedores: Si invaden ratas o ratones la pajarera, defecarán en los recipientes de agua y de comida, por lo que es necesario deshacerse de ellos. Utilice ratoneras de un modelo especial que no haga sufrir innecesariamente a los roedores ni pueda atrapar o herir a sus propias aves.

Comederos sucios: Limpiar de forma rutinaria los comederos y depósitos de alimento ayuda a impedir posibles contagios.

Presas contaminadas: Si sus aves se nutren de animalillos vivos, impídales cazar caracoles o babosas, porque podrían transmitirles parásitos internos o incluso estar envenenados ellos mismos con plaguicidas. Las aves carnívoras de mayor tamaño pueden incluso cazar pequeños roedores e ingerir raticida al tragarlos.

GUÍA DE ESPECIES

En esta sección se describen más de doscientas especies diferentes, indicando cómo cuidarlas y ayudarlas a criar. Entre ellas se incluyen casi todas las especies que suelen criarse en cautividad, y los tres grupos de aves favoritos de los aficionados a la cría: conirrostros, papagayos y aves no granívoras. En el primer grupo se encuentran, cómo no, los popularísimos canarios, además de otras muchas especies esencialmente granívoras como tejedores, estrildas, diamantes, etc. El grupo de los papagayos abarca desde los periquitos de Australia, hasta el yaco o loro gris, pasando por el guacamayo, las cotorras y todo tipo de loros y pericos. Entre las aves no granívoras destacan, por ejemplo, los tordos, los tucanes y los estorninos.

La descripción de muchas de estas especies viene acompañada de fotografías e ilustraciones a color, así como de información sobre sus dimensiones, las diferencias entre machos y hembras en todo lo relativo a su aspecto. De todos modos, conviene recordar que no todos los ejemplares tienen que coincidir necesariamente con la descripción general de su especie, sobre todo cuando existen diferentes subespecies o razas distribuidas por distintos entornos geográficos. Para evitar confusiones y salvar diferencias idiomáticas, hemos utilizado el nombre latino de las especies, lo cual además facilitará a los lectores la consulta en fuentes ornitológicas especializadas si desean ampliar sus conocimientos.

Las clasificación zoológica de las distintas especies es como sigue: todas pertenecen al grupo de las aves. Este grupo se divide en diferentes órdenes; los órdenes, a su vez, en familias; las familias se subdividen de nuevo en distintos géneros, y por último, los géneros se dividen en las distintas especies. Cuando una especie abarca ejemplares de aspecto diferente, se subdivide a su vez en subespecies o razas. El nombre latino está compuesto por dos palabras: la primera expresa el género y la segunda, la especie en sí. En ocasiones, aparece una tercera palabra, que se refiere a la subespecie.

▶ *Trichoglossus haematodus haematodus* (lorito arcoiris de espalda verde), *véase pág. 152.*

El canario doméstico ESPECIE: SERINUS DOMESTICA

SUS ORÍGENES se remontan a las islas Canarias, situadas en la costa occidental africana, España, ya que de ellas procede el canario silvestre (*serinus canarius*), antepasado de todas los canarios domésticos. El aspecto del canario silvestre (que también existe en las Azores y en Madeira) difiere mucho del de cualquier canario doméstico, ya que es de un color mucho más apagado, verde pardusco con manchas oscuras en las alas. La especie se encuentra protegida en la actualidad, y normalmente no puede verse más que en su entorno natural, aunque pueden admirarse bastantes ejemplares en los parques naturales de Tenerife y de Gran Canaria, España.

Los primeros canarios silvestres llegaron a Europa a principios del siglo XVI y pronto se hicieron muy populares. España intentó entonces restringir la exportación a los ejemplares machos, pero como sexarlos resultaba tan difícil, a principios del siglo XVII ya se estaban criando canarios en el resto de Europa, y parece ser que fue entonces cuando aparecieron las primeras variedades de colores brillantes, concretamente en Italia.

Evolución del canario doméstico

Desde Italia, los canarios pasaron a Alemania y a Austria, y fueron los mineros tiroleses los primeros en dedicarse a su cría de forma sistemática, ya que los necesitaban para detectar la ausencia de oxígeno en el interior de las minas, donde acompañaban a sus propietarios viajando en jaulas especiales. El uso de canarios para medir el grado de enrarecimiento del aire se extendió entre los mineros de muchas otras parte de Europa, y hasta hace poco seguía siendo muy frecuente.

En Europa, la demanda de canarios no dejó de incrementarse, y en 1675 casi todo el mundo estaba de acuerdo en que el canto del canario doméstico era más melodioso que el de su pariente silvestre. Aunque para entonces ya se cruzaban canarios amarillos y variegados con ejemplares blancos, la gente estaba mucho más interesada en su canto que en su coloración. A principios del siglo XVIII, un grupo de mineros tiroleses se trasladaron a las montañas de Harz llevándose consigo sus canarios, y de esos ejemplares procede el llamado «canario noble de Harz», una de las variedades cantoras más apreciadas por los aficionados en nuestros días.

A estos canarios no sólo se les enseñó a imitar el sonido producido por los torrentes de montaña, sino también el bellísimo canto del ruiseñor.

La cría del canario por la belleza y espectacularidad de su plumaje se inició en los Países Bajos, Francia e Inglaterra, donde habían llegado por primera vez a principios del siglo XVII. De aquellos ejemplares proceden las variedades coloreadas actuales. Desde comienzos del siglo XX, el interés de los aficionados se ha centrado cada vez más en el colorido de su plumaje, más valorado actualmente que ninguna de sus otras cualidades.

Características de la especie

Familia: Fringílidos.

Longitud: 11,5-20 cm.

Distribución geográfica: Sólo existe en cautividad.

Opciones de color: Bastantes.

Compatibilidad: Aunque los machos pueden ser algo pendencieros, en general no es una especie agresiva.

Valor como mascota: Los machos son muy valorados por su canto.

Dieta: Mezcla de semillas compuesta por alpiste y nabina además de cañamones, negrillo, camilina y pastas al huevo, según el tipo de mezcla. Es importante añadir alguna verdura de hoja o hierba fresca, como por ejemplo la pamplina. Se les puede dar zanahoria rallada, pero si la ingieren en la muda puede afectar a su coloración.

Enfermedades más comunes: Trastornos digestivos. Algunas razas desarrollan quistes en las plumas.

Consejos de cría: Retirar a los machos cuando las hembras empiecen a poner huevos.

Nido: Cestillo acolchado con fieltro o tela afelpada.

Nidada típica: 4 huevos.

Período de incubación: 14 días.

Alimentación durante la época de cría: Son esenciales los preparados de huevo, y también las hojas verdes o hierbas. También se les puede ofrecer una mezcla de semillas remojada.

Desarrollo: Los polluelos están preparados para abandonar el nido a los 14 días de vida.

Esperanza de vida: entre 8 y 10 años, o más.

Amarillo con
bonete reducido

Plateado con
bonete

Plateado
destocado

Plateado con
bonete extendido

Amarillo con
bonete

Plateado con
bonete partido

▲ *Una de las peculiaridades de la variedad lizard es la presencia o
ausencia de bonete, es decir, plumaje más claro que el del resto del
cuerpo en la coronilla. Según esta característica, presente sólo en las
variedades plateadas y amarillas, los ejemplares se pueden clasificar
en destocados (sin bonete), con bonete o con bonete partido (es
decir, dividido en dos zonas).*

Variedades más populares

La primera clasificación de los canarios fue realizada en
1709 por Hervieux, que identificó unos 29 tipos diferentes, aunque en realidad se trataba de meras variantes
y no de las verdaderas razas conocidas en la actualidad.

El canario lizard. Es la más antigua de las razas actuales, y tal vez por eso difiere tanto en el aspecto de todas las otras razas. Se llama lizard (en inglés, *lagarto*)
por las características manchas de color de sus plumas,
que casi parecen escamas como las del lagarto. También se les conoce como «canarios de medias lunas»,
porque la forma de las propias manchas oscuras recuerda la de la media luna. Un rasgo exclusivo de esta
variedad es la presencia o ausencia de una zona más
clara en la coronilla, conocida como bonete. Hay canarios lizard de color amarillo intenso o de *piel de ante*.
A estos últimos se les denomina lizard plateados. También existe una variante de lizard de color azul.

El canario rizado. Existen varias razas de canarios rizados, especialmente valoradas en algunos países europeos. La raza más corpulenta es la parisina, pues puede alcanzar 20 cm de longitud, y su porte altivo la hace

● *¿Qué quiere decir «amarillo y buff»?*

Esta expresión se utiliza más para
describir la textura del plumaje que su
colorido. Las plumas de un canario *buff*,
al ser más esponjosas, le hacen parecer
más voluminoso que un canario amarillo. También existen
diferencias de color, ya que los canarios *buff* parecen más
claros porque su pigmentación no llega hasta la misma punta
de las plumas, como ocurre con los canarios amarillos.

● *¿Qué significa «doble buffing»?*

Lo ideal es cruzar dos ejemplares con distinto tipos de pluma,
pero a veces los criadores emparejan dos ejemplares *buff*.
Esta práctica no es nada recomendable, ya que la
descendencia tiende a sufrir quistes en las plumas.

● *Quisiera conocer más terminología relacionada con
los colores de los canarios.*

Un canario no pigmentado carece de melanina y de tonos
negros y marrones oscuros o claros. Estos canarios pueden
ser rojos, amarillos o blancos. Existen los canarios unicolores,
que no tienen ninguna mancha despigmentada en todo el
cuerpo. Si un canario de color claro tiene pequeñas manchas
oscuras, se denomina moteado o mosqueado, y si las
manchas de color son más extensas, manchado o variegado.
Si un canario unicolor posee manchas claras en las alas y la
cola se denomina sucio o manchado.

▲ *Canario padovan blanco, rizado y crestado. Los rizados actuales descienden de los canarios que se criaron en Holanda a partir de una mutación producida alrededor del año 1800. Todos los ejemplares rizados tienden a ser bastante nerviosos.*

▼ *Como ocurre con muchas otras razas de canarios, el propio nombre del Norwich revela su lugar de procedencia (en este caso, se trata de una ciudad inglesa).*

parecer aún más voluminoso e imponentes. El plumaje puede rizarse en todo el cuerpo o en tres zonas bien diferenciadas: sobre el dorso, a ambos lados del cuerpo o en la pechuga. Entre las razas rizadas destacan el padovan, con plumas rizadas en el cuerpo y copete, el rizado milanés, o rizado coloreado (que puede ser blanco, azul o rojo-anaranjado) y el canario jorobado y rizado italiano (*gibber italicus*), que tiene un plumaje muy ralo.

El canario Norwich. Se caracteriza por su voluminosa cabeza y su aspecto rechoncho. Por desgracia, en su momento los criadores abusaron del *doble buffing*, creando una raza demasiado propensa a padecer quistes en las plumas, pero el problema ha remitido bastante en la actualidad. Las hembras Norwich suelen cruzarse con otros fringílidos europeos para producir híbridos de aspecto atractivo y dulce canto muy valorados por los aficionados, aunque normalmente estériles.

El canario belga. Antepasado de otras razas criadas por su postura o sus movimientos, especialmente el canario jorobado escocés. Tanto éste como el belga se ven cada vez menos, posiblemente porque en los concursos no sólo se les exige tener la forma perfecta, sino también estar adiestrados para moverse hacia delante y hacia atrás de forma característica cuando el jurado lo requiere. Además, la cría se ha vuelto difícil con el tiempo porque la raza ha perdido vigor.

El canario Yorkshire. El aspecto de esta raza británica ha variado enormemente desde la época victoriana, cuando, según se afirmaba, su perfil era tan esbelto que podían atravesar un anillo de boda. Aunque conservan la misma longitud (17 cm), actualmente tienen formas mucho más redondeadas.

El canario Border. La cría de esta raza se inició en la región fronteriza que separa Inglaterra de Escocia. Su estándar se fijó a finales del siglo XIX y, desde entonces, estos canarios se han extendido tanto por el mundo que en la actualidad los ejemplares extranjeros superan con frecuencia a los británicos en los concursos.

El canario Fife. Preocupados por el aumento de tamaño de los Border, los criadores escoceses redefinieron el estándar en 1957, estableciendo para el Fife una longitud máxima de 11 cm (2,5 cm menos que el Border).

El canario Gloster. Raza creada en la década de 1920 a partir del Border y un canario crestado. Por razones genéticas, siempre deben utilizarse ambas razas en la reproducción. Los quistes en las plumas han empezado a convertirse en un problema hereditario.

El canario rojo. En los años 20, algunos criadores se esforzaron en producir un canario de color rojo intenso y uniforme. Para lograrlo, hibridaron canarios con *carduelis cucullatus* (chamarices rojos sudamericanos). En vez de los términos «amarillo» y «*buff*»», en este caso se utilizan las palabras «no escarchado» y «escarchado». El término «escarchado» alude a los canarios que tienen casi blancas las puntas de las plumas.

Los canarios de color. Actualmente son muy populares algunas variantes de color originadas en mutaciones que tuvieron lugar a lo largo del siglo XX. Todas ellas comparten los mismos colores básicos: amarillo, blanco y rojo, aunque presentan varias características nuevas. La mutación marfil, por ejemplo, hace que el color base se aclare, pasando del rojo al rosa, y en el caso del amarillo y el blanco produce los tonos marfil dorado y marfil plateado respectivamente. El color rojo no sólo se aprecia en la actualidad en los canarios rojos uniformes, sino que ha producido numerosas variantes de canario coloreado.

Border canela uniforme

Border amarillo con alas y cola blancas

Border *buff* con manchas negras en la cola, ojos y alas

Fife amarillo con alas y cola blancas

▲ *El Border es una de las razas más extendidas y también de las más adecuadas para los principiantes. Además, es barato y muy fácil de adquirir. El Fife, una de las razas de canario más reducidas, también se ha hecho muy popular.*

Consejos de compra

Como sólo cantan los machos, si lo que usted desea es un canario cantor, lo mejor es que lo elija de entre cuatro y seis meses de edad, porque a esa edad, si es macho, debe estar empezado ya a hacerlo. De lo contrario, nunca estará seguro de su sexo, ya que es imposible diferenciar machos y hembras por su plumaje. Por esta razón, la mejor época para adquirir un canario es hacia finales del verano, ya que la época de cría del canario es rigurosamente estacional, de modo que en las zonas templadas del hemisferio norte suele iniciarse siempre a primeros de abril. Si lo que desea es un canario cantor, no tiene por qué preocuparse demasiado por la variedad, ya que absolutamente todos los machos de canario cantan. No obstante, las variedades contoras siguen siendo las que producen un canto más continuado y melodioso.

Amarillo
ágata
opalino
escarchado

Ino beige-rosado
escarchado

Albaricoque

Rosa escarchado

Rojo anaranjado

Isabelino plateado
con factor ino

▲ *Entre las nuevas variedades coloreadas destacan los canarios con factor ino, que se caracterizan por tener los ojos rojos. Este factor se debe a una reducción genética de la melanina. La variante ágata, con sus tonos verdosos desvaídos, también es bastante común, y los isabelinos son la variante más clara del canario. La mutación marfil convierte el color rojo en rosa.*

Si lo que desea no es tanto una mascota que le cante como una colección para su pajarera, entonces sí deberá tener muy en cuenta la variedad que le conviene. Además, deberá localizar un criador, en vez de ir a buscarlo a una tienda de mascotas, porque estos establecimientos suelen ofrecer siempre ejemplares de raza poco o nada pura. De hecho, suelen ser canarios que no pertenecen a ninguna variedad definida, o que, sin ser en absoluto deformes, no coinciden con los cánones de belleza establecidos por el estándar de su raza, tal vez porque su colorido, su pose o cualquier otra de sus características morfológicas no satisfacen plenamente a los expertos.

La reproducción del canario es tan estacional que sin duda el mejor momento para buscar ejemplares de colección para la pajarera es a principios de otoño, una vez acabadas la época de cría y la muda de la pluma, pero mucho antes de que se inicie la siguiente época de cría, que es a principios de la primavera, porque para entonces habrá mucha menos oferta. El precio de un canario puede variar enormemente dependiendo de la variedad elegida, de su potencial como campeón de concursos y exposiciones y de su pedigrí. Obviamente, los hijos de un campeón mundial de belleza costarán mucho más caros que los polluelos criados por cualquier aficionado a los pájaros. Es mejor adquirir pocos ejemplares de calidad que un gran número de ejemplares mediocres.

Características y necesidades

Los canarios no trepan por las paredes de su jaula, como hacen los periquitos de Australia, así que da lo mismo que los barrotes sean verticales u horizontales.

Lo que sí necesitan es una jaula relativamente grande para volar, ya que no se les suele dejar salir de la jaula normalmente. Esto se debe a que carecen del instinto de regresar al hogar, y una vez fuera no resulta nada fácil, normalmente, convencerles para que vuelvan a introducirse en la jaula. De todas formas, si usted desea dejarles volar fuera de su jaula, no es mala idea que coloque algunas perchas por la habitación, para que puedan posarse mientras están fuera. Estas perchas pueden, por ejemplo, fijarse con fuertes ventosas a las superficies y retirarse cuando las aves regresen a la jaula.

También necesitan un bebedero tipo sifón y un piso cubierto de arena en la jaula. Los canarios tienden a ensuciar mucho cuando comen, porque desperdigan las semillas rebuscando en la mezcla sus favoritas. Por eso no es recomendable llenar los comederos hasta arriba, ya que con ello sólo se consigue desperdiciar mucho grano. Si se les pone algún vegetal fresco (como la pamplina, que es su favorita), hay que cambiárselo a diario, porque podría enmohecerse o pasarse y el aparato digestivo de los canarios, muy sensible a cualquier alimento pasado, podría enfermar gravemente.

La reproducción

Aunque los canarios pueden criar sin problema en pajarera, los que presentan sus ejemplares a concurso suelen

▲ *Esta colección de canarios incluye muchas de las variantes morfológicas y de color más estimadas. Todas ellas son producto de los esfuerzos llevados a cabo por los criadores para realzar características atractivas e inconfundibles.*

alojarlos en jaulas especiales durante la época de cría para poder supervisar y controlar el proceso reproductor. Las mejores jaulas de cría son las dobles, divididas por paredes deslizantes que se pueden extraer y recolocar cuando sea necesario. Como los machos no suelen ayudar a las hembras a incubar y criar sus polluelos, es más fácil retirar la pared divisoria en el momento oportuno y volver a colocarla tras la fecundación, para que el canario no moleste a la hembra. En las jaulas de cría, las perchas deben estar firmemente colocadas para que los reproductores se puedan aparear con comodidad.

La hembra necesita un cestillo de anidación especial para canarios en forma de cazoleta. Estos cestillos suelen ser de plástico, aunque también existen de otros materiales. Para ahuyentar a los ácaros, hay que limpiarlos con un jabón al ácido fénico antes de forrarlos con fieltro o material afelpado. El fieltro se *cose* a la base utilizando los agujeros de la misma. El ces-

P R...

● **¿Dónde puedo encontrar criadores de canarios?**

En las revistas sobre pájaros se suelen anunciar, o aparecer mencionados cuando se informa sobre concursos y exposiciones, además suelen aparecer los nombres de sociedades ornitológicas y asociaciones de criadores y aficionados.

● *Tengo la impresión de que a mi canario le resultan muy incómodas las perchas de su jaula. ¿Qué debo hacer?*

En primer lugar, asegurarse de que no tiene ninguna lesión en las plantas, porque podría ser esa la causa de su incomodidad. Muchas jaulas tienen perchas de plástico de igual diámetro en toda su longitud, y eso impide a los pájaros ejercitar sus dedos. Pruebe a sustituir esas perchas artificiales por ramitas de frutal que no hayan sido tratadas con pesticidas. El tacto y el diámetro de estos palitos naturales, al ser más variado, probablemente proporcionará mucha más comodidad a su canario.

● **¿A partir de qué edad se puede dejar criar a los canarios?**

Normalmente, cuando se cumplen un año desde el momento en que salieron del huevo. A partir de ese momento, las chembras suelen criar durante unos cuatro años, y después empiezan a tener nidadas cada vez más reducidas. Los machos normalmente siguen siendo fértiles hasta que mueren.

tillo se fija en la pared trasera de la jaula de cría, normalmente entre dos perchas. Hay que proporcionar a la hembra material de anidación especial (que se puede adquirir en la tienda de animales), para que forme el nido a su gusto sobre el cestillo con fieltro que se le ha proporcionado. Conviene ahuecarle las fibras antes de ofrecérselas, para facilitarle la extracción de las que considere más convenientes. Si se dejase a su alcance un montón de fibras apretado, obligándola a deshacerlo por sí misma, lo más probable es que las desperdigase y acabasen todas desparramadas por el piso de la jaula, llenándose de deposiciones.

Cuando vea que la hembra se dispone a preparar el nido, puede introducir al macho en la jaula. Si está utilizando una jaula de cría doble, esto será tan fácil como retirar el tabique deslizante que la divide en dos partes. En cuanto comience la puesta, hay que volver a colocar este tabique divisorio entre la hembra y el macho, o llevar a éste a cualquier otro lugar.

Los huevos de canario falsos (que se distinguen fácilmente de los verdaderos por su color) resultan sumamente útiles para controlar el proceso de incubación de los huevos. Las hembras de canario suelen poner un solo huevo cada día, por la mañana. En cuanto la hembra ponga el primer huevo, se sustituye éste por un huevo falso y se traslada el verdadero a un recipiente limpio de

tamaño adecuado, acolchado con algodón en rama o un material similar, para dejarlo en un rincón fresco de la *birdroom* (el recinto destinado a las casetas de cría), bien protegido del sol directo. Cada mañana se recoge el huevo recién puesto y se repite el proceso. Cuando la hembra ponga el cuarto huevo, la nidada estará completa, y es entonces cuando se toman los tres huevos verdaderos y se colocan bajo ella en lugar de los tres que ha estado incubando, sin saber que eran falsos, desde el inicio de la puesta. Esto se hace para asegurarse de que todos los polluelos saldrán del cascarón a la vez, porque de lo contrario, el primero tendría ya tres días de edad cuando el último eclosionase, y el pollito más joven no podría competir con sus hermanos en igualdad de condiciones, lo cual podría poner en peligro su vida.

Conviene empezar a ofrecer el preparado de huevo a la hembra al menos varios días antes de que se produzca la eclosión, para que tenga tiempo de acostumbrarse al nuevo alimento y sepa utilizarlo en cuanto nazcan los polluelos. Siga atentamente las instrucciones del envase: la mayoría de los alimentos a base de huevo se venden listos para usar y no hay que mezclarlos con agua. Los pollos de canario crecen muy deprisa y, si todo va bien, con unas dos semanas de edad ya estarán preparados para abandonar el nido. A esta edad necesitan pasta de cría especial y la misma mezcla de semillas, pero remo-

◄ *El canario jorobado escocés tiene un perfil muy alargado y una pose encorvada característica. Como a su antepasado belga, en los concursos no sólo se le exigen ciertas características morfológicas, sino también desplazarse de una percha a otra con un movimiento muy característico.*

► *Macho joven de Yorkshire amarillo variegado, posando ante el jurado. En las jaulas de exhibición, estos canarios deben estirarse para mostrar su alto y esbelto perfil.*

● ¿Cómo se administra el huevo a los canarios que están criando?

P/R... Lo mejor es darles una ración por la mañana y otra por la tarde, desechando lo que no hayan consumido y lavando y aclarando bien el recipiente antes de llenarlo otra vez.

● ¿Por qué los mejoradores del color sólo hacen efecto si se suministran durante la muda?

Porque sólo en la época de muda el plumaje recibe riego sanguíneo. La sangre lleva el pigmento hasta las plumas mientras éstas se están desarrollando. Hay que empezar a administrar estos productos al inicio de la muda, porque si se hace más tarde las primeras plumas que salgan tendrán un tono menos intenso que las demás.

● Mi canario ha dejado de cantar. ¿Qué le pasa?

El canto del canario es un reclamo utilizado por los machos para atraer a las hembras y repeler a los otros machos durante la cría. El celo en el canario es inducido por diversos factores, entre los que se encuentra la exposición a la luz, lo cuales provocan ciertos cambios hormonales en su organismo. En todo caso, los canarios dejan de cantar durante la muda, porque es un proceso debilitador y porque para entonces ya han dejado de buscar pareja. Su canario volverá a cantar de nuevo cuando complete la muda.

● ¿Qué es la dislocación del dedo posterior?

Es algo que les ocurre con bastante frecuencia a los canarios, sobre todo cuando aún no han emplumecido. El dedo posterior se descoloca y se queda paralelo a los otros en vez de vuelto hacia atrás, a consecuencia de lo cual el animal no puede agarrarse bien a las perchas. Suele deberse a lesiones producidas mientras el polluelo estaba aún en el nido y no siempre es fácil de corregir, aunque si se detecta muy pronto es posible tratarlo con éxito. El tratamiento suele consistir en vendar el dedo posterior a la pata sin oprimirlo y mantenerlo inmovilizado durante unas dos semanas.

● ¿Cómo se sabe la edad de un canario no anillado?

Es muy difícil, pero observe sus patas: si están muy cubiertas de escamas, normalmente significa que el canario es viejo, aunque las escamas también pueden ser síntoma de una enfermedad parasitaria. En este caso están acompañadas de manchas polvorientas y blanquecinas.

● ¿Los canarios pueden aprender a hablar?

A los canarios se les da muy bien imitar el canto de otras aves, sobre todo si se les empieza a enseñar desde muy jóvenes, pero no tanto imitar la voz humana. De todos modos, no es imposible que un canario diga de forma esporádica alguna palabra que otra, sobre todo si tiene un compañero de pajarera tan charlatán como el periquito de Australia.

▲ La espectacular cresta de este canario Gloster se denomina corona. A los Gloster no crestados se les denomina consortes.

jada, para ir acostumbrándose a alimentarse por sí mismos. Conviene espolvorear el alimento blando para polluelos con ciertas semillas (o el llamado *blue maw*) para que vayan acostumbrándose a ingerir alimentos duros.

Suele pasar una semana desde que los canarios emplumecen hasta que se valen por sí mismos y pueden ser trasladados a otra jaula. Cuando los pulluelos se independizan, la hembra vuelve a dar muestras de estar en disposición de criar, por lo que necesita un nuevo cestillo para preparar el nido y reunirse con el macho.

Mejoradores del color

Tras completar la segunda nidada, la pareja empieza a mudar la pluma. En ocasiones, hay que hacerles tomar mejoradores del color en este momento, para asegurarse de que el nuevo plumaje tendrá un color vivo, cosa que podría no suceder si no se les suministra este complemento nutritivo. Existen colorantes naturales como la pimienta de cayena y la zanahoria, pero se prefiere recurrir a pigmentantes sintéticos. A los lizard, Norwich, Yorkshire y de color rojo hay que administrarles mejoradores durante la muda. Los agentes colorantes en sí se pueden servir disueltos en el agua del bebedero o mezclados con alimento blando, pero siempre hay que tener mucho cuidado para evitar la sobredosificación. Ésta podría echar a perder el colorido de las nuevas plumas, que quedaría irremediablemente alterado hasta la muda siguiente.

Otros fringílidos

GÉNEROS: SERINUS, PYRRHULA Y URAGUS

LOS CONIRROSTROS ABARCAN un número ingente de especies de tamaño pequeño que se alimentan de pequeñas semillas y tienen pico cónico. Dentro de este subgénero destacan los fringílidos como el canario doméstico y el jilguero. Entre los otros fringílidos incluimos cuatro especies de origen euroasiático: el *serinus mozambicus*, el *serinus leucopygius*, el *pyrrhula erythaca* y el *uragus sibiricus*.

Variedades más populares

Los fringílidos cantores africanos (como el *s. mozambicus* y el *s. leucopugius*) están bastante extendidos, pero es muy difícil encontrar especies asiáticas en cautividad. Varias especies de *pyrrhula* y *uragus* (camachuelo) pueden verse en las pajareras con alguna frecuencia.

Serinus mozambicus (verdecillo de frente amarilla o de Mozambique). Un plumaje amarillo recubre la frente y parte del rostro de estas aves, extendiéndose hacia la garganta. La parte inferior del cuerpo es de color amarillo ligeramente verdoso, sus alas verdoso más oscuro y su rabadilla amarillo más intenso. Las hembras se distinguen de los machos por los puntos oscuros que atraviesan su garganta, formando una especie de gargantilla, y porque todo su plumaje, en general, es de un tono más apagado que el de los machos.

Serinus leucopygius

♂

♂

Serinus mozambicus
(canario de frente
amarilla o de
Mozambique)

▲ *Los* serinus *son fringílidos cantores procedentes del continente africano, y están estrechamente emparentados con los canarios. Ambas especies emiten un canto muy melodioso.*

Serinus leucopygius (verdecillo gris de vientre blanco). Plumaje de color pardo grisáceo, más gris por la cabeza. Tiene la rabadilla blanca y una mancha también blanca en el centro del abdomen. En las hembras, el veteado de la parte inferior del cuerpo es más oscuro.

Pyrrhula erythaca (camachuelo pechirrojo de cabeza gris). El color gris de la cabeza se prolonga por la nuca y el manto. Tiene una máscara negra alrededor de los ojos, y la pechuga de color rojo-rosado.

Uragus sibiricus (camachuelo de cola larga). Plumaje delicadamente sonrosado, con manchas de un tona rosa-plateado en la cabeza que se prolongan hacia las alas y los flancos. Las plumas de la cola son marrones por arriba.

Características y necesidades

Los *serinus* son resistentes una vez aclimatados a los climas templados, pero si han vivido antes en interiores, deben ser trasladados a una zona de vuelo interior durante el invierno y no se les debe soltar en la pajarera al

◄ Pyrrhula erythaca *macho. Las hembras se distinguen de los machos por una mancha de color gris rojizo que poseen bajo la mancha negra de la garganta, y porque el manto pardusco-ceniciento.*

aire libre hasta que haya desaparecido las heladas. Los camachuelos no deben permanecer demasiado tiempo enjaulados, porque podrían engordar en exceso, lo cual reduciría su esperanza de vida. Su propensión a la obesidad aconseja limitar la ingesta de cañamones. Necesitan hierbas frescas con regularidad, y devoran las hojas tiernas del espino, y de otras plantas. También les gustan mucho las moras y bayas.

Suelen construir nidos con forma de tazón en los arbustos, donde les parece más adecuado, utilizando crin, musgo y otros materiales, aunque los *serinus*, más estrechamente emparentados con el canarios domésticos, prefieren a menudo usar cestillos de anidación para canarios.

▶ *Pareja de* uragus sibiricus *de cola larga. Obsérvese el suave tinte rosado de su plumaje. Las plumas de la hembra son más parduscas en las alas y el manto.*

Características de la especie

Familia: Fringílidos.

Longitud: 13 cm.

Distribución geográfica: Serinus, gran parte de África; resto, China.

Opciones de color: Color único.

Compatibilidad: Los machos pueden agredirse mutuamente (sobre todo los serinus).

Valor como mascota: Los machos se mantienen a veces por su canto.

Dieta: Mezcla de semillas formada por alpiste y nabina, además de cañamones, negrillo y camilina, más bizcochos de huevo duro y vegetales frescos como la pamplina, los brotes tiernos de frutal y la zanahoria rallada.

Enfermedades más comunes: Son propensos a sufrir trastornos digestivos.

Consejos de cría: Necesitan intimidad, así que es mejor no curiosear y limitarse a observarlos cuando se sospecha que puede haber surgido algún problema.

Nido: Cestillo para canarios acolchado con fieltro o tela afelpada, o caja de anidación abierta por delante más material de construcción adecuado.

Nidada típica: 4-5 huevos.

Período de incubación: 14-21 días.

Alimentación durante la época de cría: Preparados de huevo, hierbas frescas, semillas remojadas y cierta cantidad de invertebrados.

Desarrollo: Los polluelos pueden abandonar el nido entre los 14 y los 21 días de vida.

Esperanza de vida: En general, de 8 a 10 años, aunque algunos serinus han llegado a vivir hasta 20 años.

P/R...

● *¿Hay que dar mejoradores del color a los uragus durante la muda?*

Puede ayudarles a conservar el característico tono rosado que les caracteriza, ya que de lo contrario éste se iría desvaneciendo con las sucesivas mudas. Si no les suministra alimento blando, tendrá que añadir el agente colorante al agua del bebedero. Por otra parte, si les gusta la zanahoria rallada, ésta puede bastarles para mantener su colorido natural. Lo mismo puede decirse de los *pyrrhula erythaca*.

● *¿Puedo juntar mis serinus con estrildas? Como proceden de la misma zona geográfica...*

Sí, los serinus pueden vivir y reproducirse sin problemas en compañía de las estrildas, pero no olvide que los serinus necesitan una mezcla de alpiste especial para canarios y las estrildas, una dieta especial para conirrostros exóticos. El material de anidación que necesitanes diferente, aunque esto no tiene por qué representar ningún problema. Con los que no conviene juntar a los serinus es con los *uragus* y los *pyrrhula erythaca*, porque podrían mostrarse más agresivos.

● *¿Es verdad que los pyrrhula erythaca destrozan los arbustos de la pajarera?*

Es típico de esta especie devorar los brotes tiernos de los arbustos, sobre todo si se trata de sus frutales favoritos, como el manzano por ejemplo, pero siempre dejan brotes suficientes para que la planta prospere y desarrolle un follaje razonablemente frondoso. Por otra parte, si se les proporcionan bastantes hierbas frescas, sentirán menos apetito por los brotes y las yemas.

Bengalíes GÉNERO: AMANDAVA

ESTOS CONIRROSTROS de pico rojo y brillante como el lacre resultan muy adecuados para iniciarse en la cría de las estrildas, porque se reproducen fácilmente en cautividad, e incluso, a veces, enjaulados.

Variedades más populares

Aunque no se conocen mutaciones de color, el colorido de su plumaje puede variar de un ejemplar a otro dependiendo de su origen geográfico.

Amandava subflava (bengalí pechigualdo). Gris verdoso por arriba y anaranjado por abajo, con rayas claras y grisáceas en los flancos. Los machos poseen una característica raya roja sobre los ojos, que los diferencia de las hembras.

Amandava amandava (bengalí común). En la época de cría, los machos exhiben un característico plumaje rojizo con puntitos de color blanco en los flancos y las alas. Fuera de esta temporada se parecen a las hembras, predominantemente marrones y con plumas rojas sólo en la base de la cola. En algunos países se les llama pinzones tigre, por su origen asiático, o pinzones fresa, por el colorido de los machos.

Amandava formosa (bengalí verde). Plumaje verde en la major parte de su cuerpo, amarillento por abajo en los machos. Las características rayas blancas en los

▲ *La* amandava subflava *destaca entre las estrildas por su tamaño, tan reducido que hay que colocar en la pajarera una malla muy espesa (con orificios no superiores a 1,25 cm) para evitar que se escape.*

 P/R...

● He visto unos bengalíes comunes que tenían las plumas negras en vez de rojas. ¿Se trata de una mutación?

No, porque una mutación es una alteración de las aves provocada por ciertos cambios genéticos y se debe a un proceso llamado melanismo, que no es genético. El melanismo está causado por una dieta en la que predominan las semillas secas. Las plumas negras serán reemplazadas por otras rojas en la siguiente muda, siempre que se les proporcione una dietas más equilibrada.

● ¿Hay más especies a las que pueda afectar el melanismo?

Sí, los bengalíes pechigualdos, y en su caso es más grave, ya que hay que esperar un año entero para que cambien la pluma, puesto que los machos no exhiben plumaje de cría como los bengalíes comunes.

● ¿Qué es el plumaje de cría?

En algunas especies, el plumaje del macho es muy similar al de las hembras fuera de la época de cría y lo cambian, al inicio de la temporada, para atraer al sexo opuesto.

flancos, se hacen especialmente visibles cuando despliegan y elevan sus alas.

Características y necesidades

Todos los bengalíes necesitan un refugio caldeado para pasar el invierno. Los pechigualdos, en concreto, no tiene inconveniente en anidar en jaulas de cría siempre que éstas sean suficientemente espaciosas, pero cuidado: su frente debe ser del tipo utilizado con los conirrostros exóticos, o podrían escaparse.

También los bengalíes comunes pueden reproducirse en este tipo de jaulas, pero necesitan cestillos de anidación, mientras que, en la pajarera, prefieren construirse nidos en forma de bolsa por sí mismos. En esta especie, el cambio de plumaje anuncia el inicio de la época de cría, junto con el aumento de intensidad del canto de los machos y su actitud de exhibición ante las hembras. Aunque no son animales especialmente agresivos, no conviene alojarlos junto a otros conirrostros de pico y plumaje predominantemente rojo, ya que podrían producirse reyertas entre ellos.

Los bengalíes verdes pueden ser más reacios a anidar enjaulados que los comunes. Hay que intentar que no lo hagan a la intemperie hasta el verano, pues cualquier racha de frío podría dificultar en las hembras la expulsión de los huevos y, si éstos se atascasen en su interior, podrían morir, dado su reducido tamaño. También dificulta seriamente la puesta la falta de calcio, por lo que se recomienda desmenuzar huesos de jibia con un cuchillo y añadir estas raspaduras a su alimento con el fin de facilitarles la ingesta de tan necesario mineral. Los bengalíes comunes y los verdes necesitan ingerir pequeñas presas vivas, sobre todo mientras están criando a sus polluelos.

Amandava formosa

♂

♀

♂

Amandava amandava

▲ *Los bengalíes verdes son menos populares que los comunes, porque tiene fama de ser muy delicados. Las hembras exhiben un verde más grisáceo, y un amarillo más apagado en la pechuga y el abdomen.*

Características de la especie

Familia: Estríldidos.	**Consejos de cría:** Pajareras con vegetación.
Longitud: 7,5-10 cm.	**Nido:** Cestillo de mimbre. Pueden construirse sus propios nidos.
Distribución geográfica: Pechigualdos, África subsahariana; comunes y verdes, India y China.	
	Nidada típica: 4-6 huevos.
Opciones de color: Inexistentes.	**Período de incubación:** 12-14 días.
Compatibilidad: Son bastante sociables.	**Alimentación durante la época de cría:** Pequeños invertebrados, semillas remojadas y vegetales. Los capullos de hormiga son muy recomendables.
Valor como mascota: No reconocen a sus propietarios.	
Dieta: Mezcla de semillas a base de mijo, más hierbas frescas y algunos invertebrados.	**Desarrollo:** Los polluelos están preparados para abandonar el nido alrededor de los 21 días de edad.
Enfermedades más comunes: Las hembras pueden tener dificultades para expulsar los huevos.	**Esperanza de vida:** Pueden vivir entre 5 y 8 años.

Uraegintos (estrildas azules y violetas) GÉNERO: URAEGINTHUS

▶ *Macho de estrilda de cabeza azul.*

ESTOS PRECIOSOS PÁJARITOS se diferencian de las otras estrildas de pico rojo por los tonos azules y violetas de su plumaje. Aunque al principio les puede costar bastante aclimatarse, cuando se establecen en pajareras adecuadas pueden llegar a ser bastante prolíficos.

Variedades más populares

Aunque no se conocen mutaciones, se han descrito azulitos del Senegal con mejillas naranjas en vez de rojas. Es imposible saber si se trata de mutaciones, ya que no se conocen los antepasados de los ejemplares descritos.

Uraeginthus cyanocephala (estrilda de cabeza azul). Los machos de esta especie exhiben un deslumbrante color azul celeste en la cabeza y toda la parte superior de su cuerpo, salvo la nuca y las alas, que son de color marrón claro. En las hembras, el plumaje marrón llega hasta el pico, y la mancha azul de la cabeza rodea sus ojos y se extiende hasta más abajo de la garganta.

Uraeginthus bengalus (azulito de Senegal). Los machos exhiben unas manchas de color rojo intenso en las mejillas muy llamativas, y una mancha marrón claro se extiende a lo largo de su abdomen. Las hembras carecen de manchas rojas bajo los ojos.

Uraeginthus angolensis (estrilda de pecho azul). Se distingue de los otras especies por su pico, de color grisáceo en vez de rojo lacre. En las hembras, el tono es más apagado y las manchas azules, menos extensas.

Uraeginthus ianthinogaster (estrilda de abdomen cárdeno). Plumaje morado alrededor de los ojos y en la parte inferior del cuerpo, con una pequeña mancha en el centro de la pechuga de color marrón rojizo, tono que predomina en el dorso y el cuello. Las hembras son marrones, con manchas de color azul muy claro alrededor de los ojos y en la pechuga, formando unas rayas.

Uraeginthus granatina (estrilda de mejillas violetas). Los machos sólo tienen plumas de color violeta en las mejillas y la base de la cola. El resto del cuerpo es marrón rojizo. Las hembras exhiben tonos mucho más apagados.

Características de la especie

Familia: Estríldidos.	**Consejos de cría:** Difícilmente anidan si su pajarera es poco frondosa y no pueden refugiarse entre la vegetación.
Longitud: 11,5-14 cm.	
Distribución geográfica: África subsahariana.	**Nido:** Cestillo de mimbre parcialmente cubierto.
Opciones de color: Inexistentes.	**Nidada típica:** 3-5 huevos.
Compatibilidad: Los machos son muy pendencieros, sobre todo en la época de cría.	**Período de incubación:** 13-14 días.
Valor como mascota: No son animales aptos como mascota familiar.	**Alimentación durante la época de cría:** Básicamente, pequeños invertebrados vivos, aunque también agradecen la pasta de insectos o pienso para aves no granívoras y las panojas de mijo remojadas.
Dieta: Mezcla de semillas para conirrostros exóticos, a base de panizo y varios tipos de mijo, más pequeños invertebrados y hierbas frescas como la pamplina.	**Desarrollo:** Abandonan el nido con aproximadamente 21 días de edad.
Enfermedades más comunes: Muy sensibles al frío.	**Esperanza de vida:** Pueden vivir 8 años o más.

● **¿Estas estrildas anidan más de una vez durante el verano?**

Las parejas a menudo producen dos nidadas seguidas, pero esto depende de cuándo se hayan apareado por primera vez. Si ha ocurrido muy tarde, puede que sólo críen una nidada. Es más fácil que aniden dos veces si llegan a la nueva pajarera justo después de la primavera, porque necesitan casi un año para acostumbrarse al nuevo entorno y sólo entonces son capaces de procrear.

● **¿Es bueno darles queso a las estrildas?**

Algunos criadores les ofrecen pequeñas cantidades de queso rallado. Ciertamente, esto ayuda a realzar el brillo de su plumaje, pero no hay que excederse, porque el queso tiene demasiada grasa. Basta con una o dos lonchitas por pareja. Los *uraeginthus granatina*, en concreto, pueden tomar también polen granulado, a la venta en herbolarios y casas de alimentación. Es una buena fuente de proteínas. Bastará con unos cuantos gránulos de polen al día.

● **¿Qué tipo de presas vivas hay que dar a estas estrildas cuando sus polluelos salen del cascarón?**

Necesitan invertebrados pequeños, fáciles de digerir y equilibrados desde el punto de vista nutricional. Son muy adecuados los grillos *mini*, que se adquieren en establecimientos especializados y se pueden espolvorear cómodamente con un complemento nutritivo antes de servirlos a los adultos. También puede recoger pulgones y pequeñas arañas en su propio jardín, pero asegúrese de que no han estado en contacto con pesticidas.

Características y necesidades

Necesitan un refugio espacioso, porque tendrán que pasar en él largas temporadas, ya que no pueden permanecer a la intemperie con mal tiempo. Si se cuelga una lámpara de infrarrojos (de las que dan más calor que luz) del techo de la zona de vuelo, podrán arrimarse al calor siempre que lo necesiten.

Una vez adaptadas al nuevo entorno, las parejas pueden ser muy prolíficas, siempre que dispongan de abundantes presas con que alimentar a sus polluelos. Se les puede ofrecer pasta de huevo porque es muy conveniente, pero nunca utilizarla como sustituto de los minúsculos invertebrados, que estas especies necesitan consumir de todas formas en gran cantidad, sobre todo cuando están criando. Merece la pena comprar cajas de anidación para pequeños conirrostros, por si alguna pareja prefiriese no construir su propio nido entre el follaje.

▲ *Las mejillas de este* uraeginthus bengalus *(azulito de Senegal) exhiben las características manchas de color rojo intenso que distinguen a los machos de las hembras.*

Uraeginthus granatina

Uraeginthus ianthinogaster

♂

♀

♀

♂

◀ *Las cinco especies tienen fama de ser muy delicadas. Son muy sensibles al frío, a la humedad y a la niebla, por lo que sus alojamientos debe protegerlas de todo tipo de inclemencias.*

Amaranta de Senegal y otras estrildas GÉNEROS: ESTRILDA Y LAGONOSTICTA

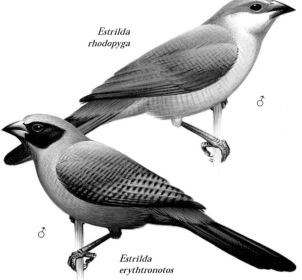

Estrilda
rhodopyga

♂

Estrilda
erythtronotos

♂

LAS ESTRILDAS se caracterizan por su pico rojo, que parece hecho de lacre y las amarantas o *pinzones de fuego* de Senegal tienen las plumas rojas en su mayor parte. Todas las especies que describimos a continuación se ven con frecuencia en las pajareras, pero no hay que olvidar que, como buenas estrildas, no resisten bien los inviernos fríos, y en las zonas de clima templado (es decir, no cálido ni tórrido), necesitan refugios caldeados e iluminación artificial durante todo el invierno, ya que en esta estación los días son tan cortos (y a menudo tan oscuros) que sin luz artificial no tienen tiempo para alimentarse suficientemente.

Variedades más populares

No se han establecido mutaciones de color, aunque en las pajareras mixtas a veces se hibridan especies diferentes, algo que, por cierto, no se debe fomentar, ya que estos híbridos no serán útiles como reproductores. Los criadores tienden claramente a la especialización, y actualmente, en vez de colecciones mixtas, como en el pasado, suelen tener sólo ejemplares de una misma especie. Esta especialización facilita mucho la cría, sobre

▲ *Como ocurre con el resto de las estrildas, hay que aclimatar cuidadosamente a los ejemplares, y puede que no sean capaces de reproducirse hasta un año después de su llegada. La e. erythronotos es particularmente insectívora.*

▼ *La estrilda astrild (estrilda común) no exhibe plumaje de adulta hasta los dos meses de edad, aproximadamente, y los ejemplares jóvenes tienen el pico aún de color negro.*

todo cuando los machos y las hembras no se pueden diferenciar a simple vista, porque resulta mucho más fácil que estén representantes de ambos sexos cuando hay más de una pareja de ejemplares de cada especie.

Estrilda astrild (estrilda común). Se caracteriza por sus rayas de color marrón oscuro en el dorso, las alas y los flancos. Es muy difícil distinguir a simple vista los machos de las hembras, pero los primeros adquieren reflejos rosados y rojizos en la época de cría.

Estrilda rhodopyga (estrilda de cola carmesí). Además de la cola, tienen de color rojo los extremos de sus plumas remeras. Es muy difícil diferenciar los sexos fuera de la estación reproductora, aunque se puede reconocer a las hembras porque sus manchas rojas son más apagadas (si bien no siempre, ya que esto depende también de la zona geográfica de donde procedan). En época de cría, es posible distinguir a los machos por la especie de danza con que cortejan a las hembras.

Estrilda erythronotos (estrilda de mejillas negras). Manchas negras a ambos lados de la cara, coronilla gris y la parte inferior del cuerpo y la rabadilla de color rojo claro. Las alas, grisáceas, un rayado inconfundible, y las plumas de la cola son negras. Las hembras tienen plumas pardogrisáceas, en vez de negras, bajo la cola, y un rojo más pálido en los flancos.

Estrilda melpoda (estrilda de mejillas anaranjadas). Esta especie se reconoce fácilmente por las manchas de color nananja que rodean sus ojos, extendiéndose hasta el pico. Las plumas del resto de la cabeza son grisáceas y las alas, marrones. Rabadilla rojiza, la cola negra y la parte inferior del cuerpo, gris pardusca.

Estrilda caerulescens (estrilda cola de vinagre). Gris azulada, con la rabadilla, la parte superior de la cola y las plumas timoneras de color rojo intenso, con una serie de puntitos blancos en los flancos. Una estrecha franja de color negro va desde el pico hasta los ojos. Las hembras son de color más claro. La *estrilda perreini* (estrilda gris de cola negra) es bastante similar, pero exhibe tonos más oscuros y, además de tener negras las plumas timoneras, es negra bajo la cola.

● ¿Hay que sacar de la jaula de cría a las estrildas en cuanto puedan alimentarse por sí mismas?

Normalmente, no, porque los polluelos no suelen interferir en la actividad reproductora de los padres. Además, al tratar de capturarlos para sacarlos de allí, las demás parejas podrían alarmarse y abandonar sus nidos.

● Mis picos de coral han construido un gran nido pero, en vez de utilizar la abertura superior que ellos mismos han hecho, entran y salen por la parte de abajo. ¿Estará pasando algo raro?

Se trata de una estrategia de superviencia típica de éstas y muchas otras estrildas. Practican una abertura muy visible para engañar a sus posibles predadores, que, despúes de asomarse, sacan la conclusión de que el nido está desocupado. Mientras tanto, las aves están a salvo, bien escondidas en la cámara inferior. La parte no habitada del nido suele denominarse *cámara del macho*.

● Mis estrildas de mejillas anaranjadas están destrozando el nido con sus uñas. ¿Por qué ocurre esto?

En estado salvaje, las *estrildas* melpodas suelen habitar en cañaverales, y sus afiladas garras les permiten agarrarse bien a los juncos más finos. Como ve, tener uñas tan largas puede ser un problema en cautividad. Lo mejor que puede hacer, si sus ejemplares no tienen ahora huevos ni pollitos, es capturarlos y recortárselas con un cortaúñas. Muchos criadores lo hacen al principio de cada primavera, antes de soltar de nuevo a las aves en la zona de vuelo al aire libre que tuvieron que abandonar durante el invierno.

◄ *Como ocurre con muchos otros estríldidos, diferenciar a simple vista los machos de las hembras no es fácil, a pesar de que estas últimas suelen exhibir tonos más apagados en general.*

Características de la especie

Familia: Estríldidos.

Longitud: 11,5-14 cm.

Distribución geográfica: Muy extendidos por gran parte del África subsahariana.

Opciones de color: Inexistentes.

Compatibilidad: Sociables por naturaleza, pueden formar pequeñas colonias o convivir con otras especies en pajareras mixtas.

Valor como mascota: No aptos como mascota familiar.

Dieta: Mezcla de semillas para conirrostros exóticos, a base de varios tipos de mijo, panizo, pequeños invertebrados vivos y hierbas como la pamplina.

Enfermedades más comunes: Muy sensibles al frío.

Consejos de cría: Necesitan pajareras muy frondosas para resguardarse entre el follaje.

Nido: Pueden usar cestillos de mimbre parcialmente cubiertos o pequeños cajones de anidación.

Nidada típica: 3-5 huevos.

Período de incubación: 12-14 días.

Alimentación durante la época de cría: Imprescindibles los pequeños invertebrados vivos, como por ejemplo grillos *mini*. También agradecen los preparados de huevo y las panojas de mijo remojadas.

Desarrollo: Abandonan el nido con aproximadamente 19 días de edad.

Esperanza de vida: Pueden vivir 8 años o más.

Estrilda caerulescens

♂

▲ La estrilda cola de vinagre, o estrilda gris, es muy despierta y con frecuencia se vuelve también muy dócil. Los machos atraen a las hembras con un sonido muy dulce que recuerda al de las flautas y se oye con frecuencia al inicio de la época de cría.

Lagonosticta senegala (amaranta o *pinzón de fuego de Senegal*). A veces es denominado también *pinzón* de pico de lacre. Los machos tienen la cabeza y la pechuga de color rojo claro, el abdomen tirando a marrón y los flancos punteados de blanco. La rabadilla y la base inferior de la cola son rojas, como en las hembras, aunque en el resto del cuerpo de éstas predomina el marrón, si bien poseen también alguna mancha roja alrededor de los ojos.

Estrilda troglodytes (pico de coral). Es una de las muchas especies que suelen llamar la atención en las pajareras por la llamativa línea roja que se extiende desde el pico hasta más allá de los ojos. Tiene las alas parduscas y la parte inferior del cuerpo más clara. Se distingue de las otras especies por la relativa carencia de rayas en las alas y flancos, y porque su cola es negra por arriba. Es muy difícil distinguir los sexos fuera de la época de cría, pero en ella, el plumón de los machos adquiere un tono bastante más rosado que el de las hembras.

Características y necesidades

Las parejas de estrildas pueden forman atractivas colecciones en pajareras mixtas aunque, con fines reproductivos, resulta mucho más práctico tener varios individuos de una única especie, para asegurarse de que habrá machos y hembras

▶ *El* lagonosticta senegala *se distingue claramente de otros* lagonosticta *como el* l. rubricata *o pinzón de fuego de pico azul, por el deslumbrante rojo lacre de su pico.*

P/R...

● *He encontrado un polluelo de pinzón de fuego de Senegal en el suelo. ¿Sobrevivirá si lo devuelvo a su nido?*

No es seguro, pero desde luego tampoco es imposible. A veces los padres arrastran sin querer fuera del nido a sus polluelos, sobre todo si algo los ha asustado y han emprendido el vuelo precipitadamente. Si ve uno de estos polluelos fuera del nido, sosténgalo con cuidado entre las palmas de sus manos durante unos instantes, para hacer que entre en calor y, si ve que está vivo, devuélvalo a su nido sin demora.

● *Acabo de comprar unas estrildas grises de cola negra y parece que se han arrancado muchas plumas. ¿Es un problema frecuente en esta especie?*

No. A las estrildas no les ocurre lo mismo que a los loros. Ya verá como, en cuanto dispongan de más espacio para moverse, recuperan muy pronto todas sus plumas, aunque probablemente no exhiban un plumaje tan bonito como debieran hasta la próxima muda. Siempre que se adquieren aves nuevas, conviene rociarlas con un producto acaricida e insecticida de uso avícola, para exterminar cualquier posible ácaro o piojo capaz de producirles irritaciones.

● *¿Qué tipo de plantas debo instalar en la pajarera para que las estrildas sientan deseos de construir sus propios nidos?*

Cualquier planta capaz de desarrollar un follaje abundante que las haga sentirse protegidas, pero no tan denso que casi les impida abrirse paso en la espesura. Hay varias coníferas bastante apropiadas, y el boj *(buxus)* resulta ideal, aunque sale un poco caro, al ser un arbusto de crecimiento lento. Las enredaderas vienen muy bien, sobre todo para ocultar parcialmente los cajones y cestillos de anidación. La *polygonum baldschuanicum,* o vid rusa, es una planta muy vigorosa, pero tenga cuidado, ¡podría invadir toda la pajarera en un abrir y cerrar de ojos!

Lagonosticta senegala (amaranta o pinzón de fuego de Senegal)

♀

♂

y anidarán. Además, todas estas especies pueden convivir sin problemas con otras aves, no granívoras por ejemplo, siempre que no se trate de especies agresivas, e incluso con columbiformes como la *geopelia cuneata* (paloma diamante) y otras palomas de tamaño similar.

Lo que necesitan de forma inexcusable es un habitáculo a prueba de inclemencias, por lo que conviene diseñar para ellos una pajarera con pared de obra en la parte trasera y tejadillo de obra. Las pajareras habituales, cercadas simplemente por paneles de malla metálica, pueden ser excesivamente frías y húmedas para todas estas especies. Los arbustos del interior de la pajarera, que se pueden regar con una manguera siempre que sea necesario, son esenciales, no sólo porque las estrildas anidan entre sus ramas, sino también porque atraen pequeños insectos como los pulgones, que son un importante complemento nutritivo de su dieta.

También se recomienda que la zona de vuelo de la pajarera tenga acceso directo a un recinto caldeado, como una caseta de cría o *birdroom*, en el que pueda instalarse calefacción durante el invierno. Si no es así,

▲ *A las* estrildas troglodytes *(picos de coral) les cuesta un poco decidirse a criar, pero cuando lo hacen son capaces de producir hasta tres nidadas seguidas. El característico antifaz rojo de los adultos es aún rosa en los ejemplares jóvenes.*

habrá que confinar a las estrildas durante los meses fríos en una pajarera interior.

Al iniciarse la estación reproductora, los machos cortejan a las hembras elegidas con una atractiva danza y portando una brizna de material de anidación en el pico. El principal problema en la cría de las estrildas no es convencerlas para que aniden y pongan huevos, sino lograr que alimenten correctamente a los polluelos después de la eclosión. Aunque pueden mantenerse durante casi todo el año con una dieta a base de semillas, cuando llega el momento de criar se convierten en aves insectívoras, y si no disponen de abundantes presas vivas, los polluelos no podrán salir adelante aunque sobren otros alimentos de origen animal más nutritivos, como los preparados de huevo. Los pequeños invertebrados son absolutamente imprescindibles para la cría.

Estrildas moteadas y rayadas

GÉNEROS: PYTILIA, MANDINGOA, HYPARGOS, EUCHISTOSPIZA Y ORTYGOSPIZA

ESTAS ESTRILDAS se ven muy raramente en las pajareras, a pesar del atractivo dibujo de sus plumas. Todas ellas precisan un habitáculo climatizado.

Variedades más conocidas

No se han identificado mutaciones de color en este grupo. Distinguir a simple vista los machos de las hembras suele ser fácil por las diferencias de plumaje, por lo cual no hay problema para formar parejas.

Pytilia melba (estrilda melba). La cabeza del macho es predominantemente gris, con plumas rojas alrededor del pico, y el dorso y las alas son de un verde amarillento, por lo que también se denominan a veces estrildas de cabeza carmesí o pinzones de ala verde. La parte superior de la pechuga es de color verde amarillento, y en el resto del pecho y el abdomen exhiben un rayado característico, en blanco y negro. Las hembras se distinguen de los machos porque tienen la cabeza enteramente gris.

Pytilia phoenicoptera (estrilda aurora). Plumaje gris en la cabeza, con reflejos rojizos en el dorso. Las alas y la rabadilla la cola son de un rojo muy intenso, por lo que a veces también se denomina a esta especie pinzón de alas rojas o de ala carmesí. La parte inferior el cuerpo es gris, con atractivas rayas blancas. Las hembras son bastante más parduscas en general, y exhiben características manchas parduscas y ondulantes en toda la parter inferior del cuerpo.

Mandingoa nitidula (estrilda punteada verde). Estas estrildas presentan variaciones de color dependiendo de cada subespecie, pero en general los machos ostentan un colorido más brillante que las hembras, con plumas de color verde oscuro desde la coronilla hasta la punta de las alas y cierto tono anaranjado en la parte superior de la pechuga. Poseen manchas de color rojo ladrillo a ambos lados de la cara. La parte inferior del cuerpo es negra y está sembrada de llamativas motas blancas. Las hembras exhiben tonos más apagados en general, y sobre todo en las manchas anaranjadas que tienen a ambos lados de la cara.

Pytilia melba ♂ ♀

Pytilia phoenicoptera ♂

Mandingoa nitidula ♂

Hypargos nieveoguttatus ♂ ♀

◀ *Estas estrildas no son aves resistentes, por lo que deben pasar el invierno bajo techo cuando viven en zonas de clima templado (y no cálido). No es aconsejable, sin embargo, mantenerlas en jaulas, ya que perderían demasiada forma física, y sí en amplias pajareras interiores. Cuando vuelven a la pajarera exterior en primavera, las aves que han pasado el invierno enjauladas pueden tardar más de lo normal en estar preparadas para procrear, y tal vez produzcan sólo una nidada, en vez de dos, durante el verano.*

Hypargos niveoguttatus (estrilda punteada de garganta roja). Los machos tienen la garganta y la parte superior de la pechuga de color rojo intenso y plumaje marrón desde el mismo principio de la coronilla hasta la punta de las alas. La parte inferior de su cuerpo es negra y salpicada de puntos blancos relativamente grandes. Distinguir los sexos es fácil, porque las hembras tienen la cabeza gris y la garganta y la parte superior de la pechuga de color rojo anaranjado.

Euschistospiza dybowski (estrilda de Dybowski). Plumaje gris en la cabeza, la garganta y parte de la pechuga, con las alas y el dorso de color rojo. Abdomen negro, sembrado de puntos blancos. La parte inferior del cuerpo de las hembras es de color gris oscuro y, en ellas, sólo los flancos aparecen intensamente moteados.

Ortygospiza atricollis (estrilda codorniz). Estos estríldidos son de color bastante apagado, ya que en los machos predomina el marrón oscuro, con un punto blanco justo debajo del pico y plumas negras alrededor del mismo. Dorso tirando a grisáceo y flancos cubiertos de características rayas blancas. Las hembras carecen de plumas negras alrededor del pico, y tienden a ser más claras en general.

Características y necesidades

A estos atractivos conirrostros les cuesta un poco adaptarse a un nuevo entorno, y no es mala idea administrarles algún preparado probiótico durante los primeros días, para estabilizar su flora bacteriana intestinal y reducir así el riesgo de sufrir enteritis, que podría causarles la muerte dado su reducido tamaño. Los probióticos se pueden añadir al agua del bebedero. Conviene molestarlos lo menos posible y evitar ruidos innecesarios alrededor de la pajarera hasta que empiecen a sentirse como en casa, y,

P/R...

● *¿Son sociables las estrildas punteadas? Estoy pensando en formar una colonia de mandingoa nitidula destinada a la cría.*

No tendría por qué haber problemas de convivencia entre ellas, ni siquiera cuando llegue el momento de anidar. Si compra todos los ejemplares al mismo criador, puede esperar que todos los polluelos salgan de la misma raza o subespecie. Esta especie en particular varía mucho dependiendo de su origen geográfico, independientemente del sexo de cada individuo, y siempre es bueno conservar la pureza de cada variante, lo cual sería muy difícil si se juntasen ejemplares de razas distintas.

● *Acabo de comprar unos pytilia aurora y tienen el pico rojo, pero los que tenía antes son de pico negro. ¿Qué diferencia hay entre ellos?*

Los que usted acaba de adquirir pertenecen a una subespecie diferente, que procede del nordeste de África. Los de pico negro, más habituales en las pajareras, proceden de la zona central y occidental del continente africano. Muchos aficionados denominan a esa subespecie *p. p. lineata* (o estrildas aurora de pico rojo). En todo caso, ambas subespecies requieren cuidados idénticos.

● *He notado que a veces, cuando entro en la zona de vuelo, los pinzones aurora se quedan totalmente inmóviles. ¿Por qué lo hacen?*

Se ha dicho que esta reacción responde a un mecanismo instintivo de defensa. Habrá notado que se vuelven de espaldas y dejan visible sólo la cola a los intrusos, en un esfuerzo por pasar lo más desapercibidos posible. Cuando se acostumbren a la pajarera, abandonarán progresivamente esta conducta. De hecho, estos pajaritos, cuando logran sentirse como en su casa, se comportan de forma muy tranquila y segura, y ya verá cómo los machos cantan con todas sus fuerzas durante la época de cría.

Características de la especie

Familia: Estríldidos.	**Enfermedades más comunes:** Vulnerables al frío.
Longitud: 10-13 cm.	**Consejos de cría:** Proveer la pajarera de plantas frondosas que proporcionen intimidad.
Distribución geográfica: África subsahariana.	**Nido:** Cestillos de mimbre parcialmente cubiertos.
Opciones de color: Inexistentes.	**Nidada típica:** 3-5 huevos.
Compatibilidad: Bastante sociables, pero en las colecciones mixtas hay que intentar que haya el mayor número posible de parejas de cada especie.	**Período de incubación:** 12-14 días.
Valor como mascota: No aptos como mascota familiar.	**Alimentación durante la época de cría:** Pequeños invertebrados como los grillos mini vivos, además de preparados de huevo y panojas de mijo remojadas.
Dieta: Mezcla de semillas para conirrostros exóticos, integrada básicamente por distintos tipos de mijo complementados con pequeñas cantidades de otras semillas como alpiste y negrillo. También necesitan pequeños invertebrados y hierbas frescas como la pamplina.	**Desarrollo:** Abandonan el nido con aproximadamente 21 días de edad.
	Esperanza de vida: Pueden vivir 8 años o más.

desde luego, no se les puede soltar en una pajarera al aire libre mientras no haga buen tiempo y el peligro de heladas haya pasado por completo.

Las pajarera ideal varía ligeramente dependiendo de la especie. Los *pytilia melba*, por ejemplo, pueden sentirse mucho más a gusto en una pajarera no demasiado frondosa que sus parientes los *pytilia phoenicoptera*, porque estos últimos proceden de la selva.

Los *ortygospiza atricollis* sí necesitan pajareras especiales. Por ejemplo, les es absolutamente imprescindible que el suelo de su pajarera esté seco y bien drenado, además de cubierto de hierbas altas. Además, toda la

pajarera, zona de vuelo incluida, tiene que estar protegida por un tejado para preservarlos de las inclemencias del tiempo. De lo contrario, sus huevos y hasta sus polluelos podrían congelarse irremediablemente a causa de una oleada de frío prolongada, o una larga sucesión de días húmedos.

Cuando se visita una pajarera de *ortygospiza atricollis*, hay que intentar no salirse de los caminos trazados ni pisar la hierba, porque cuando estas aves se sienten amenazadas, en vez de echar a volar como las demás, tienden a quedarse completamente inmóviles ocurra lo que ocurra con la esperanza de pasar desapercibidas

◀ *Macho de euschistospiza dybowskii (estrilda de Dybowski).*
Esta especie está entre las más difíciles de conseguir, aunque en
realidad no necesita más cuidados especiales que cualquier otro
miembro de su grupo.

y con frecuencia lo logran, de modo que no sería raro que aplastase a más de una con el pie. También acostumbran a correr a gran velocidad, como verdaderas codornices, buscando un escondite entre la hierba. Estas aves suelen ponerse terriblemente nerviosas si se las introduce en una jaula, y con frecuencia optan por volar desesperadamente en dirección al cielo, lesionándose más o menos gravemente con la jaula.

Como, en general, todas las aves incluidas en este grupo prefieren anidar relativamente cerca del suelo, para ellas lo mejor es instalar arbustos con ramas bajas en la pajarera. Si se pretende alojar en la misma más de una pareja, conviene que estos arbustos estén lo más alejados posible entre sí, para evitar en la medida de lo posible las luchas territoriales. Si se les proprciona un entorno realmente adecuado, estas especies son capaces de producir dos o tres nidadas seguidas en un corto espacio de tiempo, pero nunca lograrán sacar adelante a sus polluelos si no disponen de pequeños invertebrados vivos con que criarlos. Cuando una pareja no puede conseguir suficiente cantidad de presas adecuadas, lo más probable es que se desentienda de los polluelos sin más. Para ellos, los preparados de huevo sólo son un suplemento nutritivo, pero nunca el plato fuerte de la dieta.

Tanto los adultos como los polluelos deben ser trasladados al interior antes de que lleguen los primeros fríos y pasar el invierno en un lugar climatizado, si viven en países de clima templado (y no cálido o tórrido), tal vez una *birdroom* con zona de vuelo interior. Lo que no conviene es tener estas aves enjauladas, porque perderían forma física y cuando volviesen a la pajarera exterior, en primavera, tardarían más de lo normal en estar preparadas para aparearse, por lo que las parejas sólo tendrían tiempo para anidar una vez, en vez de dos, durante el verano.

▶ *Macho de estrilda codorniz. Estas aves son*
muy reservadas y pasan gran parte del día
escondidas entre la hierba. Unos montoncitos de
musgo seco repartidos por el suelo pueden
ayudarles a sentirse más seguros, sobre todo
mientras están enjaulados.

● Me gustarían introducir algunas estrildas codorniz en mi pajarera. ¿Se llevarán bien con las codornices pintadas chinas que tengo?

Me temo que no es una buena combinación. Probablemente, las codornices pintadas chinas molestarían a sus estrildas codorniz, que tienen unas costumbres muy particulares. Por ejemplo, se refugian y anidan entre la hierba, y si viesen otras aves transitando por su territorio, algo más que probable en una pajarera relativamente pequeña, se podrían tan nerviosas (ya son animales nerviosos de por sí) que no serían capaces de criar. Por cierto, los *ortygospiza atricollis* tienen otra costumbre bastante curiosa: se bañan en polvo o arena fina para eliminar las impurezas y el exceso de grasa de su plumaje. Unos puñados de arena fina especial de uso avícola, en un rincón bien seco de la pajarera, pueden hacer que se sientan mucho más cómodos.

● *Tengo una pareja de estrildas codorniz y son mucho más ruidosos que todas las demás estrildas. ¿Es esto normal?*

Sí, poseen una voz más potente, pero no creo que ningún pequeño conirrostro pueda molestar realmente a su vecindario. Los estríldidos son poco estruendosos, aunque los machos canten al inicio de la época de cría. Los *ortygospiza atricollis* cantan un poco más fuerte porque, como suelen estar ocultos, deben suplir el contacto visual de alguna forma para comunicarse con sus semejantes. Esto se aplica tanto a los ejemplares orientales como a los occidentales.

● *¿De todo este grupo, cuál es la especie más agresiva?*

Aunque las estrildas codorniz puedan pelearse durante la época de cría (sobre todo si la vegetación a ras de suelo es escasa), los que más problemas pueden causar en este sentido son los *pytilia melba*. Aunque esta especie puede muchas veces convivir y procrear sin problemas junto a otros estríldidos, lo mejor es alojar a las parejas por separado.

Diamante moteado australiano (mandarín)

ESPECIE: POEPHILA GUTTATA

◀ *Los diamante mandarín corrientes son muy fáciles de sexar, porque las hembras y los machos exhiben un plumaje muy distinto. Las otras variedades tampoco dan demasiados problemas en este sentido, porque las hembras siempre tienen el pico más anaranjado.*

DE TODOS LOS CONIRROSTROS, probablemente el *lonchura domestica* (véanse págs. 78-79) y el *poephila guttata* son las especies que se ven más a menudo en las pajareras. El *poephila guttata* (diamante moteado australiano, también llamado diamante mandarín o diamante cebra) es una especie ideal para principiantes y cría con mucha facilidad. Documentada por primera vez en 1805, parece que esta especie fue introducida en Europa a mediados del siglo XIX, en la misma época en que se introdujeron los periquitos de Australia y las pequeñas cacatúas.

Variedades más populares

Gracias a la imparable multiplicación de variedades y colores, los diamantes mandarían están ampliamente representados actualmente en las exhibiciones y concursos.

Normal. El diamante moteado normal se denomina a veces diamante gris, para diferenciarlo de todas las variedades coloreadas. Es muy fácil diferenciar machos y hembras en el diamante mandarín, y sobre todo en esta variedad. Hay quien los denomina diamantes *cebra*, por las características rayas blancas y negras que pueden verse en las pechugas de los machos. Los machos de esta variedad también exhiben manchas de color naranja en las mejillas, y tienen los flancos castaños y salpicados de motas blancas y grandes. Sus alas son pardo-grisáceas. Las hembras son pardo-grisáceas, carecen de manchas en las mejillas y los flancos y tienen el vientre de color crema. Ambos sexos exhiben, a ambos lados del pico, mancha blancas enmarcadas en ra-

yas negras. El pico de las hembras es bastante más claro que el de los machos.

Blanco. Fue la primera mutación de color importante. Apareció en las pajareras de un criador australiano en 1921. Los ejemplares tienen las plumas completamente blancas, y se diferencian de los albinos porque tienen los ojos negros en vez de rojos. Los machos carecen de marcas distintivas, pero aún así siguen siendo fáciles de identificar por el color de sus picos, que es de un rojo más oscuro que el de las hembras.

Albino. Documentados por primera vez en la década de 1950, en Australia, pero muy poco comunes hoy en día. Deben tener las plumas blancas como la nieve, sin el menor vestigio del rayado característico, los ojos rojos y las patas naranjas, en vez de rojas. Se trata de la única variedad de diamante mandarín difícil de sexar por el color de su pico, si bien los machos siguen teniéndolo ligeramente más oscuro que el de las hembras.

Beige. Esta mutación, muy popular en la actualidad, se caracteriza por el tono marrón claro, en vez de grisáceo, de su plumaje. Las rayas que adornan la garganta de los machos son de color marrón oscuro en vez de negras.

Plata. La variante plateada, sin ser estrictamente una variante de color, ha influido mucho en la creación de nuevos colores. Existen dos modalidades diferenciadas por la forma en que se hereda a la descendencia. La modalidad plata dominante está lógicamente más extendida que la modalidad recesiva, porque se cría con mucha más facilidad. La mutación diluye el gris normal de la especie, aclarándolo y produciendo un efecto plateado que varía de un individuo a otro, ya que no todos los ejemplares salen igual de claros, exactamente como ocurre con la variante gris normal. Las manchas de las mejillas pueden oscilar entre el crema y el naranja claro. Si una pareja gris produce, inesperadamente, un ejemplar plateado, se trata de una mutación plata regresiva. La plata recesiva es muy difícil de distinguir a simple vista de la dominante, aunque con frecuencia exhibe tonos más oscuros y homogéneos.

Manchado. Esta mutación fue de las primeras que se produjeron fuera de Australia. Las manchas pueden variar mucho de un individuo a otro, y existen desde ejemplares con pequeñas isletas blancas sobre un fondo multicolor hasta ejemplares con pequeñas manchas de color sobre fondo blanco. En todo caso, siempre es

● *He visto un anuncio en el que se ofrecían diamantes moteados CFW. ¿Qué quiere decir esto?*

Esas siglas significan, en inglés, «blancos con flancos castaños». Esos diamantes son predominantemente blancos, pero los machos conservan sus marcas características, y tienen manchas de color castaño en los flancos, mejillas anaranjadas y rayas en la garganta, la parte superior de la pechuga y la cola, por lo que resultan muy fáciles de sexar. Las hembras se diferencian de las hembras blancas normales porque conservan las dos características rayas negras a ambos lados del pico. Esta mutación se produjo por ver primera el entorno natural, en el estado de Queensland, Australia.

● *¿Qué es un diamante moteado penguin?*

Los machos *penguin* (pingüino, en inglés) carecen de las típicas rayas de la garganta, y tienen la pechuga enteramente blanca, como los pingüinos. Se aprecia sobre todo en las variedades gris y beige, aunque también se da en las demás variedades. Los criadores no han sido capaces de incrementar el tamaño de los diamantes de este tipo, y los ejemplares *penguin* tienden a ser más pequeños que los otros.

● *¿Se puede combinar el efecto aclarado de las mutaciones plata con el color beige?*

Sí, y de hecho, esta combinación ha producido las variantes crema dominante y crema recesivo. En este caso, las manchas grises del plumaje se vuelven de color crema, y tanto las rayas de la garganta como las que hay a ambos lados del pico se tornan grisáceas. El crema recesivo es mucho menos común que el dominante.

◄ *Variante crestada del diamante mandarín normal. El penacho debe ser circular y más bien aplastado. La cresta puede combinarse con cualquier variedad de color, pero no es una característica especialmente apreciada por los expertos.*

Características de la especie

Familia: Estríldidos.

Longitud: 10 cm.

Distribución geográfica: Australia y las islas Sumba, Timor y de la Flores, en Indonesia.

Opciones de color: Muy numerosas.

Compatibilidad: Sociables, tanto en colonias como formando parte de colecciones mixtas, junto a conirrostros de tamaño similar.

Valor como mascota: Las parejas pueden criar con éxito en el hogar, en jaulas muy grandes.

Dieta: Mezcla de semillas integrada básicamente por distintos tipos de mijo y algo de alpiste, más hierbas frescas como la pamplina.

Enfermedades más comunes: Las hembras pueden tener dificultades durante la puesta.

Consejos de cría: Retirar el material de construcción de los nidos en cuanto las hembras empiecen a poner huevos.

Nido: Cestillos de mimbre parcialmente cubiertos o pequeños cajones de anidación con abertura frontal.

Nidada típica: 4-6 huevos.

Período de incubación: 12 días.

Alimentación durante la época de cría: Panojas de mijo remojadas y preparados de huevo.

Desarrollo: Los polluelos pueden abandonar el nido con aproximadamente 21 días.

Esperanza de vida: Pueden vivir 8 años o más.

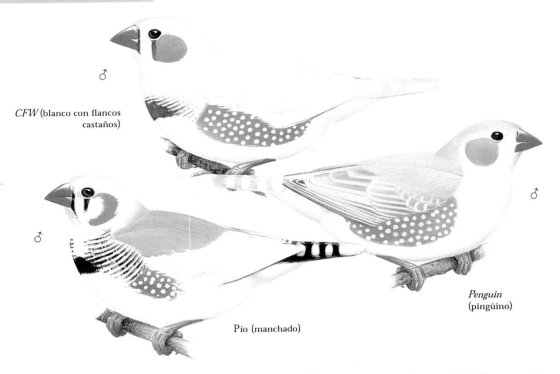

CFW (blanco con flancos castaños)

♂

♂

Pío (manchado)

Penguin (pingüino)

♂

posible diferenciar los sexos por las manchas. El carácter manchado, que es recesivo, se ha combinado con otros colores, aparte del gris, para crear diamantes beige manchados, por ejemplo. Cuando se crían diamantes manchados con el fin de presentarlos a concurso, no obstante, nunca se puede estar seguro de la distribución de colores que producirán los padres, por mucho que sus marcas sean totalmente perfectas.

De pechuga negra. La mutación opuesta produce ejemplares en los que la pequeña mancha de color negro uniforme se prolonga hasta la garganta, eliminando así el característico rayado blanco y negro. En contrapartida, las rayas negras y blancas a ambos lados del pico se desdibujan. Los diamantes mandarín desdoblados en este carácter recesivo se distinguen de los otros porque, en los machos, la franja negra de la garganta es más ancha.

De pechuga anaranjada. Variante similar que se ha hecho muy común en los últimos años. En este caso, el rayado característico no se convierte en una mancha negra uniforme, sino naranja.

De espalda plateada. Se trata de una de las variantes más recientes. La cabeza, el dorso y las alas son plateadas en vez de grises, pero el resto del cuerpo tiene las mismas manchas que el de los ejemplares normales o grises.

▲ *En todas estas mutaciones, la proporción de blanco aumenta con respecto a la variante normal o gris, pero sólo en los píos o manchados la distribución del color es variable. En el resto de las variantes, es fija.*

Otras mutaciones de color. Se han producido otras mutaciones de color, aunque no han tenido tanto éxito como las anteriores. Los diamantes mandarín de pico amarillo, por ejemplo, casi no se ven hoy en día. Su plumaje es idéntico al normal, y únicamente cambia la coloración del pico, que puede ser desde amarillo claro hasta el amarillo anaranjado. En esta variedad, sólo los machos tienen el pico casi naranja.

Crestado. La cresta o copete parece estar genéticamente asociada a un factor letal, por lo que nunca hay que emparejar dos ejemplares crestados entre sí. Sólo debe ser crestado uno de los progenitores.

Características y necesidades

Los diamantes mandarín son pajaritos activos y vivarachos que necesitan vivir en pajareras, o en jaulas muy grandes. Comparados con las demás estrildas, son relativamente resistentes, pero de todas formas necesitan que su pajarera cuente con un refugio bien seco e iluminado, y nunca viene mal instalar en él una toma de corriente, para poder calentar artificialmente el ha-

▲ *Diamante mandarín beige. Las variaciones en las manchas, que no son raras en estos conirrostros, han permitido desarrollar múltiples variantes e incrementar la calidad de los ejemplares que se presentan a concurso.*

bitáculo si una racha de frío se prolonga o la temperatura baja demasiado.

Entre todos los conirrostros, ésta es una de las especies más ruidosas, ya que pían con mucha frecuencia. Sin llegar al extremo de los loros, que se posan dócilmente en la mano de su propietario, pueden llegar a sentirse bastante confiados una vez que se acostumbran al entorno familiar. Aunque el diamante mandarín no tienen ningún problema para anidar en colonias, cuando se cría con fines competitivos es costumbre separar a las parejas para saber a ciencia cierta quién es el padre y la madre en cada nidada.

En los concursos es costumbre presentar los ejemplares por parejas. No es que no se permita concurrir a los diamantes mandarín por separado, pero en igualdad de condiciones siempre sale premiada la pareja, simplemente porque dos ejemplares perfectos siempre impresionan más que un individuo solo. Se ha establecido un estándar para el diamante mandarín con especificaciones concretas para cada una de las variantes reconocidas oficialmente.

P/R...

● **Tengo una pareja de diamantes mandarín, y no quiero que sigan procreando. ¿Qué puedo hacer?**

Bastará con que retire la caja o cestillo de anidación en cuanto los polluelos hayan emplumecido. No necesitan el nido para dormir y, si éste falta, las hembras dejan de poner huevos casi de inmediato. Nunca hay que permitir que dos diamantes mandarín produzcan más de dos nidadas seguidas sin descansar, porque las hembras tendrían probablemente muchas dificultades durante la puesta, y si un huevo se atascase en su interior podría incluso sobrevenirles la muerte.

● **¿A qué edad maduran sexualmente los diamantes cebra (mandarín)?**

Desde los nueve meses de edad en adelante, los machos y hembras de diamante mandarín pueden procrear sin problemas. En realidad, maduran antes, pero no conviene permitirles anidar cuando son demasiado jóvenes.

● **Mis diamantes mandarín siguen añadiendo elementos al nido, aunque la hembra ya ha puesto los huevos. ¿Es esto normal?**

Sí, pero no conviene permitírselo, porque los huevos podrían quedar enterrados y no recibir suficiente calor. Aunque usted retire el material de anidación, probablemente sigan valiéndose de las hierbas frescas que les ofrece como alimento, y esto sería aún peor, porque podrían ponerse mohosas.

Otros diamantes moteados

GÉNEROS: NEOCHMIA, POEPHILA Y EMBLEMA

Emblema guttata

♂

Poephila bichenovii

♂

Neochmia ruficauda

AUNQUE AÚN NO han alcanzado la popularidad del diamante mandarín, estos diamantes son bastante fáciles de críar y buenos padres de sus polluelos. No obstante, los criadores a veces no les permiten empollar, y confían sus huevos a parejas de *lonchura domestica*, como los del diamante de Gould.

Variedades más populares
Los diamantes moteados se ven con relativa frecuencia en las pajareras, pero las siguientes especies son las más comunes.

Neochmia ruficauda (diamante ruficauda). Esta especie es inconfundible por su rostro completamente rojo, con las plumas de las mejillas tan rojas como el pico, y cubiertas de puntitos que se van extendiendo por la pechuga y los flancos. Tienen las alas de color verde pardusco, y la parte inferior del cuerpo mucho más clara. La cola es de color marrón rojizo, por lo que también se les llama colirrojos. Las

hembras se caracterizan por el tono más claro de su rostro. La especie cuenta con una variante de color cuyos ejemplares tienen el pico y la cara naranjas en vez de rojos.

Poephila bichenovii (diamante de Bichenov). Denominado a veces diamante búho, por las curiosas manchas de su cara, tiene los ojos, el pico y la garganta cubiertos de plumaje blanquecino, y éste enmarcado por una estrecha franja de plumas negras. Otra raya negra atraviesa horizontalmente la pechuga, de color crema. Tiene el dorso pardusco y las alas negras, cubiertas de motas blancas. Las hembras son del mismo color que los machos.

Emblema guttata (diamante punteado). La coronilla y las alas son pardo-grisáceas, y las mejillas plateadas. La parte inferior del cuerpo es blanca, y dos franjas negras salpicadas de motas blancas recorren longitudinalmente los flancos. Tiene rojas la rabadilla y la parte inferior de la cola, y sus ojos están enmarcados en un círculo de piel roja y des-

◄ *Macho de diamante de cola de aguja. En las hembras, la mancha negra de la garganta es más reducida. También en esta variedad existe una mutación beige.*

Características de la especie

Familia: Estríldidos.

Longitud: 10-18 cm, superior en el de cola de aguja (su cola mide 7,5 cm).

Distribución geográfica: Australia.

Opciones de color: No demasiado extendidas.

Compatibilidad: Los diamantes de cola de aguja son bastante agresivos en la época de anidación.

Valor como mascota: No aptos como mascota familiar.

Dieta: Mezcla de semillas integrada básicamente por distintos tipos de mijo y algo de alpiste, más hierbas frescas como la pamplina.

Enfermedades más comunes: El emblema guttata (diamante punteado) es especialmente propenso a la obesidad.

Consejos de cría: Si se utilizan jaulas de cría, conviene instalar éstas en una caseta de cría o *birdroom.*

Nido: Cestillos de mimbre parcialmente cubiertos o pequeños cajones de anidación con abertura frontal.

Nidada típica: 4-6 huevos.

Período de incubación: 12-15 días.

Alimentación durante la época de cría: Se recomienda suministrar preparados de huevo, panojas de mijo remojadas y hierbas frescas.

Desarrollo: Abandonan el nido entre los 21 y los 25 días de edad.

Esperanza de vida: Pueden vivir 8 años o más.

◀ *Aunque estos diamantes son populares entre los criadores, no se ven con tanta frecuencia como los diamantes mandarín o cebra. Tampoco se crían con tanta frecuencia sus variantes de color. No obstante, pueden ser muy prolíficos. Los padres pueden utilizar cajones de anidación o construir sus propios nidos.*

● **¿Por qué mis diamantes de Bichenov han tenido dos polluelos con la rabadilla negra en vez de blanca?**

Eso indica claramente sus orígenes. Existe una subespecie con la rabadilla negra, *la p. bichenovii annulosa*, y los antepasados de sus diamantes fueron cruzados con ejemplares de esa subespecie y produjeron polluelos que tenían el mismo aspecto que los Bichenov normales, pero portaban el carácter recesivo de la rabadilla negra en su material genético. Cuando se emparejan dos Bichenov pueden salir polluelos con la rabadilla negra.

● **¿Cómo puedo conocer el sexo de mis diamantes punteados de cola de aguja para emparejarlos?**

Si dos ejemplares parecen llevarse muy bien y se posan muy juntos en las perchas, serán un macho y una hembra. También puede esforzarse en percibir el canto sordo de los machos, que suena casi como un resuello. Éstos inician el cortejo inflando las plumas de la garganta, y después se estiran y se agachan en las perchas llamando la atención de las hembras.

● **¿Se pueden criar diamantes de cara roja en colonias?**

Estos conirrostros son muy sociables y no suelen tener problemas para anidar compartiendo pajarera con el resto del grupo.

● **¿Una pareja de diamantes mandarín puede incubar huevos o alimentar los polluelos de otras especies de diamante?**

Los diamantes mandarín pueden ser buenos padres adoptivos, pero intente elegir una pareja que haya puesto sus propios huevos más o menos a la vez que los otros diamantes.

provista de plumas. Es casi imposible distinguir a las hembras a simple vista, aunque pueden ser algo más menudas y de colores menos vivos que los machos. En la mutación beige, las plumas negras han sido reemplazadas por plumas marrones.

Poephila acuticauda (diamante punteado de cola de aguja). Estos diamantes moteados tiene las plumas de la cola largas, y se estrechan progresivamente en dirección a la punta. Su plumaje es marrón, y una mancha bastante grande, de color negro, les cubre desde el pico hasta la parte superior de la pechuga, pasando por la garganta. El resto del cuello y la cabeza son de color gris azulado. Una franja gruesa negra se extiende por los flancos desde la rabadilla, sobre fondo blanco, y el pico es de color amarillo en esta raza, aunque existe otra raza procedente del norte de Australia que tiene el pico rojo en vez de amarillo, aunque su plumaje es idéntico.

Características y necesidades

Estas especies resultan fáciles de mantener, sobre todo porque pueden arreglárselas sin gusanos ni insectos para sacar adelante a sus polluelos. Como se crían tan bien en cautividad, conviene comprar los ejemplares a dos criadores distintos para evitar la endogamia, que podría restar fertilidad a las parejas. Aunque casi todas las especies pueden criar enjauladas, es preferible que los *emblema guttata* lo hagan en una pajarera, para que puedan volar y mantenerse en buena forma. Además, suelen arreglárselas perfectamente para criar sin supervisión ni ayuda ninguna, siempre que lo hagan durante los meses cálidos, en las regiones de clima templado (y no cálido o tórrido). Todas estas especies son relativamente resistentes al frío, pero de todos modos agradecen contar con un buen refugio donde pasar el invierno a salvo de las heladas.

El diamante de Gould

ESPECIE: CHLOEBIA GOULDIAE

ESTOS VISTOSÍSIMOS CONIRROSTROS deben su nombre a la esposa del explorador John Gould, por lo que en Norteamérica se los conoce popularmente como Lady Gould. Se trata de una especie muy inusual, porque viven en plena naturaleza y forman bandadas con cabezas de distintos colores.

Variedades más populares

Aunque en la actualidad se están criando intensamente algunas mutaciones, pocas de ellas logran igualar la belleza de los ejemplares salvajes.

Variedades normales. Los *gouldian* o diamantes de Gould normales tienen una franja negra en la garganta que se va estrechando hasta formar una especie de gargantilla en torno al cuello, y parece subrayada por otra fina línea exterior de color azul celeste. El dorso y las alas son verdes, la pechuga morada y el abdomen, de color amarillo canario intenso. Algunos ejemplares tienen toda la cabeza negra, y otros, de color rojo intenso. En las bandadas salvajes son menos frecuentes los ejemplares *de cabeza amarilla* (que, a pesar de llamarse así, la tie-

nen de color naranja, y es una variante diluida de la cabeza roja). Machos y hembras son idénticos en el color, aunque al principio de la época de cría a los machos se les pone la punta del pico de color rojo cereza.

Mutaciones. Una de ellas es el diamante de Gould de pecho blanco, que tiene la mancha de la pechuga blanca como la nieve en vez de morada. Esta característica se puede combinar con los tres colores de cabeza existentes. El diamante de Gould de pecho lila es una variante en la que el tono morado de la pechuga se ha aclarado, convirtiéndose en lila o violeta claro.

La variante azul más famosa tiene las plumas azules donde las otras variedades las tienen verdes, y su abdomen es blanco-crema en vez de amarillo. En estos ejemplares, también se ha diluido el color de la garganta y la parte superior de la pechuga, lo que permite diferenciarlos de las variantes pastel, que conservan intacto el tono morado de las variantes normales.

▼ *Los diamantes de Gould presentan tres colores en la cabeza. Genéticamente, todas las variantes de cabeza negra son dominantes con respecto a las de cabeza roja o amarilla, independientemente de los colores que presenten en el resto del cuerpo.*

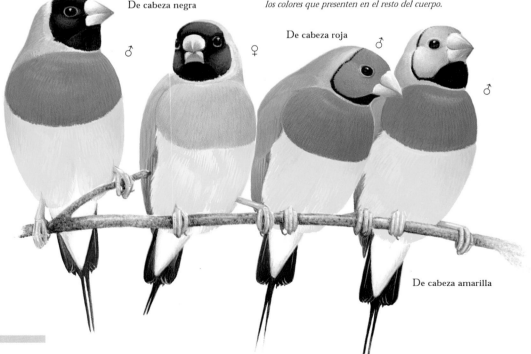

De cabeza negra

♂

♀

De cabeza roja

♂

♂

De cabeza amarilla

● ¿Siempre tiene incubar un society los huevos de los diamantes de Gould?

R... Desde luego, no es necesario, siempre que los diamantes de Gould estén dispuestos a incubar y alimentar ellos mismos a su desdendencia. Esa práctica está destinada a aumentar la productividad de las hembras de diamante Gould, ya que, si se les retiran los huevos recién puestos, tienden a poner huevos otra vez en seguida, y de este modo de duplica su potencial reproductor. También se suele hacer cuando los diamantes de Gould tienen infestados de ácaros sus sacos aéreos, porque estos parásitos se trasmiten con mucha facilidad cuando los adultos alimentan a sus polluelos. En este caso, al hacer que un lonchura doméstica incube los huevos del *chloebia gouldiale* se rompe el ciclo de la infestación.

● ¿Cómo puedo saber si mis gouldian tiene ácaros en los sacos aéreos?

Los individuos afectados pierden la forma física y respiran con fatiga. Estos son los síntomas más típicos de la enfermedad. También es habitual que los individuos enfermos mantengan el pico entreabierto mientras descansan en las perchas. La infestación se trata con un fármaco llamado *ivermectina*.

▲ *Este macho pertenece a una de las últimas variantes de color, la de espalda amarilla y cabeza roja. La espalda roja se puede combinar con cualquier color de cabeza.*

Características de la especie

Familia: Estríldidos.

Longitud: 13 cm.

Distribución geográfica: Norte de Australia.

Opciones de color: Numerosas actualmente.

Compatibilidad: Puede vivir y procrear en colonias.

Valor como mascota: No aptos como mascota familiar.

Dieta: Mezcla de semillas integrada básicamente por distintos tipos de mijo, algo de alpiste y otras semillas como el negrillo y el buche, más gramíneas y hierbas frescas.

Enfermedades más comunes: Propensos a sufrir infestaciones de ácaros en sus sacos aéreos.

Consejos de cría: En el hemisferio Norte, suelen elegir el invierno para anidar, y en ese caso deben ser trasladados al interior.

Nido: Cajones de anidación preferiblemente.

Nidada típica: 4-6 huevos.

Período de incubación: 16 días.

Alimentación durante la época de cría: Preparados de huevo, panojas de mijo remojadas y hierbas frescas.

Desarrollo: Los polluelos abandonan el nido con aproximadamente 21 días de edad.

Esperanza de vida: Pueden vivir 8 años o más.

Características y necesidades

Los diamantes de Gould son los conirrostros australianos más exigentes en cuanto a su mantenimiento, ya que necesitan un alojamiento con calefacción siempre que los termómetros bajen de 10 ºC. También requieren mucho espacio para volar, por lo que la mejor solución es trasladarlos a una pajarera interior durante el invierno, que es la estación en la que prefieren anidar (cuando viven en el hemisferio Norte). En Australia, suelen criar en colonias, pero en el resto del mundo se suelen utilizar jaulas de cría. En condiciones adecuadas, pueden ser aves muy prolíficas.

Empezar a alimentarse por sí mismos supone un gran esfuerzo a los diamantes de Gould, y nunca viene mal suministrarles algún preparado probiótico durante quince días, una vez separados de sus padres. Estos productos reducen el riesgo de que contraigan una infección del aparato digestivo. Jamás hay que separar a los polluelos de sus padres hasta estar bien seguros de que pueden alimentarse por sí solos, y aún así hay que seguirles suministrando los mismos alimentos con que sus padres los criaban, como semillas remojadas, con el fin de evitar en lo posible que se malogre algún polluelo tras la separación. Cuando los jóvenes *gouldian* muden por primera vez la pluma, hay que suministrarles algún complemento nutricional, porque este proceso debilita su organismo.

Papagayo diamante GÉNERO: ERYTHRURA

ESTOS CONIRROSTROS se caracterizan por tener un plumaje que parece emular, en el colorido, al de los papagayos. Además, su cola se va estrechando progresivamente hacia la punta, un rasgo particularmente visible en los *erytrhura prasina*.

Variedades más populares

Las especies siguientes son las más comunes.

Erytrhura prasina (papagayo diamante de cola de aguja). Los machos se distinguen de los *e. trichroa* por la parte inferior de su cuerpo, que es de color canela claro en vez de verde, y por las plumas rojas que exhiben en el centro del abdomen. Esta especie es más fácil de sexar que la otra, porque las hembras tiene la cabeza verde y el abdomen gris pardusco oscuro.

Erythrura psittacea (papagayo diamante de cara roja). Especie procedente de Nueva Caledonia, que se caracteriza por el color rojo que predomina en su cabeza. El resto de su plumaje es verde, con excepción de la rabadilla y la parte inferior de la cola, que también son rojas. En las alas se aprecian algunas plumas de color marrón. Las hembras exhiben tonalidades más apagadas que los machos. Existe una mutación lutino bas-

▲ *Los* erytrhrura prasina, *procedentes del sudeste asiático y las islas de Indonesia, son conocidos popularmente como diamantes papagayo de cola de aguja o Nonpareil de cola de aguja. Su aspecto es muy similar al de los* erythrura trichroa.

tante rara en esta especie, con plumas amarillas en vez de verdes y la franja que se extiende desde las comisuras del pico hasta los ojos blanca en vez de negra.

Erythrura trichroa (papagayo diamante de cara azul o tricolor). En la cabeza predomina el color azul oscuro, y el resto del plumaje es verde oscuro, pardusco en las alas (lo que hace que los ejemplares de esta especie casi no puedan distinguirse del entorno en una pajarera con plantas). También se denomina tricolor por el color rojo de su rabadilla y de la parte superior de la cola. Las hembras son difíciles de diferenciar, aunque pueden exhibir colores más apagados que los machos, sobre todo en la cabeza.

Características y necesidades

Algunos criadores logran convencer a las parejas para que aniden en jaulas de cría en forma de cajón, pero donde mejor crían es en las pajareras llenas de plantas. Como puede deducirse de su colorido, proceden de la

Erythrura psittacea

Erythrura trichroa

◀ *Los* erythryura trichroa, *de cara predominantemente azul, se ven más a menudo que sus parientes de cara roja. Los ejemplares jóvenes exhiben tonos mucho más apagados, pero empiezan a adquirir su plumaje de adultos alrededor de los cinco meses de edad.*

P/R...

● **¿Cuál de estas especies cría con más facilidad?**

Los e. *trichoa* son los más diligentes a la hora de anidar. También suelen ser algo más resistentes al frío, lo que no significa que, en las regiones de clima templado, puedan pasar el invierno sin calefacción ni iluminación artificial. Las otras dos especies, más delicadas, deben ser forzosamente ser trasladadas al interior.

● **¿Se pueden criar estas especies en colonias?**

Desde luego, yo no lo recomendaría, porque los machos son agresivos entre sí, y más aún en época de cría. No obstante, sí pueden convivir y reproducirse tranquilamente junto a otros conirrostros de tamaño similar. En todo caso, en cuanto los polluelos sean capaces de alimentarse por sí mismos habrá que sacarlos de la pajarera, porque los machos parecen complacerse en atormentar a sus propios hijos, sobre todo si son de su mismo sexo.

● **¿A qué edad se puede conocer el sexo de un diamante papagayo de cola de aguja?**

Normalmente, con unas seis semanas de edad ya se puede distinguir a los machos porque les sale alguna que otra pluma roja en el abdomen.

● **¿Por qué no se puede alimentar a los polluelos con gusanos de la harina cuando están en el nido?**

Porque están revestidos de una sustancia demasiado dura, la quitina, y probablemente atravesarían todo el tracto digestivo sin ser digeridos y los polluelos se morirían de hambre.

selva, donde el intenso color verde de su plumaje les permite camuflarse entre la espesura. Otra de sus características es que tienden a anidar lo más lejos posible del terreno, por lo que eligen una zona de la pajarera muy próxima al techo. Si no se les proporcionan material de anidación, se construyen sus nidos bastante aparatosos con los elementos más diversos, incluidas las hojas de los arbustos, y los revisten interiormente con plumas.

Hay que ofrecerles fruta fresca para aportar variedad a su dieta. También devorarán con avidez semillas de higos secos, cuando no se disponga de higos frescos. Como la mayoría de las estrildas, necesitan muchos más invertebrados vivos cuando están alimentando a sus polluelos, y los grillos *mini* son la opción ideal como primer presa viva.

Características de la especie

Familia: Estríldidos.

Longitud: 13 cm.

Distribución geográfica: Desde el sudeste asiático, Nueva Guinea y las islas indonesias hasta el norte de Australia. También existen en Filipinas y en varias islas del Pacífico.

Opciones de color: Muy raras.

Compatibilidad: Cada pareja puede convivir con estrildas de otro tipo, siempre que no sean agresivas.

Valor como mascota: No aptos como mascota familiar.

Dieta: Distintos tipos de mijo y alpiste mezclados, más otras semillas como negrillo y buche, además de gramíneas, hierbas frescas, algunos invertebrados vivos y fruta.

Enfermedades más comunes: Propensos a sufrir infestaciones de ácaros en los sacos aéreos.

Consejos de cría: Tímidos por naturaleza, les es imprescindible una vegetación abundante donde refugiarse.

Nido: Cajones de anidación o construirán sus propios nidos.

Nidada típica: 4-6 huevos.

Período de incubación: 14 días.

Alimentación durante la época de cría: Preparados de huevo, panojas de mijo remojadas y hierbas frescas. Los padres ingerirán más presas vivas mientras estén criando a sus polluelos.

Desarrollo: Dejan el nido con unos 21 días de edad.

Esperanza de vida: Pueden vivir entre 7 y 8 años.

El gorrión de Java ESPECIE: PADDA ORYZIVORA

AUNQUE PROCEDE ÚNICAMENTE de Java y Bali, esta especie lleva mucho tiempo criándose en cautividad y se ha extendido por buena parte del sudeste asiático e incluso por el África oriental. Se adapta tan fácilmente a otros entornos geográficos que su tenencia ha sido restringida legalmente en algunos estados norteamericanos, donde se les conoce como *pájaros del arroz*.

Blanco

Normal

Variedades más populares

Actualmente se están desarrollando algunas variantes de color, sobre todo en algunos países europeos. Las variedades comúnmente reconocidas y más fáciles de conseguir son las que siguen.

Normal. Tiene la cabeza negra, aunque con dos grandes manchas blancas a ambos lados. El resto de su cuerpo es grisáceo, de un rosa agrisado en el abdomen, y con los muslos y las coberteras inferiores de la cola de color blanco. Las alas, la rabadilla y las plumas timoneras son negras. Su pico es más bien grande, de color rojo claro. Distinguir a simple vista a las hembras es casi imposible, aunque el pico de los machos adquiere un tono rojo más intenso durante la época de cría.

Blanco. Parece que el origen de esta variedad es desconocido. Se cree que la cría de ejemplares de color blanco se inició en China hace varios siglos, y tienen

fama de ser mejores reproductores que los normales. En el gorrión de Java, es fácil distinguir con claridad los ejemplares blancos de los píos o manchados, porque los blancos presentan a menudo pequeñas manchas grises que enturbian la blancura inmaculada de su plumaje, principalmente en el dorso, aunque tampoco es infrecuente que tenga una pluma remera negra destacándose entre el plumaje blanco de las alas. Además, incluso los gorriones que son blancos por completo tu-

Características de la especie

Familia: Estríldidos.

Longitud: 13 cm..

Distribución geográfica: Indonesia.

Opciones de color: Cada vez más extendidas.

Compatibilidad: No conviene juntarlos con otras estrildas de menor tamaño, aunque sí pueden convivir con tejedores de tamaño similar, e incluso con cotorritas.

Valor como mascota: No aptos como mascota familiar.

Dieta: Mezcla de semillas especial para fringílidos exóticos, constituida por diversas clases de mijo y una pequeña cantidas de alpiste. También pueden comer otras semillas, como avena partida y arroz. A todo ello hay que añadir gramíneas y hierbas frescas.

Enfermedades más comunes: Las hembras pueden tener dificultades al expulsar los huevos.

Consejos de cría: Crían mejor en colonias.

Nido: Caja-nido para periquitos de Australia. También pueden construir sus propios nidos.

Nidada típica: 4-7 huevos.

Período de incubación: 13 días.

Alimentación durante la época de cría: Preparados de huevo, panojas de mijo remojadas y hierbas frescas. Puede que los padres ingieran también animalillos vivos mientras están criando a los polluelos.

Desarrollo: Abandonan el nido a los 25 días.

Esperanza de vida: Pueden vivir hasta 10 años.

◄ *El gorrión de Java es en realidad un maniquí corpulento, vivaracho e inquieto, que resulta especialmente vistoso en compañía de sus semejantes. La variedad normal también se llama variedad gris.*

▶ *El plumaje de los gorriones de Java suele tener siempre un aspecto satinado e impecable, como demuestra este ejemplar de color canela. Por este motivo se ven con bastante frecuencia en las exposiciones y concursos.*

vieron invariablemente el dorso gris antes de adquirir su plumaje de adultos, aunque el pico a esa edades es ya rosado, en vez de negro.

Canela. La otra variante de color universalmente reconocida es la canela, también conocida como beige. Se originó en las pajareras de un criador australiano en la década de 1950. En estos ejemplares las plumas grises han sido reemplazadas por plumas canela, y las negras de la cabeza y de la cola, por plumas marrones. Existen también ejemplares canela píos o manchados y en ellos, como en los grises manchados, la distribución de las manchas varía enormemente de un individuo a otro, y no son raros los píos predominantemente blancos.

Características y necesidades

Los gorriones de Java quedan muy bonitos en cualquier pajarera gracias a su plumaje, siempre sedoso e impecable. Son bastante resistentes, aunque de todos modos necesitan pajareras con acceso directo a un refugio seco y bien iluminado.

Crían mejor en grupo o en colonias. Cuando se adaptan totalmente al nuevo entorno, los machos pueden distinguirse de las hembras por su canto, que se oye con mucha más frecuencia al inicio de la época de cría. Si no se les proporcionan cajones de anidación, pueden construir por sí mismos sofisticados nidos redondos entre las ramas de su arbusto favorito o en cualquier otro rincón. A veces, sobre todo cuando la pajarera es relativamente pequeña, sólo contruye un nido la pareja dominante.

Es posible lograr que una pareja (sobre todo si es de la variedad blanca) procree en una gran jaula de cría rectangular equipada con una caja-nido que esté fijada en una de sus paredes. De todos modos, nunca se obtienen tan buenos resultados como si se les deja anidar libremente en la zona de vuelo.

● *¿Si se empareja un gorrión de Java blanco con otro gris, de qué color salen las crías?*

La mayoría de los polluelos serán blancos, aunque algunos tendrán alguna que otra mancha gris, y también puede que salgan algunos polluelos grises. Las reglas habituales de la genética no se aplican en este caso. Incluso si se emparejasesn ejemplares de color blanco inmaculado entre sí durante generaciones, saldría de cuando en cuando algún que otro polluelo de color gris.

● *Tengo unos gorriones de Java con la cabeza totalmente negra. ¿Se trata de una nueva mutación?*

Casi seguro que no. La falta de manchas blancas suele deberse a un proceso denominado melanismo adquirido, con frecuencia producido la mezcla de semillas con que se alimenta a ciertas aves; quizá un exceso de cañamones. Si les retira por completo los cañamones, las manchas blancas reaparecerán casi con toda seguridad en la próxima muda.

● *¿A qué edad adquieren los gorriones de Java el plumaje de adultos?*

Suelen cambiar el plumaje alrededor de los tres meses de edad. Hasta entonces, las plumas de sus mejillas son más amarillas que blancas, y el resto de las plumas son grises.

Capuchino «Society»

ESPECIE: LONCHURA DOMESTICA

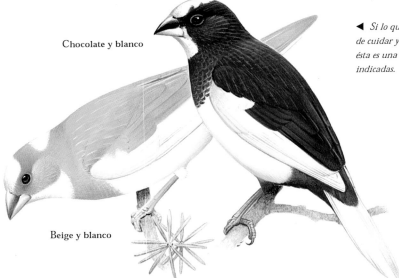

Chocolate y blanco

Beige y blanco

◄ *Si lo que busca son pajaritos fáciles de cuidar y que críen sin problemas, ésta es una de las especies más indicadas.*

EL *LONCHURA DOMESTICA* ES una especie bastante peculiar, porque no existe en la naturaleza. Se cree que procede de un cruce entre un maniquí y un capuchino, el *lonchura striata*, muy común en gran parte de Asia. Casi con toda certeza, su cría se inició en China, desde donde pasó a Japón a principios del siglo XVIII. Hasta 1860, la especie era desconocida en Occidente. Estos pajaritos versátiles son ideales tanto para los que se inician en esta afición como para los expertos que desean triunfar en concursos y exposiciones.

Variedades más populares

Se crían algunas variedades de esta especie en todo el mundo y sólo una minoría se conoce en Japón.

Entre las variedades más comunes destacan la de color chocolate, que se considera la más semejante a la forma original; la beige y la castaña. Los ejemplares que carecen de manchas blancas se denominan uniformes. En los ejemplares píos, la distribución de las manchas tiende a ser aleatoria, aunque el carácter manchado se ha normalizado hasta cierto punto, de forma que es posible, emparejando el macho y la hembra adecuados, criar ejemplares para concurso.

También ha surgido un factor hereditario que aclara las zonas oscuras del plumaje y se puede combinar

P R...

● *¿Puedo emparejar dos Society crestados?*

No parece que esta mutación esté asociada genéticamente a ningún factor letal, de modo que sí, puede hacerlo sin temer que se malogren los polluelos.

● *¿Puede informarme sobre la mutación perla?*

Se la considera una de las más atractivas que se han documentado en esta especie hasta la fecha. Fue descubierta por casualidad, en una tienda de animales japonesa, en la década de 1980. Los ejemplares tienen la cabeza, las alas y la cola de color plata y con hermosos reflejos nacarados. También existen manchas plateadas en la pechuga, aunque por lo demás el resto del cuerpo es castaño uniforme. La intensidad del color puede variar mucho, porque está siendo muy difícil fijar el tono perfecto. Esta mutación está tan cotizada actualmente que los ejemplares perlados suelen ser carísimos.

● *Tengo dos ejemplares de Society beige, pero lo cierto es que son de colores muy distintos. ¿Cómo puede ser eso?*

Los ejemplares beige varían enormemente en tonalidad dependiendo de su procedencia o casta. De hecho, los hay desde casi naranja claro hasta rojo óxido bastante oscuro. Lo que, en su origen, debió de ser una variación natural, se alteró después con la cría selectiva, a causa del esfuerzo de los criadores por acentuar ciertos tonos.

Características de la especie

Familia: Estríldidos.

Longitud: 13 cm.

Distribución geográfica: Sólo existe en cautividad.

Opciones de color: Muy numerosas.

Compatibilidad: Las parejas pueden compartir pajarera con otros conirrostros de tamaño similar o formar colonias, e incluso pueden convivir con cotorritas.

Valor como mascota: Las parejas crían bien enjauladas, en el hogar, pero no llegan a comportarse como mascotas.

Dieta: Mezcla de semillas constituida por diversas clases de mijo, panizo y una proporción menor de alpiste. También hay que ofrecerles otras semillas como el negrillo. Las hierbas frescas y las gramíneas son así mismo importantes.

Enfermedades más comunes: Si se los hace criar demasiado, las hembras pueden tener dificultades para expulsar los huevos.

Consejos de cría: En zonas de clima templado (no cálido), sólo deben criar en verano.

Nido: Si no encuentran cajones de anidación, tal vez decidan construir ellos mismos su nido.

Nidada típica: 5-8 huevos.

Período de incubación: 14 días.

Alimentación durante la época de cría: Preparados de base de huevo, panojas de mijo remojadas y hierbas frescas.

Desarrollo: Los pollos abandonan el nido cuando tienen alrededor de 22 días de edad.

Esperanza de vida: Pueden vivir entre 7 y 8 años.

▶ *Los orígenes comunes del Society y los capuchinos son especialmente evidentes en los ejemplares de color uniforme, como este canela, que se caracterizan por la ausencia total de plumas blancas.*

tanto con las mutaciones uniformes como con las manchadas. Aunque son raros, existen así mismo *Society* albinos, con el plumaje blanco y los ojos rojos como características más destacadas.

Se han creado también numerosas variedades relacionadas con la textura de la pluma. La variedad crestada, reconocida internacionalmente, posee una corona circular y poco elevada que nunca debe caer sobre los ojos, ocultándolos. En Japón se crían ejemplares rizados, aunque no son aún populares en Occidente. Los llamados *chiyoda* sólo tienen rizadas las plumas de la pechuga. Las mutaciones rizadas y crestadas pueden cruzarse entre sí para producir la variedad denominada *chiyoda bonten*. Más inusuales todavía son los *dainagon*, crestados y con un collar de plumas más largas rodeando todo su cuello.

Características y necesidades

Los *Society*, anteriormente denominados bengaleses y conocidos aún en muchos países por ese nombre, deben su denominación actual a su naturaleza extraordinariamente sociable, en virtud de la cual empezaron a conocerse en Estados Unidos como *Society Finches*.

Son sumamente fáciles de cuidar y se adaptan igual de bien a la vida en pajarera que a la vida en el hogar, siempre que la jaula sea muy grande. Se reproducen también sin problemas, aunque la única forma de identificar a los machos es oyendo su canto. Con frecuencia, los criadores aprovechan, en cuanto oyen cantar a un ejemplar, para colocarle una anilla de celuloide de las abiertas y así no volver jamás a tener dudas sobre su sexo.

Su instinto paternal y maternal está tan desarrollado que se los utiliza con frecuencia como nodrizas o padres adoptivos de otros polluelos de estrilda, sobre todo de diamantes como los Gould. Lo más seguro es colocar en su nido huevos puestos más o menos en la misma fecha por otras aves, pero las parejas suelen aceptar de buen grado a los polluelos ajenos incluso después de que hayan salido de sus huevos.

Capuchinos asiáticos y africanos

GÉNEROS: LONCHURA Y AMADINA

ESTE GRUPO DE ESTRILDAS recibe nombres muy diversos, como capuchino, munia, maniquí, capuchino, pico de plata, dominó, etc., y con frecuencia sus denominaciones se intercambian induciendo a confusión. Para complicar aún más las cosas, la palabra «maniquí» se asemeja en exceso al término *manakin*, utilizado para designar a una familia completamente distinta de aves, que procede de Centroamérica y América del Sur y es frugívora en vez de granívora.

Variedades más populares

No se han establecido mutaciones de color en estos conirrostros, pero el aspecto de los ejemplares varía mucho en función de su origen geográfico.

Lonchura malabarica (pico de plata de la India). Esta especie, muy extendida por Asia y por África, se divide, según su procedencia, en dos grandes grupos. La raza asiática, denominada *l. m. malabarica*, abarca geográficamente desde Irán y el norte de Omán hasta India y Sri Lanka y se diferencia de la africana, denominada *l. m. cantans*, porque su rabadilla y la parte superior de su cola son blancas en vez de negras. También el pico es más claro en la raza asiática, sobre todo en su mitad inferior. Aparte de esto, el color del plumaje es idéntico en las dos razas: marrón más bien oscuro por arriba y beige en la garganta, la pechuga y el abdomen.

Lonchura griseicapilla (pico de plata de cabeza gris). Esta estrilda africana tiene la frente y la garganta grises, y el resto de la cabeza gris y salpicado de motas blancas. Las alas son marrones, como toda la parte inferior del cuerpo, pero aquí el marrón se vuelve algo rojizo y en la parte inferior del abdomen se hace más claro. Los machos pueden tener la garganta de un tono gris más oscuro que el de las hembras.

Lonchura punctulata (dominó). Se reconocen hasta 12 subespecies, que se extienden geográficamente por el sudeste asiático hasta Filipinas. Aunque los ejemplares varían mucho en tamaño y en color, estas diferencias no están asociadas a los sexos. Las alas y la cabeza son marrones, pero en la cabeza las plumas adquieren tonos ligeramente rojizos. La parte inferior de su cuerpo es blanquecina, pero las puntas de las plumas en esta zona son marrones o negruzcas.

Lonchura maja (maniquí o capuchino de cabeza blanca). Se distingue por el tono blanquecino de su cabeza. La pechuga y el dorso son marrones, y las plumas se vuelven negras en el abdomen. Aunque a veces la cabeza de las hembras es de un blanco algo menos luminoso que el de los machos, es prácticamente imposible diferenciar los dos sexos a simple vista.

Lonchura malacca (maniquí o capuchino de cabeza negra). También llamado *munia tricolor*, o *munia castaño*, por el color de sus alas. La pechuga es de color

Características de la especie

Familia: Estríldidos.

Longitud: 10-13 cm.

Distribución geográfica: Muy extendido por todo el sudeste asiático, incluyendo las islas, y por África.

Opciones de color: Inexistentes.

Compatibilidad: Pueden convivir con otros conirrostros de tamaño similar en pajareras mixtas o formar colonias de una sola especie.

Valor como mascota: Puede vivir enjaulado en el hogar, pero no llega a comportarse como una verdadera mascota.

Dieta: Mezcla para conirrostros exóticos, compuesta de mijo y una cantidad menor de alpiste, así como pequeñas cantidades de otras semillas como el negrillo, además de gramíneas y hierbas frescas.

Enfermedades más comunes: Crecimiento excesivo de las uñas; hay que recortárselas cuidadosamente.

Consejos de cría: Se obtienen mejores resultados cuando hay más de una pareja de la misma especie en la pajarera o jaula.

Nido: Si no encuentran cajones de anidación, pueden construir su propio nido.

Nidada típica: 4-6 huevos.

Período de incubación: 12-14 días.

Alimentación durante la época de cría: Preparados de base de huevo, panojas de mijo remojadas y hierbas frescas.

Desarrollo: Los pollos abandonan el nido cuando tienen alrededor de 21 días de edad.

Esperanza de vida: Pueden vivir entre 6 y 8 años.

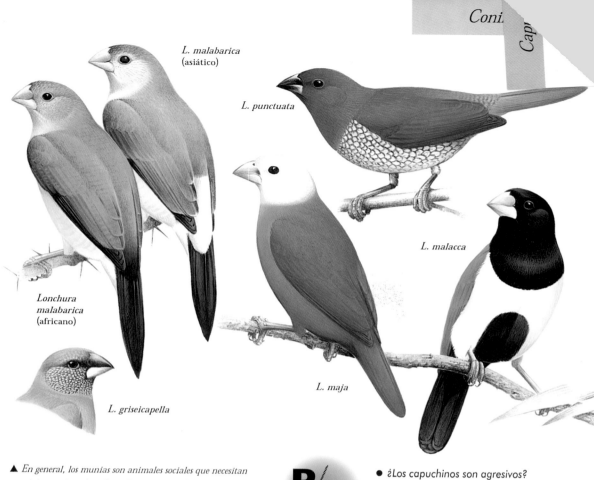

L. malabarica
(asiático)

L. punctuata

Lonchura malabarica
(africano)

L. malacca

L. griseicapella

L. maja

▲ *En general, los munias son animales sociales que necesitan convivir con otros ejemplares de su especie, sobre todo para procrear. Además, como son tan difíciles de sexar, es más fácil asegurarse de que podrá formarse al menos una pareja cuando se poseen más de dos ejemplares.*

crema, y la cabeza y la gran mancha central que tiene en la parte baja del abdomen son negras. Como ocurre con casi todas las munias asiáticas, es imposible distinguir a simple vista los sexos.

Lonchura fringilloides (maniquí gigante). Es una de las especies más voluminosas, y tiene un pico bastante grande y fuerte. Su cabeza, su cuello, su rabadilla y las coberteras superiores de su cola son negros. El manto tira más bien a marrón, y las alas son marrones. La parte inferior del cuerpo es blanquecina, con los flancos más oscuros. No existe diferencia entre los sexos.

Lonchura cucullata (maniquí bronce). Este capuchino africano tiene la cabeza negra, a veces con reflejos verdosos, y blanquecina toda la parte inferior del cuerpo. En los flancos se aprecian vestigios de rayas

P/R...

● **¿Los capuchinos son agresivos?**

En general, no. Sin embargo, si se introducen en un grupo de estrildas, pueden llegar a molestarlas sin mala intención, por ejemplo por su costumbre de explorar posibles zonas donde anidar sin preocuparse de si están ya ocupadas o no.

● **¿Hay munias más agresivos que otros?**

Las especies africanas, y en particular los *lonchura fringilloides* y los *amadina fasciata*, tienen fama de ser más asertivas que las demás, tal vez por su mayor tamaño y porque disponen de picos más poderosos que sus parientes asiáticos. Los picos de plata pueden irritar a las otras especies porque con frecuencia tratan de tomar posesión de nidos que ya tienen propietario.

● **¿Alguna de estas especies se distingue por la belleza de su canto?**

No. De hecho, son tan silenciosos que incluso puede ser difícil oír a un macho cuando canta, aunque se tenga la oreja pegada a la malla de la pajarera. A pesar de ello, es posible diferenciar los sexos por su conducta (principalmente, por la actitud de los machos durante el cortejo), sobre todo al inicio de la época de cría.

*Lonchura
fringilloides*

*Lonchura
cucullata*

Amadina fasciata ♂

♀

▲ *Los munias africanos, como los asiáticos, son propensos al crecimiento excesivo de las uñas. Habrá que recortárselas cuidadosamente para evitar que se enganchen a los polluelos y sus padres los arrastren sin querer fuera del nido.*

marrones (el color que predomina en las alas), a veces muy agrisadas. La parte superior de la cola también es rayada. Es imposible diferenciar los sexos a simple vista.

Amadina fasciata (maniquí degollado). Los machos de esta especie son inconfundibles por la gruesa raya roja que atraviesa de parte a parte su garganta, haciendo que parezcan degollados. Tienen el cuerpo salpicado de puntitos negruzcos que se concentran sobre todo en la cabeza, blanquecina. En el resto del cuerpo, que tiende más a marrón, los puntitos están más esparcidos, y hay una mancha marrón más oscura en el abdomen. Las hembras se identifican fácilmente, porque carecen de la gruesa línea roja de la garganta. Los pinzones degollados del África oriental (*a. f. alexanderi*), tienen el plumaje más oscuro en general y más puntitos negruzcos en el cuerpo.

Amadina erythrocephala (capuchino de cabeza roja). Conocido también como gorrión del Paraíso, es una de las especies más fáciles de sexar, porque sólo los machos tienen la cabeza cubierta de plumas rojas. Las alas son pardo-grisáceas, y exhiben un llamativo punteado en el resto del cuerpo.

Características y necesidades

Aunque los munias no puedan competir en colorido con muchos otros conirrostros, observarlos es un verdadero placer, sobre todo en pajareras con plantas. Comparados con las estrildas de pico rojo, resisten bastante bien el frío una vez aclimatados, pero en las zonas de clima templado (no cálido) siempre conviene instalar corriente eléctrica en la pajarera para que la luz artificial les proporcione más oportunidades de alimentarse durante los días cortos y oscuros del invierno.

Los munias también son más fáciles de atender durante la época de cría, y sobre todo después de la eclosión, porque son mucho menos insectívoros que las estrildas de *pico de lacre*. Aunque necesitan proteínas de origen animal para criar a sus polluelos, no dependen tanto de los invertebrados vivos y con frecuencia aceptan los preparados de huevo como fuente de proteínas. En esta época necesitan también una buena cantidad de hierbas frescas, especialmente gramíneas verdes.

Algunas parejas prefieren anidar en cestillos de mimbre para fringílidos de gran tamaño, aunque otras prefieren construir sus propios nidos (sobre todo si en la pajarera hay una buena planta de bam-

▲ *Los* amadina eriythrocephala *son una de las pocas especies de munia que se pueden sexar a simple vista, algo muy útil a la hora de seleccionar las parejas destinadas a la cría. El macho es el ejemplar de la derecha.*

bú). Utilizan materiales diversos que recogen por la pajarera para hacer nidos grandes y abovedados que después acolchan interiormente con materiales más blandos y suaves, como las plumas. Si se les colocan difrentes cajas de anidación en varios sitios, es menos probable que molesten a las demás especies durante la época de cría.

Estas aves necesitan al menos un año para acostumbrarse a un nuevo entorno y estar en condiciones de procrear en su nuevo hábitat, pero, cuando por fin se sienten como en casa, son capaces de criar dos o tres nidadas seguidas. Tal vez le interese colocar en las patas de los pollos en cuanto emplumezcan, si no antes, una anilla cerrada de celuloide provista de un número identificativo, ya que de lo contrario no podrá distinguir a los hijos de sus padres ni tampoco asociarlos entre sí más adelante. Estos números resultan también muy útiles para llevar un registro exacto del parentesco de todos los miembros de su colección.

● **¿En qué tipo de alojamiento es más fácil que los munias críen?**

Estas especies tan activas e inquietas nunca se sienten a gusto en una jaula, si bien los picos de plata acceden a veces a anidar en una jaula de cría. Indudablemente, lo ideal es que compartan varios ejemplares de la misma especie una amplia zona de vuelo bien surtida de plantas. Aún así, es posible que varios individuos renuncien a aparearse. Si esto ocurre, no lo achaque a que todos son del mismo sexo: la organización social de los munias está basada en la jerarquía, y con frecuencia sólo se permite a la o las parejas dominantes anidar.

● **¿Pueden convivir varios tipos distintos de munia?**

Normalmente, no se pelean entre sí, pero existe otro problema, sobre todo cuando no hay más que una pareja de cada especie en la colección: podría ser que algunas de las supuestas parejas estuviesen formadas realmente por dos individuos del mismo sexo, y en ese caso podrían producirse hibridaciones entre los ejemplares de las distintas especies. Los polluelos resultantes son estériles casi siempre.

● **¿Alguna de estas estrildas puede reproducirse enjaulada?**

Generalmente, no, con la posible excepción de los pico de plata y, en menor medida, los maniquíes degollados y los capuchinos de cabeza roja. Normalmente, las jaulas no les proporcionan la intimidad necesaria.

«*Viduas parasitas*» GÉNERO: VIDUA

ESTAS AVES AFRICANAS reciben a menudo el nombre de *viduas*, porque el plumaje de los machos se transforma al inicio de la época de cría, volviéndose negro en gran parte. Resultan fascinantes, pero hacerlos criar en cautividad es un reto difícil.

Variedades más populares

A pesar de sus reducidas dimensiones, son uno de los conirrostros más longevos que existen.

Vidua fischeri (vidua de Fischer). Como ocurre con las otras viduas, los machos de esta especie cambian de aspecto al inicio de la época de cría. Las plumas de su frente y de su abdomen se tornan esponjosas y de color crema, y las del dorso, las alas y la parte superior de la pechuga se vuelven negras y lustrosas. En la cola le nacen cuatro plumas larguísimas y muy finas que recuerdan cañitas de paja. Por esta razón algunos denominan a esta especie *vidua cola de paja*.

Vidua macroura (vidua de cola de aguja). La coronilla y toda la zona que rodea el pico son negras. Este color se extiende por las alas y se adentra ligeramente en la pechuga, y es también el de las cuatro largas plumas de la cola. En las hembras predomina el color arena,

◀ *Pareja de viduas de Fischer, en época de cría. Durante el resto del año, es muy difícil diferenciar los sexos. Tanto los machos como las hembras son pardo-grisáceos con manchas más oscuras en las alas.*

Características de la especie

Familia: Viduinas.

Longitud: 13 cm; en épocas de cría, las plumas de la cola de los machos pueden alcanzar los 25 cm.

Distribución geográfica: África subsahariana.

Opciones de color: Inexistentes.

Compatibilidad: Con estrildas de pico rojo.

Valor como mascota: No aptos como mascota familiar.

Dieta: Mezcla de semillas para conirrostros exóticos, compuesta de mijo y algo de alpiste. También puede consumir otras semillas como negrillo y buche; además de gramíneas y hierbas frescas, así como invertebrados vivos.

Enfermedades más comunes: Infestaciones de ácaros en las patas (costras escamosas y blanquecinas).

Consejos de cría: Es importante elegir padres adoptivos de la especie adecuada.

Anidación: Un solo macho se aloja con varias hembras.

Nidada típica: 3-4 huevos.

Período de incubación: 12-14 días.

Alimentación durante la época de cría: Las estrildas de pico rojo que se ocupen de criar a sus polluelos necesitarán inexcusablemente pequeños invertebrados vivos. También podrán comer preparados de huevo, panojas de mijo remojadas y hierbas frescas.

Desarrollo: Los pollos abandonan el nido cuando tienen alrededor de 21 días de edad.

Esperanza de vida: Pueden vivir hasta 20 años.

♀

♂

Vidua macroura

♂

Vidua chalybeata

♀

▲ *Fuera de la época de cría, los machos de* v. macroura *y de* v. chalybeata *son casi iguales que las hembras.*

entreverado de rayas negras en algunas zonas, sobre todo en la cabeza.

Vidua chalybeata (combasú de Senegal). Al inicio de la época de cría, los machos adquieren una asombrosa tonalidad azul-acero en la mayor parte del cuerpo, y un tono gris ceniza en las alas y la cola. A este tinte azul debe, en algunos lugares, su nombre popular de *pájaro añil del poblado*, porque en estado salvaje suele frecuentar los asentamientos humanos con asiduidad.

Características y necesidades

Para estas especies se recomienda una pajarera muy grande y con mucha vegetación, pero en la que haya algún claro bien visible desde lejos donde el macho pueda exhibirse y realizar todos los ritos de cortejo cómoda y eficazmente. Es preferible comprar los ejemplares en plena época de cría para no equivocarse ya que, tratándose de una especie polígama, es preciso tener un solo macho y tres o cuatro hembras. Si por error coincidiesen dos machos en la pajarera, probablemente lucharían entre sí, sobre todo en la época de cría.

Este grupo de viudas debe convivir con una raza apropiada de estrildas. Esto se debe a que las hembras de viuda ponen sus huevos en los nidos de otras aves y se desentienden por completo de ellos. De ahí su nombre de viudas parásitas.

Se sabe que las viudas de cola de aguja pueden parasitar nidos de hasta 19 especies distintas, pero en cautividad la especie que da mejor resultado como huésped es la *estrilda troglodytes* (véase pág. 60). Las viudas de Fischer son mucho más exigentes eligiendo niñera: necesitan *uraeginthus ianthinogaster* (véase pág.57). El combasú de Senegal, por su parte, utiliza con este fin a parejas de *lagonosticta senegala* (véase pág. 60).

P/R...

● *¿Qué son las viudas de cola de aguja «OOC» e «IFC»?*

Esas letras son siglas en inglés, y sirven para describir el estado del plumaje de los machos. «OOC» significa «fuera de la época de cría» e «IFC», «en época de cría».

● *¿Las viudas jamás crían a sus propios hijos?*

No se sabe de ninguna viuda propiamente dicha (Fischer o cola de aguja) que se haya encargado jamás de su propia descendencia, aunque parece que el combasú de Senegal y otras especies con las que está emparentado pueden hacerlo ocasionalmente.

● *¿Cómo puedo lograr que una viuda críe a sus propios polluelos?*

Si se trata de una combasú de Senegal, puede intentarlo proporcionándole diversos cestos de mimbre y cajas de anidación para que elija el que más le apetezca, y también diferentes materiales, como crines y hierbas secas, por si prefiere construir el nido a su gusto. Es importante que junte a un macho con varias hembras, y no olvide ofrecer gran cantidad de invertebrados vivos a los combasú si desea que críen a su descendencia personalmente.

«*Passer luteus*», *tejedores y otras*

viduas GÉNEROS: PASSER, EUPLECTES, PLOCEUS Y QUELEA

AUNQUE TODAS estas especies pueden vivir perfectamente en cautividad, no les resulta nada fácil reproducirse en pajarera, por lo que son poco habituales.

Variedades más populares

Muchos tejedores exhiben plumaje nupcial durante la época de cría, y los machos suelen resultar especialmente vistosos en este momento.

Passer luteus (gorrión dorado de Sudán). Los machos se distinguen fácilmente por color el amarillo canario de su cabeza y de toda la parte inferior de su cuerpo. Sus alas y su dorso son de color castaño. En las hembras predominan los tonos parduscos.

Euplectes albonatus (vidua de alas blancas). Durante la época de cría, en los machos predominan las plumas negras, aunque exhiben una llamativa mancha amarilla sobre la articulación del ala. El calificativo de *alas blan-*

▲ *Macho* de euplectes albonatus. *Fuera de la época de cría, el dorso de los machos aún puede distinguirse porque exhibe rayas más oscuras.*

◄ *Los* passer luteus *normalmente prefieren construir ellos mismos sus nidos. Las parejas buscan un lugar de difícil acceso entre las ramas de un tojo o un arbusto espinoso (plantados oportunamente en la pajarera) y construyen allí un nido íntimo y seguro.*

Características de la especie

Familia: Ploceidos.

Longitud: 13 cm.

Distribución geográfica: África subsahariana. Algunas especies también existen en el sur de Asia.

Opciones de color: Inexistentes.

Compatibilidad: Sólo con aves de tamaño similar, como los *padda oryzivora*. Los *passer luteus* pueden compatir pajarera con estrildas de pico rojo.

Valor como mascota: Especies no aptas como mascota familiar.

Dieta: Típica mezcla de semillas para conirrostros exóticos, a base de mijo con menor proporción de alpiste. También les encantan las gramíneas y hierbas frescas, así como los granos remojados.

Enfermedades más comunes: Las hembras pueden tener dificultades para expulsar los huevos, sobre todo si se les permite criar con tiempo frío.

Consejos de cría: Algunas de estas especies son polígamas, y es necesario alojar a un solo macho con varias hembras.

Nido: Algunas especies requieren cestillos de anidación, aunque los tejedores prefieren construir sus propios nidos.

Nidada típica: 2-5 huevos.

Período de incubación: 12-14 días.

Alimentación durante la época de cría: Preparados de huevo, panojas de mijo remojadas y hierbas frescas. A menudo ingieren más presas vivas por estas fechas.

Desarrollo: Abandonan el nido con alrededor de 15 días de edad.

Esperanza de vida: Pueden vivir entre 7 y 15 años.

P/R...

● A mi gorrión dorado de Sudán macho se le está poniendo el pico negro. ¿Estará muy grave?

No. Lo único que le ocurre es que está empezando a estar en celo. Sólo las hembras conservan el pico de color cuerno durante la época de cría.

● ¿Qué necesitan los euplectes albonatus para criar? ¿Las hembras tienen siempre que depositar sus huevos en el nido de una pareja de estrildas?

No, a diferencia de las *viudas parasitarias,* las euplectes se encargan de sacar adelante a sus polluelos en vez de parasitar otros nidos. Son aves polígamas, por lo que se juntan a un macho con varias hembras si quiere hacerlos criar.

● ¿Hay que dar mejoradores del color a los euplectes orix para que conserven el naranja encendido de su cuello?

Suele recomendarse porque, después de varias mudas sucesivas, el tono empieza a perder intensidad. Si no desea administrarles un preparado comercial, intente que coman zanahoria rallada o muy picadita, pues contiene colorantes totalmente naturales. Pero ofrézcasela sólo cuando están desarrollando el plumaje de cría. Administrar mejoradores del color no tiene sentido fuera de esta época, ya que el plumaje volvería de todas formas a su discreto color habitual.

▶ *Pareja de* euplectes orix *en celo. El macho es el ejemplar de abajo. Fuera de la época de cría, las hembras se distinguen por la mayor nitidez de su listado.*

cas alude a la característica mancha blanca que exhiben en la base de las plumas remeras. Fuera de la época de cría, el plumaje del macho es marrón-ante, más claro por abajo, aunque siempre conserva la distintiva mancha amarilla de las alas.

Euplectes orix (granadero). Los machos de este tejedor exhiben un tono naranja muy encendido en el cuello, la parte superior de la pechuga y el abdomen durante la época de cría. El resto del cuerpo suele ser negro y las alas, marrones. Las hembras son parduscas con brochazos negros, como los machos cuando no están en celo.

Euplectes afer (napoleón). Este tejedor se parece mucho al *euplectes orix,* aunque en su caso el tono vivo naranja del plumaje es sustituido por un tono amarillo intenso. Además, la cabeza sólo es negra hasta los ojos. Los machos pueden distinguirse de las hembras fuera de la época de cría, porque la parte inferior de su cuerpo tiende a ser más amarillenta y su dorso es más oscuro.

Ploceus philippinus (tejedor filipino o *baya*). Durante la época de cría, los machos de esta especie asiática exhiben plumas amarillas en la cabeza y la parte inferior del cuerpo,

y tienen el dorso y las alas de color marrón negruzco. Las hembras, fuera de la época de cría, tienen la parte inferior del cuerpo blanco-amarillenta y la parte superior listada, de un marrón más claro que el de los machos.

Quelea erythrops (laborante de cabeza roja). Los machos tienen la cabeza rojiza, las alas listadas y la parte inferior del cuerpo, tirando a marrón, con reflejos rojos en los flancos. La cabeza de las hembras es marrón.

Características y necesidades

Los tejedores se llaman así por su costumbre de construir nidos muy elaborados. Al principio de la época de cría, mudan la pluma y adquieren el plumaje nupcial, de colores más llamativos. Normalmente, necesitan vivir en colonias constuituidas por un macho y varias hembras. Si no se les proporciona material de construcción adecuado, suelen causar grandes destrozos entre las plantas de la pajarera. Para tejer sus nidos necesitan rafia, juncos, cañas y hierba. Una vez aclimatados, los tejedores son relativamente resistentes al frío aunque protegidos de las heladas.

Conirrostros americanos

GÉNEROS: CORYPHOSPINGUS, POOSPIZA, SICALIS, SPOROPHILA Y TIARIS

AUNQUE ESTAS ESPECIES se ven pocas veces en las pajareras, resultan bastante fáciles de criar y se reproducen en cautividad sin problemas. De hecho, cuando el entorno es adecuado, son bastante prolíficas.

Variedades más populares

Sólo destacaremos las especies más habituales. Los cuidados de las restantes especies americanas son similares a los descritos a continuación.

Croyphospingus cucullatus (cardenal negro y rojo). Exhibe un inconfundible penacho de color rojo carmín, con un mechón negro en el extremo, que contrasta con el negro de las alas y el rojo oscuro de la pechuga y el abdomen. Las hembras se distinguen fácilmente por sus tonos marrones y por el menor tamaño del penacho.

Poospiza torquata (escribano de Sudamérica). Una gran banda negra recorre toda la zona de los ojos, bajo una franja más estrecha de color blanco. El dorso y la

▲ *El macho de* corysphospingus cucullatus *eriza su llamativa cresta roja cuando se se siente amenazado o desea asustar a un rival o atraer a una hembra.*

◀ *Los* poospiza torquata *se mueven de forma nerviosa, a saltitos, como los paros y los herrerillos, sobre todo cuando están buscando invertebrados (arañas, principalmente) entre la vegetación.*

Características de la especie

Familia: Emberícidos.

Longitud: 10-15 cm.

Distribución geográfica: Sudamérica. Los tiaris canora sólo existen en libertad en Cuba.

Opciones de color: No existen.

Compatibilidad: Las parejas pueden compartir pajarera con aves de tamaño similar, pero pueden producirse reyertas durante la época de cría.

Valor como mascota: No aptos como mascota familiar.

Dieta: Mezcla de granos basada en mijos y panizos con algo de alpiste. Puede ofrecerles también otras semillas como el negrillo. Son así mismo importantes las hierbas frescas, y las presas vivas. También agradecen algo de asta de insectos o pienso para aves no granívoras.

Enfermedades más comunes: Si crían en exceso, las hembras pueden tener dificultades para expulsar los huevos.

Consejos de cría: Las parejas necesitan intimidad para criar.

Nido: Cajones de anidación con abertura frontal, o cestillos. Algunas parejas prefieren construir sus propios nidos.

Nidada típica: 5-8 huevos.

Período de incubación: 12-14 días.

Alimentación durante la época de cría: Preparados de huevo, panojas de mijo remojadas y hierbas frescas. La disponibilidad de pequeñas presas vivas de varios tipos es muy importante en este período.

Desarrollo: Abandonan el nido con entre 14 y 16 días de edad.

Esperanza de vida: Pueden vivir entre 7 y 8 años.

P/R...

● **¿Son sociables los pico de loro?**

Los *sporophila peruviana* no son demasiado sociables, y con sus fuertes picos pueden realmente hacer daño. Incluso pueden herir a su propietario, si éste los agarra sin cuidado. No debería haber más de una pareja en cada pajarera. Pueden convivir con algunos maniquíes y palomas diamante, pero aún así hay que estar pendientes para evitar que las posibles disputas pasen a mayores, sobre todo durante la época de cría.

● **¿Los poospiza torquata son buenos pájaros cantores?**

No. Cantan bastante poco, como el *passer luteus* (gorrión dorado de Sudán). Los machos cantan más que nada al inicio de la época de cría, justo cuanto de muestran más insociables con los individuos de su misma especie.

▲ *El imponente pico del* sporophila peruviana *le permite ingerir semillas de cáscara relativamente dura sin problemas.*

◄ Sicalis flaveola *macho. Las hembras son mucho menos coloridas, con plumas verde-oliváceas también en la coronilla y la cabeza y el manto listados.*

coronilla son grises. La parte inferior del cuerpo es blanco-grisácea y una mancha negra atraviesa la parte superior de la pechuga. Posee unas alas negras salpicadas de manchas blancas y plumas coberteras de color naranja rojizo bajo la cola. Las hembras se reconocen porque suelen exhibir unos tonos ligeramente más claros.

Sicalis flaveola (verderón azafrán). Coronilla anaranjada, más amarillenta hacia los lados. La parte superior del cuerpo, verde olivácea, contrasta con el amarillo de la pechuga y el abdomen.

Sporophila peruviana (pico de loro). Su rasgo más característico es el pico, de gran tamaño y curvo por arriba, lo que hace que recuerde más a un loro que a un conirrostro. Sólo los machos exhiben plumas negras en la parte inferior del cuerpo.

Tiaris canora (yerbero de Cuba). Cabeza negra, manto verde oliváceo, verde pardusco en las alas y el dorso. Una mancha de color amarillo intenso nace justo encima de los ojos y se ensancha y extiende hasta formar sobre la pechuga una media luna. La parte inferior del cuerpo es verde olivácea, verde grisácea hacia

la zona de la cloaca. Las manchas amarillas son más claras en las hembras, y sus tonos más apagados en general que los de los machos.

Características y necesidades

A pesar de su apariencia, tan diferente, todas estas especies requieren los mismos cuidados. Pueden pasar perfectamente el verano en una pajarera al aire libre, pero en zonas no cálidas necesitan calefacción e iluminación artificiales durante el invierno.

No es raro que las parejas decidan anidar hacia el final del verano, en vez de en primavera, por lo que los polluelos podrían madurar cuando ya hace demasiado frío, sobre todo debido a la costumbre de anidar dos veces seguidas de estos pájaros. Sólo el *tiaris canora* se reproduce con regularidad en jaulas de cría tipo caja, aunque algunos *sicalis flaveola* pueden hacerlo de forma ocasional. Son especies muy poco exigentes en cuanto al material de anidación, pues se adaptan a casi cualquier caja-nido o cestillo para conirrostros exóticos y en ocasiones construyen sus propios nidos entre las plantas de la pajarera.

Estorninos y minás

ESTE GRUPO DE AVES no granívoras es muy vivaz y fácil de mantener. Las parejas, además, crían sin dificultad una vez adaptadas a su nuevo entorno. Entre ellas se incluye la única especie no granívora que se suele tener como mascota, la *gracula religiosa* o miná del Himalaya, un ave cuya habilidad para imitar la voz humana excede incluso a la del papagayo.

Spreo superbus

Gracula religiosa

Variedades más populares

El plumaje de muchos estorninos, y en especial de los africanos, se caracteriza por un brillo metálico con reflejos iridiscentes en tonos púrpura, verde y azul. Las variedades asiáticas suelen exhibir tonos más discretos, en los que predominan el gris y el negro.

Gracula religiosa (miná del Himalaya). Sus plumas negras, expuestas a la luz intensa, emiten reflejos iridiscentes en tonos verdes y cárdenos, sobre todo en la cabeza y las alas. Un rasgo muy característico es la *barba*, una zona formada por repliegues cutáneos de color amarillo intenso y desprovistos de plumas que se extiende desde las mejillas hasta la nuca. En las plumas remeras existe una característica mancha blanca. El tamaño de los ejemplares puede variar bastante, dependiendo de la subespecie de cada uno.

Acridotheres tristis (miná común). Es bastante similar al miná del Himalaya, pero sus dimensiones son

Lamprotornis purpureus

▲ *Los estorninos y minás resultan muy vistosos en la pajarera gracias a su plumaje iridiscente, que sólo puede apreciarse a pleno sol, en la zona de vuelo.*

Características de la especie

Familia: Estúrnidos.

Longitud: 20-33 cm.

Distribución geográfica: África y sur de Asia.

Opciones de color: Inexistentes.

Compatibilidad: Se recomienda aislar a las parejas para criar.

Valor como mascota: Los minás del Himalaya aprenden a imitar la voz humana si se los empieza a adiestrar desde muy jóvenes. Las demás especies son mucho menos hábiles en este sentido.

Dieta: Pedacitos de fruta fresca, pasta de insectos baja en hierro o pienso granulado para minás, además de presas vivas.

Enfermedades más comunes: Propensos a sufrir infestaciones de parásitos internos (nematodos).

Consejos de cría: Proporcionarles abundante material de anidación, como hierba seca, ramitas y musgos.

Nido: Caja de anidación para pericos.

Nidada típica: 2-6 huevos.

Período de incubación: 12-15 días.

Alimentación durante la época de cría: Gran cantidad de invertebrados vivos.

Desarrollo: Abandonan el nido con entre 25 y 30 días de edad.

Esperanza de vida: Pueden vivir 10 años o más.

más reducidas y su plumaje, más agrisado (sobre todo en la parte inferior del cuerpo) y con mayores manchas blancas en las alas. En esta especie, la franja amarilla de piel desnuda sólo llega desde los bordes del pico hasta el rabillo del ojo, sin rodear la nuca.

Spreo superbus (estornino soberbio). Esta especie africana se caracteriza por el color castaño de su abdomen y tono azul oscuro e iridiscente de su pechuga y la mitad trasera de su cabeza. Su cara es negra, sus alas verdes e iridiscentes y sus ojos, de color amarillo muy claro.

Lamprotornis purpureus (estornino metálico púrpureo). Las plumas iridiscentes y violáceas de la parte inferior de su cuerpo contrastan con el verde de las alas. Las plumas de su cola son cortas y cuadradas, y sus ojos, de color amarillo intenso.

Sturnus malabaricus (miná malabar). Las plumas que recubren su cabeza son grises, estrechas y grisáceas, y dibujan un inconfundible collar de rayos blancos en el cuello. Las plumas son más parduscas en el manto, blanquecinas en la garganta y canela rosado en la parte inferior del cuerpo.

Características y necesidades

Ninguna de estas especies se puede sexar a simple vista, por lo que se hace necesaria la endoscopia o en análisis del ADN para formar las parejas sin errores. No necesitan plantas vivas en la pajarera, pero sí gran cantidad de perchas, porque los estúrnidos son aves muy activas y adoran saltar de una percha a otra. Todas son aves bastante resistentes, una vez instaladas, pero necesitan ser protegidas de los rigores del clima si el frío arrecia.

Forman nidos bastante toscos en sus cajas de anidación, forrándolas de forma poco meticulosa con muy diversos materiales recogidos aquí y allá en la pajarera. Aunque son omnívoros la mayor parte del año, los adultos necesitan alimentarse básicamente de insectos tras la eclosión de los huevos, por lo que hay que proporcionarles presas vivas con regularidad si se desea que saquen adelante a sus polluelos. Éstos deben ser separados de sus padres en cuanto puedan valerse por sí mismos, porque en ese momento los adultos normalmente sientes deseos de volver a anidar y pueden atacarlos para que no les estorben.

▲ *En las plumas de la cola del* sturnus malabaricus *predominan los tonos castaños, por lo que también se le conoce como* estornino de cola marrón.

● ¿En qué debo fijarme al elegir un miná del Himalaya como mascota?

Ante todo, asegúrese de que el ejemplar es realmente joven. Debe tener entre 8 y 12 semanas de edad. A estas edades, los pollos de miná tienen el plumaje menos brillante que los ejemplares adultos, y carecen aún de sus característicos reflejos metálicos.

● Tengo un miná como mascota. ¿Con cuánta frecuencia lo debo duchar?

En realidad, su mascota agradecerá mucho más la oportunidad de bañarse que las rociadas periódicas con un atomizador. El baño le permitirá mantener su plumaje en buen estado y sus patas muy limpias, algo importante, ya que de lo contrario podrían infectársele. Por esta razón debe lavar muy bien las perchas en las que se posa con regularidad.

● ¿Cómo puedo saber si mis estorninos tienen parásitos internos?

Los síntomas de la parasitosis son más fáciles de apreciar en los ejemplares jóvenes. Éstos respiran de forma ruidosa y con el pico entreabierto. Los estorninos son propensos a sufrir el ataque de ciertos gusanos que se alojan en su glotis (justo entre la boca y la tráquea), obstruyéndola. Por ello es muy importante manipularlos con sumo cuidado, para no dificultar más aún su respiración, asfixiándolos.

Urracas azules GÉNERO: UROCISSA

ESTOS BELLOS parientes de los cuervos no son raros en las pajareras, sobre todo las especies de pico rojo, y no se crían con demasiada dificultad en pajareras bastante espaciosas.

Variedades más populares

Aún no se han documentado variantes de color de estas especies, conocidas también como chovas o grajos azules.

Urocissa erythrorhyncha (urraca azul piquirroja). Se caracteriza por su cabeza negra y el blanco azulado de las plumas que se extienden desde la nuca hacia el dorso, fundiéndose finalmente con el azul oscuro del manto y de las alas. La parte inferior de su pechuga y su abdomen son blanquecinos. Su cola es muy larga, azulada y curvada hacia adentro por la punta, en la que se aprecian plumas más cortas de color blanco y negro. El pico, las patas y las garras son rojos, y ambos sexos muy similares entre sí.

Urocissa flavirrostris (urraca azul piquigualda). Toda la cabeza y la parte superior de su pechuga son negras, aunque una mancha blanca atraviesa su nuca de parte a parte. Manto y alas azulados, con la punta de algunas plumas de color blanco, y pechuga y abdomen blanco-amarillentos. Las plumas de la cola son largas, azules por arriba y entreveradas de blancos y negros por debajo. El pico, las patas y las garras son amarillentos.

Características y necesidades

Estos córvidos inquietos y llenos de energía necesitan mucho espacio para vivir, y sólo en pajareras relativamente altas, además de amplias, puede apreciarse su belleza en todo su esplendor. Aunque su graznido resulta más bien ronco y estridente, no son tan ruidosas como muchos papagayos de gran tamaño. Las urracas azules también son capaces de *hablar*, y en ocasiones han aprendido a silbar incluso. Aunque no son aptas como mascota familiar a causa de su tamaño y de sus hábitos, lo

◀ *Urraca azul piquirroja. Tanto ésta como la piquigualda son sumamente inteligentes y adoran los juguetes para loros tipo* puzzle *que venden en las tiendas de animales. Tenga varios modelos de rompecabezas para aves en la pajarera y estarán siempre entretenidas.*

Características de la especie

Familia: Córvidos.

Longitud: 68,5 cm.

Distribución geográfica: El Himalaya, al este de China.

Opciones de color: Inexistentes.

Compatibilidad: Las parejas deben vivir separadas de otras aves, ya que son depredadoras y agresivas por naturaleza.

Valor como mascota: No aptas como mascota familiar.

Dieta: Como aves omnívoras, consumen pedacitos de fruta fresca, pasta de insectos o pienso granulado para minás, además de presas vivas tales como gusanos de la harina, grillos y polillas. También comen pinkies.

Enfermedades más comunes: Las presas vivas que ingieren podrían transmitirles la tenia.

Consejos de cría: Necesitan ramitas y palitos para construir la base del nido.

Nido: Una plataforma firme y segura para que construyan el nido, con laterales suficientemente altos como para que no se salgan los palos y ramitas.

Nidada típica: 3-6 huevos.

Período de incubación: 17 días.

Alimentación durante la época de cría: Es esencial incrementar la ración de presas vivas.

Desarrollo: Abandonan el nido con alrededor de 23 días de edad.

Esperanza de vida: Pueden vivir 15 años o más.

◄ *El robusto pico de la* urocissa flavirrostris *le permite ingerir gran variedad de alimentos. Esta especie prospera en pajareras muy espaciosas.*

cierto es que una pareja puede llegar a ser muy dócil viviendo en la pajarera, y hasta posarse en las manos de su propietario para tomar porciones de alimento en ocasiones. Pero no se fíe, porque, como todos los córvidos, las urracas son independientes, voluntariosas y capaces de atacar en un momento dado.

Ambas especies necesitan idénticos cuidados. Para que aniden, lo mejor es proporcionarles una superficie bien segura, a ser posible camuflada por la vegetación. Puede estar hecha de aglomerado fuerte, o incluso consistir en una cesta de mimbre muy grande, de las que se venden como macetero. Las urracas colocarán en su interior, de forma un poco desaliñada, ramitas y otros materiales, e incubarán allí sus huevos normalmente sin problemas.

Tras la eclosión, sin embargo, las cosas pueden complicarse, ya que si los adultos se sintiesen molestados pueden optar por devorar a sus propios polluelos, así que hay que dejalos lo más tranquilos posible durante los primeros días.

Si todo marcha bien, los pollos crecen muy rápidamente. Cuando abandonan el nido, sus colas son mucho más cortas que las de los adultos y sus tonos, más apagados. En cuanto puedan alimentarse por sí mismos, hay que trasladarlos a otro lugar porque los padres tal vez sientan deseos de anidar de nuevo.

P/R...

● *¿Son resistentes las urracas azules piquirrojas?*

Son perfectamente capaces de pasar el invierno al aire libre, incluso en zonas de clima templado, sin calefacción de ningún tipo, aunque necesitan que su pajarera disponga de un refugio espacioso para poder resguardarse cuando el frío arrecia.

● *Una de mis urracas piquirrojas ha cazado un ratón en la pajarera y se lo ha comido. ¿Le hará daño?*

Los roedores pueden transmitir diferentes enfermedades a las aves de pajarera, de modo que hay que evitar en lo posible que los cacen. Además, ese ratón podría haber ingerido raticidas antes de su captura, y su urraca podría haberse envenenado a su vez al digerirlo. Dada la facilidad que tienen todos los córvidos para cazar ratones en un abrir y cerrar de ojos, lo mejor es prevenir este problema instalando en la pajarera ratoneras seguras y apropiadas.

● *¿Por qué a las piquirrojas también se las llama de mancha occipital?*

Es por la diferencia de color de las plumas que recubren su coronilla (técnicamente, el occipucio), un rasgo ausente en sus parientes de pico amarillo.

● *¿Por qué algunas urracas azules se comen a sus propios hijos? ¿Es por hambre?*

No, si en la pajarera hay comida suficiente. Normalmente, hay que achacar esta conducta al aburrimiento. Un buen truco para mantenerlas entretenidas y prevenir así el canibalismo es no servirles su ración de presas vivas en un recipiente, sino esparcir los invertebrados por el suelo para obligarlas a perseguirlos y cazarlos por sí mismas.

Turacos y musofágidos

GÉNEROS: TAURACO, MUSOPHAGA Y CRINIFER

ESTAS AVES NO GRANÍVORAS son verdaderamente atípicas por varios motivos. A diferencia de las demás especies, pueden mover los dedos a voluntad, oponiendo el dedo posterior a los otros tres o colocando dos dedos delante y dos dedos detrás de la percha. Otra característica exclusiva de este grupo es el compuesto de cobre que tiñe de rojo sus plumas remeras, en el caso concreto de los turacos, ya que esta sustancia no existe en ninguna otra ave.

Variedades más populares

En general, puede decirse que no existen variaciones de color, si bien se ha documentado una variante canela del *turaco leucotis*, con plumaje decididamente pardo. En las especies descritas a continuación, los machos y las hembras no pueden distinguirse a simple vista.

Tauraco leucotis (turaco de mejillas blancas). Esta especie procedente del nordeste de África presenta manchas blancas características detrás de las mejillas y delante de los ojos. Ostenta un copete de color azul

▲ Tauraco leucotis. *Esta especie requiere vigilancia al inicio de la época de cría, porque en este momento los machos suelen mostrarse agresivos con sus parejas.*

oscuro y en el resto de su cuerpo predominan las plumas de color verde.

Musophaga violacea (turaco morado). Predomina el plumaje negro-azulado, con destellos azul-violáceos en el manto y las alas, y coronilla rojiza.

Crinifer piscator (turaco gris). Esta especie procedente del África occidental, famosa por el sonido característico que emite, exhibe un plumaje grisáceo salvo en la cabeza y el cuello, que son marrones. Las puntas de las plumas de su cogote son blancas y toda la parte inferior de su cuerpo, bastante clara.

Características y necesidades

Los turacos agradecen la presencia de plantas en la pajarera, pero suelen causar considerables destrozos en ellas porque les encanta picotear las yemas y brotes tiernos. Hay que

◄ Musophaga violacea. *Todos los turacos necesitan pajareras equipadas con numerosas perchas y abundante vegetación.*

colocarles las perchas de forma que les permitan caminar sobre ellas. Son aves muy vivaces. Pueden convivir con otras aves no granívoras de tamaño similar que no sean agresivas, como los *ducula aenea* y *ptilinopus perlatus* (palomas y pichones imperiales, que no se alimentan de grano), sobre todo porque requieren una alimentación similar. Aunque son relativamente resistentes, deben contar con un buen refugio en el que resguardarse del frío, e incluso ser encerradas en él cuando haya riesgo de heladas, ya que las patas se les congelan con facilidad.

Se alimentan básicamente de verduras y frutas del tiempo. Algunos vegetales, como los guisantes y las espinacas, pueden suministrárseles en estado fresco sin gran coste, ya que se crían con facilidad en cualquier jardín.

Al inicio de la época de cría, los machos pueden mostrarse agresivos con sus hembras, por lo que éstas necesitan disponer de un lugar donde refugiarse en la pajarera para evitar ser hostigadas ininterrumpidamente. Por esta misma razón conviene disponer diferentes comederos en lugares diversos. La agresividad varía de una pareja a otra, y también de un año a otro. Normalmente, pasa pronto, y en cuanto la hembra comienza a poner huevos el macho empieza a comportarse de forma cada vez menos agresiva. Conviene retirar a los polluelos en cuanto puedan alimentarse por sí mismos, ya que los padres normalmente desearán anidar otra vez en breve.

Las plumas de todas estas aves son delicadas y se caen con facilidad, de modo que hay que manipular estas especies con cuidado para no deteriorar su plumaje.

P/R...

● **Me he enterado de que «musofágido» significa «comedor de plátanos». ¿No necesitan los turacos esta fruta?**

Este fruto en particular no les resulta imprescindible, como tampoco su pariente la banana. Es más: los turacos se alimentan básicamente de verduras de hoja y no de fruta.

● **Mis turacos sólo aceptan la verdura y la fruta. ¿De verdad necesitan pienso especial para estar sanos?**

Si sus turacos rechazan el pienso es porque les cuesta demasiado trabajo agarrarlo con el pico. Probablemente, las porciones son demasiado diminutas para ellos. Si quiere asegurarse de que su dieta es equilibrada y de que ingieren todas las proteínas que necesitan, debe ofrecerles bolitas de pienso especial bajo en hierro.

● **¿Cómo se administran las bolitas de pienso?**

Parece que la textura del pienso es muy importante para los musofágidos y los turacos. Los gránulos de pienso les resultarán mucho más apetecibles si antes de servirlos los remoja en agua fría durante unos diez minutos aproximadamente. El agua hinchará las bolitas, haciendo que se parezcan más a las bayas, que les encantan, y las coman con mucho más gusto.

● **¿Los turacos son propensos a sufrir esa enfermedad que se produce cuando los pájaros almacenan demasiado hierro en sus vísceras?**

Sí, y por lo tanto conviene darles sólo pasta de insectos baja en hierro, o mejor aún, bolitas de pienso bajo en hierro. No les ofrezca una cantidad excesiva de fruta desecada, como las uvas pasas por ejemplo, porque contiene bastante hierro. Pero tampoco los prive de ella. Una pequeña cantidad de fruta seca previamente remojada y escurrida les aportará las calorías extra que necesitan para afrontar el frío invernal.

Características de la especie

Familia: Musofágidos.

Longitud: 41-48 cm.

Distribución geográfica: Casi toda África.

Opciones de color: Prácticamente desconocidas.

Compatibilidad: Se recomienda aislar a las parejas para criar.

Valor como mascota: No aptos como mascota familiar.

Dieta: Vegetales picados como lechuga morada, mastuerzo (berros), pamplina, diente de león, etc. También hay que ofrecerles trocitos de fruta y pasta de insectos baja en hierro y pienso granulado para estorninos y minás.

Enfermedades más comunes: Peligro de congelación en sus patas si el termómetro baja de cero.

Consejos de cría: Lo mejor es proporcionar a las parejas un rincón íntimo semioculto entre la vegetación.

Nido: Plataforma de anidación y material adecuado, como ramitas.

Nidada típica: 2-3 huevos.

Período de incubación: 21-25 días.

Alimentación durante la época de cría: Pueden tomar preparados de huevo. Aunque no suelen sentirse atraídos por las presas vivas, conviene ofrecerles algunos invertebrados por si acaso los necesitan.

Desarrollo: Abandonan el nido con unos 28 días de edad.

Esperanza de vida: Pueden vivir 15 años o más.

Tanagras y melifágidos americanos
GÉNEROS: CYANERPES, TANGARA Y THRAUPIS

LAS ESPECIES DESCRITAS a continuación son bastante populares y suelen formar parte de colecciones mixtas, aunque las de mayor tamaño sólo deben compartir pajarera con aves de sus mismas dimensiones, o podrían intimidar a los demás ocupantes.

◄ Pareja de cyanerpes caeruleus. *La hembra es la que está más abajo. Los melifágidos americanos resisten peor el frío que las tanagras, en parte debido a sus reducidas dimensiones.*

Variedades más populares

Las siguientes especies son las más comunes. No se conocen mutaciones de color en la actualidad.

Cyanerpes caeruleus (cyanerpes añil). El plumaje del macho es azul-violáceo oscuro todo el año, con antifaz y babero negros y alas y cola negras también. Sus patas son amarillas. Las hembras son verdosas, con rayas en la parte inferior del cuerpo y una franja azul tras el pico.

Cyanerpes cyaneus (cyanerpes de patas rojas). Los machos exhiben un color muy similar al de la especie anterior, pero sólo durante la época de cría. Además, carecen de babero negro, tienen las patas rojas en vez de amarillas y sus plumas son de un tono azul más claro en la coronilla. Fuera de la época de cría, los machos se parecen mucho a las hembras, que a su vez carecen de las doradas manchas faciales de las de la especie anterior.

Tangara chilensis (tangará del paraíso). Plumaje verde en la cabeza, azul por debajo de la garganta y verde azulado en la pechuga y el abdomen. Las alas y la parte superior del dorso son negras, y la parte inferior y la rabadilla, de color rojo vivo.

Tangara arthus (tangará de orejas negras). Las plumas coberteras de sus oídos son negras, y las puntas de

Características de la especie

Familia: Traupídeos.

Longitud: 41-48 cm.

Distribución geográfica: Gran parte de Centroamérica y Sudamérica.

Opciones de color: Desconocidas.

Compatibilidad: Pueden compartir pajarera con aves no granívoras de tamaño similar, pero hay riesgo de que se produzca alguna pelea al inicio de la época de cría.

Valor como mascota: No aptos como mascota familiar.

Dieta: Los melifágidos necesitan alimentarse básicamente de néctar, más algo de fruta fresca como la papaya y de pienso o pasta de insectos bajos en hierro. Las tanagras no dependen tanto del néctar y devoran con avidez bayas y pienso granulado para minás, previamente remojado.

Enfermedades más comunes: Peligro de acumulación de hierro en las vísceras: limitar el consumo.

Consejos de cría: Es muy importante separar a las parejas. Debe haber plantas vivas en la zona de vuelo.

Nido: Construyen nidos semiesféricos entre la vegetación utilizando musgo, crin y hasta telas de araña.

Nidada típica: 2 huevos.

Período de incubación: 12-14 días.

Alimentación durante la época de cría: Gran cantidad de invertebrados vivos de reducido tamaño. También se les pueden ofrecer preparados de huevo.

Desarrollo: Abandonan el nido con alrededor de 14 días de edad.

Esperanza de vida: Pueden vivir 8 años o más.

sus alas son del mismo color. En el resto del cuerpo, el plumaje es amarillo anaranjado.

Tangara gyrola (tangará verde). Verde por arriba, el plumaje se va tornando azulado hacia la parte inferior del cuerpo, que es más bien azul verdosa. La cabeza es de color beige.

Thraupis palmarum (tanagra verdeazulada). Plumaje verdeazulado que a veces parece azul a plena luz, más grisáceo en la pechuga y el abdomen.

Características y necesidades

Aunque en las zonas de clima templado pueden pasar el verano al aire libre (si bien protegidos de las corrientes de aire y la lluvia), no soportan un invierno en el exterior. Incluso los más resistentes, que son los *thraupis palmarum*, no podrían sobrevivir a un invierno sin calefacción.

Una de las mayores dificultades que reviste la cría de estas especies es distinguir a los machos de las hembras. Cuando se tiene sólo una pareja, no hay forma de saber si realmente son de distinto sexo (a no ser, por supuesto, que hayan criado ya), por lo que normalmente es necesario adquirir varios ejemplares con la esperanza de que al menos uno de ellos sea de distinto sexo que los demás. A largo plazo, es la mejor solución, ya que permite crear una colonia de cría. No obstante, conviene separar a las parejas ya establecidas para evitar posibles conflictos con los demás miembros de la colonia.

▲ *Es muy difícil sexar a simple vistas a un tangará como este tangara arthus, por ejemplo. No obstante, los machos suelen cantar cada vez con más fuerza a medida que se acerca el momento de anidar (y su canto, por cierto, es muy melodioso).*

● Acabo de comprarme un tangara gyrola, pero es muy diferente del ejemplar que ya tenía. ¿Significa esto que son macho y hembra?

Mucho me temo que no. Algunas tanagras sólo existen en libertad en zonas muy reducidas del planeta, pero esta especie en concreto está extendida por toda Centroamérica y buena parte de Sudamérica, lo que significa que existen hasta nueve razas distintas. A esto se debe el diferente aspecto de sus dos ejemplares.

● ¿Los tangarás necesitan néctar?

En néctar no es un componente esencial de su dieta, como en el caso de los melifágidos, pero si desea ofrecérselo, utilice un dispensador tubular. Si se lo sirve en un bebedero abierto, probablemente intenten bañarse en él y acaben con las plumas mugrientas y pegajosas. A todas estas especies les encanta bañarse a diario, así que, si desea que mantengan su plumaje en perfecto estado, cámbieles el agua de la bañera todos los días.

● ¿Cómo hay que servirles la fruta a estos pájaros?

Depende de la especie. A los melifágidos hay que servírsela muy picadita. Las tanagras, en cambio, pueden picotear trozos muy grandes de fruta sin esfuerzo.

Tordos gárrulos GÉNERO: GARRULAX

AUNQUE NO PUEDEN competir en colorido con muchas otras aves de pajarera, estas especies son muy fáciles de cuidar, resistentes al frío y simpáticas, además de poseer un canto muy peculiar que recuerda a una atractiva carcajada.

Variedades más populares

El grupo abarca muchas especies, pero hemos elegido sólo las tres que se crían más a menudo.

Garrulax leucolophus (tordo gárrulo del Himalaya). Pechuga y cabeza blanca, rematada por un penacho tieso y adornada con un antifaz negro que se extiende desde el pico hasta la sien. El resto del cuerpo es marrón, más rojizo cerca de las partes blancas. Las hembras a veces se distinguen de los machos por su penacho más grisáceo y reducido. Las demás diferencias en el plumaje deben atribuirse a las distintas subespecies, pues existen variedades geográficas desde India hasta Indonesia.

Garrulax milnei (tordo gárrulo colirrojo). Especie más colorista, con plumas carmesíes en las alas y cola y de un rojo anaranjado en gran parte de la cabeza. Plumas negruzcas desde debajo de la garganta hasta los ojos y coberteras de la cola gris plata.

Garrulax canorus (hoami). Plumaje marrón, más claro por la parte inferior del cuerpo, con una franja de plumas blanquecinas. Su canto es tan atractivo que también se le conoce como ruiseñor chino. Ambos

▲ *Los tordos gárrulos, como este* garrulax leucolophus, *no son tímidos ni desconfiados y si su propietario les ofrece un delicioso insecto vivo, acudirán a su mano para comerlo.*

sexos son idénticos, como ocurre con casi todas las especies de este grupo.

Características y necesidades

Unos cuantos tordos gárrulos constituyen un aviario muy vistoso, y en grupo exhiben su carácter juguetón, por lo que contemplarlos es una delicia. No obstante,

Características de la especie

Familia: Timálidos.	**Enfermedades más comunes:** Nematodos parasitarios.
Longitud: 23-30 cm.	**Consejos de cría:** Necesitan vegetación en la pajarera.
Distribución geográfica: Gran parte de Asia, desde China hasta Indonesia.	**Nido:** Requieren diferentes materiales de anidación, como pequeñas ramitas, musgo y fibra de coco, para construir sus nidos semiesféricos sobre las ramas.
Opciones de color: Inexistentes.	**Nidada típica:** 4 huevos.
Compatibilidad: Son bastante agresivos, sobre todo con las aves de menor tamaño y hasta con sus semejantes.	**Período de incubación:** 13-14 días.
Valor como mascota: No aptos como mascota familiar.	**Alimentación durante la época de cría:** Incremente la ración de presas vivas. También puede ofrecerles preparados de huevo.
Dieta: Esencialmente omnívoros. Se les puede alimentar, por ejemplo, con fruta picada, bayas e invertebrados vivos, añadiendo cierta cantidad de pienso granulado para minás o pasta de insectos. También les gustan los *pinkies,* y no desdeñan ni las hierbas frescas ni las semillas.	**Desarrollo:** Los pollos abandonan el nido con aproximadamente 21 días de edad.
	Esperanza de vida: Pueden vivir 10 años o más.

hay que estar pendientes para evitar que hagan la vida realmente imposible al miembro más débil del grupo.

Desde luego, es mejor separar a las parejas para que críen, y aún así no es raro que los machos se muestre agresivos con sus propias hembras, sobre todo mientras las cortejan, y antes de que éstas empiecen a poner huevos. Una de las formas más seguras de detectar las parejas es observarlas durante la noche: Si dos ejemplares duermen muy cerca uno del otro, en la misma rama o percha, es que son macho y hembra y ya se han apareado. En este momento conviene poner a su disposición un recipiente lleno de barro húmedo, ya que a veces les gusta enlucir con él el nido para dar más cohesión a los materiales. Normalmente, lo revisten interiormente de materias más blandas y suaves para depositar sobre ellas los huevos.

A pesar de su simpatía, los tordos gárrulos tienen costumbres tan siniestras como asaltar los nidos ajenos. De hecho, incluso, son capaces a veces de devorar a sus propios polluelos, sobre todo cuando las presas vivas escasean. A pesar de ello, el canibalismo es más fácil de prevenir obligando a los padres perseguir los insectos por el suelo de la pajarera que sirviéndoselos cómodamente en un cuenco.

▼ *El* garrulax milnei *es una de las especies más coloristas de este grupo, además de un pajarito activo y vivaracho.*

● **¿Es verdad que se ríen? ¿Y que cantan como los ruiseñores?**

Lo que ocurre, en realidad, es que muchas especies pertenecientes a este grupo emiten para comunicarse un sonido que recuerda al de la risa humana. A una de estas especies, los hoamis o *garrulax canoris*, se la compara con los ruiseñores debido a la dulzura de su canto.

● **Me han dicho que los hoamis imitan el canto de las otras aves. ¿Es verdad?**

Sí, se ha comprobado que a veces los machos copian el canto de las aves que tienen más cerca, sobre cuando están aislados. Tienen un registro vocal muy amplio y cantan sobre todo por la mañana y al atardecer, en especial durante la época de cría. Desde luego, son los más hábiles cantores de las 43 especies que integran el género garrulax.

● **¿Es verdad que comen pipas de girasol?**

Algunos ingieren pequeñas cantidades de esta semilla, y las pelan de forma muy curiosa. Como no pueden abrirlas con el pico como hacen los papagayos, para extraer la semilla las sujetan firmemente contra la percha con una de sus patas y las golpean repetidamente con el pico hasta que la cáscara se rompe.

Ruiseñores de Japón, mesias y yuhinas GÉNEROS: LEIOTHRIX Y YUHINA

TODOS PERTENECEN a una gran familia que integra unas 280 especies de muy diverso tamaño y apariencia. Muchas de estas especies pueden considerarse resistentes una vez aclimatadas, y normalmente todas son bastante fáciles de cuidar. La cría de cualquiera de las variedades de esta especie es una opción idónea para aquellos aficionados con poca experiencia.

Variedades más populares

Algunas variedades pertenecientes a esta especie son bastante comunes en las pajareras, y en especial las descritas a continuación.

Leiothrix lutea (ruiseñor del Japón). Su plumaje es verde grisáceo en la cabeza, el dorso y las alas, más plateado en la zona de las mejillas, y la punta de su pico es de color rojo. Pechuga amarillo-anaranjada y abdomen bastante más oscuro. Llamativas rayas doradas y rojizas hacen muy vistosas sus plumas remeras. No es posible diferenciar los sexos por el color del plumaje.

▲ *Aunque el* leiothrix argentauris *está estrechamente emparentado con el* l. lutea, *resiste mucho peor el frío que éste tras la aclimatación.*

▲ *Si no tiene experiencia con aves no granívoras, los* leiothrix lutea *son su opción ideal, ya que son poco exigentes y muy fáciles de cuidar.*

P/R...

● *¿Son buenos cantores los ruiseñores del Japón?*

Sí; los *leiothrix lutea* son excelentes cantores. A ello deben precisamente su nombre, ya que en realidad no son ruiseñores. Ni tampoco, por cierto, son necesariamente japoneses a pesar de su nombre.

● *¿A qué se deben las diferencias de color entre ejemplares?*

Este grupo está muy extendido por gran parte del continente asiático, desde India hasta China, y el plumaje revela la distribución geográfica de cada subespecie. Aunque suele decirse que las plumas de delante de los ojos son algo más grisáceas en las hembras, no se fíe de este dato para formar las parejas.

● *¿Las yuhinas necesitan néctar?*

Deben tomar una solución de néctar todos los días. Tienen el pico tan estrecho, precisamente, para poderlo introducir hasta el fondo en las flores y succionarlo con comodidad, por eso a veces se les llama también picaflores.

● *¿Pueden convivir estas tres especies?*

Normalmente, no tiene por qué surgir ningún problema entre los ruiseñores de Japón y los mesia, que son parientes próximos, ni entre estos dos leiothrix y los yuhinas, salvo que en la época de cría los *leiothrix lutea* roban a veces los huevos de sus vecinos.

Características de la especie

Familia: Timálidos.

Longitud: 10-15 cm.

Distribución geográfica: Gran parte de Asia, hasta China.

Opciones de color: Inexistentes.

Compatibilidad: Suelen formar colecciones mixtas junto a otras aves no agresivas, aunque los *l. lutea* tienen fama de ser ladrones de huevos.

Valor como mascota: No aptos como mascota familiar.

Dieta: Mezcla de fruta picada, bayas, pasta de insectos y gránulos de pienso remojados, más presas vivas. A veces los *l. lutea* ingieren pequeñas cantidades de grano.

Enfermedades más comunes: Son sensibles al frío.

Consejos de cría: En la zona de vuelo debe haber coníferas y plantas similares que les permitan aislarse del entorno, ya que necesitan intimidad para criar.

Nido: Caja-nido con abertura lateral y un surtido de material de anidación que incluya musgo, crin y fibra de coco, por ejemplo.

Nidada típica: 3-4 huevos.

Período de incubación: 13-14 días.

Alimentación durante la época de cría: Incremente bastante la ración de presas vivas. También puede ofrecerles preparados de huevo.

Desarrollo: Los pollos abandonan el nido con aproximadamente 14 días de edad.

Esperanza de vida: Pueden vivir 7 años o más.

Leiothrix argentauris (mesia de orejas plateadas). Se caracteriza por tener la cabeza negra, aunque con coberteras auriculares de color plata. La pechuga y el cuello son de color naranja amarillento. El resto del cuerpo y las alas son predominantemente grises, aunque las plumas remeras son castañas y la rabadilla, roja. También en esta especie los sexos son prácticamente idénticos.

Yuhina nigrimentum (yuhina de barba negra). Cenicientos por arriba y más blanquecinos por la pechuga y el abdomen, tienen una mancha negra entre los ojos y el pico y un copete negro en la coronilla que se eriza cuando están alerta y se relaja cuando están en reposo.

◄ Yuhina nigrimentum. *El estrecho pico de los yuhinas indica que se alimentan principalmente de néctar y de los insectos que hallan en las flores.*

Características y necesidades

En ocasiones, cuando se adquieren este tipo de aves como los ruiseñores de Japón, mesias o yuhinas, sus plumas muestran un aspecto muy malo. Esto factor no es un motivo de preocupación, ya que pueden recobrar su belleza, en un tiempo breve relativamente, sobre todo si el nuevo propietario les proporciona las condiciones necesarias para poder bañarse todos los días.

Alimentar a un *leiothrix lutea* es sencillo, pero las yuhinas son más exigentes, ya que necesitan néctar y una mayor cantidad de presas vivas. Los grillos *mini* son ideales, aunque si en la pajarera hay plantas vivas pueden proveerse ellos mismos de pulgones y pequeñas arañas.

Una vez adaptados por completo al nuevo entorno, se convierten en aves resistentes, aunque siempre hay que protegerlos de las heladas. Lo mejor para ellos es una *birdroom* con zona de vuelo. Si el frío arrecia, se les puede encerrar en el interior sin tener que capturarlos para trasladarlos a otro lugar en invierno. Así se les evita pasar otro período de adaptación en primavera, cuando regresen a la pajarera exterior, ya que tanto traslado dificulta la cría.

Es bastante normal que las parejas produzcan dos nidadas en durante los meses más cálidos del año, sobre todo si en la pajarera hay frondosas coníferas o bambú que les inviten a anidar y protegerse entre la espesura.

Bulbules GÉNEROS: SPIXIZOS Y PYCNONOTUS

LOS BULBULES que se ven normalmente en las pajareras suelen ser sólo asiáticos, pero las especies asiáticas y las africanas requieren los mismos cuidados. A pesar de ser aves no granívoras, resultan bastante fáciles de alimentar, y son una buena opción para todos aquellos que deseen iniciarse en la cría de este tercer grupo de aves.

Variedades más populares

El bulbul no destaca por su colorido, pero una graciosa cresta realza el porte elegante de bastantes especies. Entre el macho y la hembra no existen diferencias de color.

Spixizos semitorques (bulbul de collar). Plumaje verde oliváceo, aunque con la cabeza negra y salpicada de *brochazos* blancos en las mejillas. Un collar blanco rodea su garganta, como separando las plumas oliváceas y las negras. Nuca gris.

Pycnonotus jocosus (bulbul orfeo). Penacho negro y erizado en la coronilla y manchas rojas en las mejillas, subrayadas por otras manchas blancas. Garganta, pecho

◄ *El pico del* spixizos semitorques *es más corto y rechoncho que el de la mayoría de los bulbules, lo que indica que a veces necesita algo de grano aparte de la dieta no granívora típica de estas especies.*

Características de la especie

Familia: Picnonótidos.

Longitud: 10-15 cm.

Distribución geográfica: Las distintas especies se reparten entre África y Asia.

Opciones de color: Inexistentes.

Compatibilidad: Pueden formar colecciones mixtas con otras especies no granívoras ni agresivas de tamaño similar.

Valor como mascota: No aptos como mascota familiar.

Dieta: Mezcla de bayas y fruta picadas espolvoreada con pasta de insectos o pienso para aves no granívoras bajo en hierro. También necesitan invertebrados vivos y bolitas de pienso para minás remojadas.

Problemas de salud: Propensos al ataque de ciertos parásitos internos.

Consejos de cría: Se obtienen los mejores resultados en pajareras bien surtidas de plantas.

Nido: Hay que facilitarles caja-nido abiertas lateralmente, aunque algunas parejas decidirán construir sus propio nido entre las ramas. También necesitan materiales de anidación como el musgo, la crin y la fibra de coco.

Nidada típica: 2-5 huevos.

Período de incubación: 13 días.

Alimentación durante la época de cría: Incrementar la ración de pequeños invertebrados vivos. También pueden tomar preparados de huevo.

Desarrollo: Los pollos abandonan el nido con unos 13 días de edad.

Esperanza de vida: Pueden vivir 8 años o más.

● ¿Es atractivo el canto del bulbul?

A pesar de su nombre, que significa «ruiseñor» en lengua turca, lo cierto es que su canto no resulta especialmente melodioso, al menos comparado con el de otras especies no granívoras como el hoami.

● Uno de los bulbules que compré tiene las plumas bastante estropeadas. ¿Será que es viejo?

No creo. Normalmente, el mal estado del plumaje revela que el bulbul no fue tratado de forma conveniente por su anterior propietario/a. Las plumas del bulbul son bastante frágiles y se estropean cuando el ave es manipulada de forma poco cuidadosa. La falta de un recipiente donde bañarse puede haber agravado aún más la situación. Lo normal es que, si usted lo cuida ahora como es debido, las plumas vuelvan pronto a salirle (sobre todo si vive en una pajarera exterior y hace buen tiempo). Calcular la edad de los bulbules no es fácil, pero en los ejemplares viejos las escamas de las patas son muy pronunciadas.

● ¿Los bulbules se pueden domesticar?

Sí, una vez acostumbrados al nuevo entorno, sobre todo si el/la propietario/a les ofrece sabrosas presas vivas (gusanos de la harina, por ejemplo) con cieta frecuencia. ¡Los bulbules son cualquier cosa menos pajaritos asustados que se esconden en cuanto alguien se acerca a su pajarera!

Pycnonotus cafer

Pycnonotus jocosus

▲ *A pesar de su relativa falta de colorido, los bulbules cautivan por su carácter osado, divertido y lleno de personalidad. Algunas especies, no obstante, pueden resultar algo pendencieras, como es el caso del* p. jocosus.

y vientre blanquecinos y coberteras inferiores de color rojo en la cola. Alas y dorso marrones.

Pycnonotus cafer (bulbul cuervo). Este otro bulbul crestado es mucho más oscuro, pero conserva las coberteras inferiores de la cola de color rojo intenso. Tiene manchas marrones en las mejillas, aunque el resto de su cabeza y su garganta son de color negro. Las plumas que recubren la parte inferior de su cuerpo son negras, pero con la punta blanca, lo que confiere un aspecto escamoso a su pechuga y abdomen. El plumaje se aclara en dirección a la cloaca. También la punta de sus plumas timoneras es blanca.

Características y necesidades

El mejor modo de formar las parejas es comprar varios ejemplares y esperar a que se emparejen ellos mismos. Los sexos pueden distinguirse al inicio de la época de cría por el canto de los machos, y también por la actitud de cortejo, ya que los machos se dedican a exhibir la gran mancha roja que tienen en la base de la cola

desplegando ésta como un abanico y las hembras les responden bajando mucho la cresta y las alas. Normalmente, los bulbules anidan sin dificultad cuando hay arbustos en su pajarera, ya que encuentran entre las ramas la intimidad que necesitan para criar. Sobre ellas construyen nidos en forma de tazón, utilizando materiales recogidos aquí y allá, y después los revisten interiormente de plumas.

Los bulbules no son aves destructivas aunque arranquen alguna que otra hoja para su nido por estas fechas. Si se les proporciona una caja de anidación abierta lateralmente, hay que colocarla en un rincón apartado de la zona de vuelo. Este grupo puede convivir con muchas otras especies, tanto no granívoras como granívoras (conirrostros), siempre que todos sean de tamaño similar. Una vez acostumbrados a la pajarera, pueden considerarse resistentes, pero necesitan poderse proteger contra las inclemencias del tiempo, tal vez teniendo acceso directo a un refugio bien iluminado o a una *birdroom* desde la zona de vuelo.

Arasaríes y tucanes

GÉNEROS: PTEROGLOSSUS Y RAMPHASTOS

Pretoglossus torquatus

Ramphastos toco

▲▶ *Los arasaríes tienen el pico más estrecho y menos llamativo que los tucanes. También son más sociables y menos pendencieros que ellos.*

SU PICO DESCOMUNAL, y con frecuencia también muy llamativo, y su cola, bastante corta en relación a su tamaño, los hacen inconfundibles. La cría ha prosperado mucho en los últimos años, en parte porque se han producido grandes avances en el estudio de sus necesidades dietéticas.

Variedades más populares

Activos y vivaces, los arasaríes y los tucanes necesitan mucho espacio para volar y no pueden permanecer enjaulados. Los tucanes tienen voz áspera y chillona, pero los arasaríes emiten un sonido más agradable.

Pteroglossus torquatus (arasarí rayado). Cabeza, garganta, alas y cola oscuras (de color verde y negro por regla general), con una franja marrón bajo la nuca. La parte inferior de su cuerpo es amarillenta y está partida en dos transversalmente por una franja central negra bordeada de rojo. También exhibe una mancha triangular de color negro en el centro de la pechuga. Rabadilla roja y anillo palpebral calvo y azulado. Aunque el aspecto puede variar de un ejemplar a otro, la parte superior del pico suele ser negra por el centro y bastante clara por ambos lados, con bordes visiblemente aserrados, y la parte inferior, de color negro. El macho y la hembra son iguales.

Ramphastos toco (toco o tucán argentino). Sin duda alguna, es el más inconfundible de los tucanes, con su lustroso plumaje negro, su mancha blanca entre la garganta y la parte superior de la pechuga y sus cola adornada por coberteras inferiores de color carmesí. Un círculo de piel azul oscura y desprovista de plumas rodea cada uno de sus ojos y es a su vez rodeado por un círculo exterior amarillento. El pico ancho, amarillo-anaranjado, cuenta con una gruesa franja negra en el arranque y en la punta por arriba y sólo una franja negra por abajo, más delgada además que la anterior. Es muy difícil diferenciar los sexos a simple vista, aunque, en general, suele decirse que los machos tienen el pico más ancho y son algo más corpulentos que las hembras.

Características y necesidades

Los arasaríes y tucanes tienen una curiosa manera de comer. Cuando no pueden tragarse entero un alimento, lo sujetan firmemente con una de sus patas contra una rama y van arrancando porciones más pequeñas. Después las toman con la punta de su enorme pico, las lanzan al aire y las recogen, engulléndolas casi en un solo movimiento. Debido a esto, cuando se les prepare la comida, hay que trocearles

P/R...

● *¿Cómo son los arasaríes de sociables?*

Algunos investigadores afirman que estas aves viven en grandes grupos familiares, y los parientes ayudan incluso a las parejas a alimentar a los pollos. Aunque pueden convivir varios ejemplares siempre y cuando la pajarera sea espaciosa, lo ideal sería alojar a las parejas en zonas de vuelo adyacentes para que evitar posibles peleas.

● *¿Cuál es la mejor forma de agarrar a estas aves?*

El primer paso consiste, como siempre, en mantener las alas plegadas con la palma de la mano y el segundo, en colocar a un lado del cuello el dedo índice y al otro lado, el dedo corazón, para inmovilizar su cabeza. Los tucanes pueden dar fuertes golpes con el pico, así que mantenga la cara bien alejada mientras esté intentando controlar a estas aves. Tampoco sería extraño que intentasen propinarle un buen picotazo en el dedo (y eso duele, se lo aseguro).

● *¿Pará qué quieren esos picos tan descomunales?*

Parece que esos picos tan largos les permiten alcanzar frutas y otros alimentos que cuelgan de ramas muy finas en la parte más alta de los árboles, que es donde viven. Pero sólo les sirven para asir la comida, no para triturarla.

las frutas grandes (como la manzana) para evitar que manchen mucho las perchas, aunque frutas más pequeñas como las uvas y las cerezas las pueden engullir directamente, enteras.

Una vez adaptados al nuevo entorno, son relativamente resistentes, pero su plumaje tiene muy poco espesor y necesitan un refugio provisto de calefacción para protegerse de las inclemencias del tiempo. Las parejas de *ramphastos* deben vivir aisladas, y aún así es posible que los machos ataquen a su hembra antes de la puesta. A veces hay que separar a los dos durante algún tiempo para evitar que el macho lesione a su pareja. Los pollos nacen con el pico muy pequeño y maduran más lentamente que los de otras especies no granívoras.

▶ Ramphastos toco *con la gran abertura de entrada a su nido en segundo plano. Los tocos necesitan cajones bien profundos o troncos ahuecados tanto para criar como para dormir.*

Características de la especie

Familia: Ranfástidos.

Longitud: 41-56 cm.

Distribución geográfica: América Central y Sudamérica.

Opciones de color: Inexistentes.

Compatibilidad: Las parejas de ramphastos deben vivir aisladas. Los pteroglossus pueden formar grandes colonias.

Valor como mascota: No aptos como mascota familiar.

Dieta: Mezcla de bayas y fruta picada, espolvoreada con pasta de insectos o pienso para aves no granívoras bajo en hierro. También necesitan presas vivas y bolitas de pienso para minás remojadas, y no desdeñan los pinkies.

Problemas de salud: Hay que limitar la ingesta de hierro, porque absorben y almacenan en exceso este elemento.

Consejos de cría: Vigile para evitar que el macho ataque a la hembra al inicio de la época de cría.

Nido: Caja de anidación para pericos o tronco ahuecado, todo ello acolchado con una buena capa de virutas de madera.

Nidada típica: 2-4 huevos.

Período de incubación: 16-19 días.

Alimentación durante la época de cría: Pinkies (sólo las especies más grandes); incrementar también la ración de invertebrados vivos.

Desarrollo: Los pollos abandonan el nido con entre 40 y 60 días de edad.

Esperanza de vida: Pueden vivir 12 años o más.

Capitónidos GÉNEROS: PSILOPOGON, LYBIUS Y MEGALAIMA

LOS BARBUDOS O CAPITANES son aves no granívoras, vivarachas y activas, que parecen tucanes en pequeño, aunque con pico mucho más corto y discreto (pero no se fíe: aunque sus picos no llamen tanto la atención, no dudan en usarlos contra otras aves... ni contra su propietario).

Variedades más populares

Aunque el color del plumaje puede variar ligeramente de un individuo a otro, no se conocen mutaciones de color.

Psilopogon pyrolophus (barbudo asiático de mejillas grises). El plumaje de esta atractiva especie asiática es verde, más oscuro en las alas y en el dorso que en el resto del cuerpo. Cabeza negra, con grandes manchas grises en las mejillas, y una franja amarilla a modo de collar en la parte superior de la pechuga, subrayada por otra raya negra. El macho y la hembra son iguales.

Lybius dubius (barbudo rojo fajado). Especie africana con plumas negras y brillantes en la cabeza y el dorso y un cinturón o faja negra separando su pechuga y su abdomen, que son rojizos. Tiene los muslos negros y los flancos blanco-amarillentos. Las hembras se distinguen de los machos porque las plumas claras de sus flancos están salpicadas de puntitos negros.

Megalaima virens (barbudo gigante). Es el mayor de los barbudos o capitanes. Tiene la cabeza verde-azulada y las alas predominantemente verdes, aunque marrones por arriba. La parte superior de su pechuga es verde-azulada y el resto de su pechuga y de su abdomen, verde-amarillentos y rayados. Las coberteras inferiores de la cola son de color rojo brillante. El color es idéntico en ambos sexos, pero los machos tienden a ser algo más corpulentos.

◀ Psilopogon pyrolophus. *El rasgo más característico de los capitónidos son las* vibrisas, *esa especie de pelos que les nacen en la base del pico. Necesitan un cajón-nido para dormir y descansar.*

Características de la especie

Familia: Capitónidos.	**Problemas de salud:** Limitar la ingesta de hierro.
Longitud: 23-30 cm.	**Consejos de cría:** Evitar que el macho ataque a la hembra al inicio de la época de cría.
Distribución geográfica: Asia y África. También existen especies americanas.	**Nido:** Cajones de anidación para pericos o tronco hueco, acolchado con una buena capa de virutas de madera.
Opciones de color: No se conocen mutaciones.	**Nidada típica:** 2-4 huevos.
Compatibilidad: Pueden mostrarse agresivos, así que las parejas deben vivir aisladas.	**Período de incubación:** 16-19 días.
Valor como mascota: No aptos como mascota familiar.	**Alimentación durante la época de cría:** Incrementar la ración de invertebrados vivos.
Dieta: Mezcla de bayas y fruta picada, espolvoreada con pasta de insectos o pienso para aves no granívoras bajo en hierro. También necesitan invertebrados vivos y no desdeñan los pinkies.	**Desarrollo:** Pueden abandonar el nido con entre 40 y 60 días de edad.
	Esperanza de vida: Pueden vivir 12 años o más.

● ¿Todos los capitanes son igual de agresivos?

Parece que algunas especies son más agresivas que otras. El *megalaima virens*, por ejemplo, parece ser el más violento, tanto con aves de otras especies como con sus semejantes. Otras especies parecen ser más tolerantes. Nunca introduzca un nuevo capitónido en una pajarera en la que ya esté viviendo otro ejemplar, porque lucharían entre sí con toda certeza.

● ¿Son ruidosos los barbudos?

Por regla general, chillan más fuerte de lo habitual las aves no granívoras, pero sólo cuando se asustan o excitan (por ejemplo, porque han visto pasar un gato).

● Acabo de comprar una pareja de barbudos fajados africanos, y la verdad es que tienen las plumas hechas una pena. ¿Qué me aconseja?

Las plumas de los capitónidos son frágiles por naturaleza, y se pueden estropear si se manipula de forma inadecuada. Puede que el anterior propietario de sus barbudos no les diera la oportunidad de bañarse con frecuencia, y la falta de baño les estropea mucho las plumas, sobre todo cuando no están viviendo al aire libre sino bajo techo. Llene con agua tibia un recipiente bastante grande y pesado y déjeselo en la pajarera. Muchos capitónidos se bañan todos los días si pueden, y eso les ayuda a mantener el plumaje brillante.

▲ *Las vibrisas del* lybius dubius *parecen realmente una perilla: de ahí le viene el nombre de barbudo. Todos los miembros de este grupo tienen un aspecto bastante cómico. Nótense los puntitos negros repartidos por la mancha blancuzca de los flancos: indican que se trata de una hembra.*

Características y necesidades

Los capitónidos se pueden dividir en dos grandes grupos: los procedentes de las selvas asiáticas y los de origen africano. Los primeros, como el *psilopogon pyrolophus*, suelen ser predominantemente verdes, y más frugívoros en lo que respecta a la dieta. Los segundos, en cambio, necesitan ingerir más insectos. En ambos casos, es necesario limitar la ingesta de hierro, ya que este elemento tiende a acumularse en sus vísceras, intoxicándolos progresivamente hasta matarlos. Por eso hay que elegir algún pienso bajo en hierro para minás.

Al planificar su pajarera, hay que tener en cuenta que intentarán picotear furiosamente la madera de los paneles. Se aconseja plantar muchos árboles y/o arbustos, para proporcionarles más intimidad y así evitar en lo posible las reyertas. También es buena idea, por esta misma razón, instalar dos o más comederos, colocados a cierta distancia unos de otros. Vendría muy bien introducir en la zona de vuelo un gran tronco para que los barbudos descargasen en él sus picotazos. Un tronco hueco o ahuecado, en posición vertical, haría las delicias

de estas aves, que no dudarían en convertirlo en cámara nupcial. No obstante, inspeccionar el nido es muy difícil cuando éste se halla en el interior un tronco, de modo que tal vez sea preferible sustituirlo por una vulgar caja-nido de contrachapado, bien sólida y revestida frontalmente con láminas de corcho natural para que se parezca más a un verdadero tronco de árbol.

Como sus plumas son tan finas y delicadas, los barbudos no resisten bien el frío, y puede que necesiten invernar en un recinto con calefacción. Por lo tanto, para ellos lo ideal sería que su pajarera fuese parte integrante de una *birdroom*, en la cual podrían ser encerrados sin manipularlos cada vez que el frío arreciara.

Las jaulas, por muy grandes que sean, no están hechas para los temperamentales, activos y potencialmente agresivos capitónidos. Algunas especies son más pendencieras que las demás, y el *megalaima virens* es el que tiene peor fama en este sentido. Estos barbudos gigantes a veces deben ser condenados al ostracismo, porque hasta las parejas pueden tener *pleitos* de cuando en cuando, sobre todo al inicio de la época de cría.

Cálaos GÉNERO: TOCKUS

AUNQUE NO SON especialmente activas, estas extrañas aves resultan fascinantes en el aviario, sobre todo en épocas de cría. No existe ningún cálao de colores brillantes, ni se conocen variantes de color.

Variedades más populares

Casi todos los cálaos son demasiado grandes para vivir en pajareras de jardín, por lo que sólo suelen verse en los zoológicos y en las reservas naturales. Las dos especies africanas que se describen a continuación, pueden vivir no obstante en pajareras privadas.

Tockus erythrorhynchus (cálao piquirrojo). Cabeza de color marrón oscuro por arriba y blanca por debajo. La parte superior de su cuerpo es de color marrón negruzco, con manchas blancas muy visibles en las alas. La parte inferior de su cuerpo, sin embargo, es blanquecina. El pico ligeramente curvo, de color rojo sangre, es más grande en el macho por regla general.

Tockus flavirostris (cálao piquigualdo). Con un plumaje de color muy similar, aunque un poco más corpulento que el anterior, este cálao se distingue básicamente por su pico, que es de color amarillo en vez de rojo. Además, en los machos, presenta una especie de nervadura o carena a lo largo de su parte más elevada, cerca del arranque.

Características y necesidades

Una vez aclimatados, los cálaos son relativamente resistentes, pero necesitan un refugio a salvo de las heladas para pernoctar cuando las temperaturas bajen de cero, ya que de lo contrario podrían congelárseles las patas.

▼ *Las pestañas del cálao son en realidad plumas adaptadas para proteger sus ojos de lesiones, y también para espantar a las moscas. Izda.:* tockus erythrorhynchus *(c. piquirrojo; dcha.:* tockus flavirostris *(c. piquigualdo).*

Características de la especie

Familia: Bucerótidos.

Longitud: 48-53 cm.

Distribución geográfica: África y Asia.

Opciones de color: Inexistentes.

Compatibilidad: Es mejor separar a las parejas para criar. También pueden compartir pajarera con otras aves no granívoras de gran tamaño que no sean agresivas.

Valor como mascota: No aptos como mascota familiar.

Dieta: Mezcla de bayas, fruta picada y bolitas de pienso bajo en hierro para minás, o bien pasta de insectos (pienso para aves no granívoras). Es importante que ingieran presas vivas a diario. También comen pinkies.

Problemas de salud: Son muy propensos a congelarse parcialmente las patas.

Consejos de cría: Retirar los polluelos en cuanto puedan alimentarse por si mismos, o podrían ser atacados por sus padres.

Nido: Cajón-nido para pericos o tronco ahuecado, todo ello acolchado con una gruesa capa de virutas de madera. También necesitarán barro o arcilla para tapiar y proteger la entrada del nido.

Nidada típica: 4-5 huevos.

Período de incubación: 30 días.

Alimentación durante la época de cría: Incrementar la ración de invertebrados vivos, y también de pinkies.

Desarrollo: Hay que llevarse los pollos cuando tengan entre 60 y 66 días de edad.

Esperanza de vida: Pueden vivir 15 años o más.

Los alimentos se les deben servir en pequeños trozos para que los puedan tragar con comodidad, porque, a pesar de ser bastante hábiles, sus picos no están diseñados para trocear. Son aves poco vivarachas, pero con muchos reflejos, capaces de cazar insectos al vuelo como si tal cosa.

Los cálaos son bastante silenciosos, aunque el gluglú del macho se oye con cada vez más frecuencia a medida que se acerca la época de cría. Para anidar, las parejas necesitan un tronco hueco o una cajón-nido forrado de corcho natural todo alrededor de la entrada, porque es lo más parecido a un tronco de árbol de verdad.

Después de abrir una entrada con el pico, las parejas se comportan de forma muy curiosa. La hembra se introduce en el tronco y el macho, desde fuera, tapia la entrada practicada con una mezcla de barro o arcilla y excrementos, dejando un orificio por donde alimentará a toda la familia hasta el final de la temporada. Esta conducta está destinada a proteger el nido de los predadores. Cuando los pollos hayan crecido mucho y necesiten cada vez más comida, la propia hembra abrirá de nuevo la entrada para salir y ayudar al macho a buscar comida. Normalmente, las hembras aprovechan el período de reclusión para mudar la pluma y cuando salen, al cabo de varias semanas, no han perdido forma física con la inmovilidad y vuelan con tanta agilidad como si nunca hubiesen estado encerradas.

Tras la eclosión, los machos empiezan a ingerir cada vez más insectos, así que habrá que incrementarle la ración de presas vivas a partir de ese momento, indispensables para su desarrollo.

● **¿Cómo le alcanzo el material que necesita para encerrar a su hembra?**

Lo mejor es poner algo de lodo o arcilla en una cazuela de barro pesada y dejar el recipiente en el suelo de la pajarera. Evite que se seque, porque seco no les sirve para nada a los cálaos (debe estar húmedo, pero no aguado). Normalmente, el macho prefiere mezclarlo con sus propios excrementos.

● **Acabo de adquirir una pareja de cálaos piquirrojos y adoptan una postura muy extraña cada vez que se posan. ¿Será una malformación?**

¡En absoluto! Una de las peculiaridades de estas aves es la forma que tienen de posarse, con la cabeza muy echada hacia atrás y marcando una especie de joroba.

● **A mis cálaos les encantan los caracoles: engullen todos lo que ven por la pajarera. ¿Qué tal si les llevase todos los que retiro en el jardín?**

Aunque parezca la solución más ecológica contra la plaga, yo no le recomiendo que haga eso. Los caracoles son peligrosos para los cálaos por dos motivos: en primer lugar, porque pueden haber sido envenenados con plaguicidas ellos mismos y, en segundo lugar, porque pueden ser transmitir ciertos parásitos internos que provocan una enfermedad mortal en estas aves, sobre todo cuando se trata de ejemplares jóvenes.

Suimangas GÉNERO: NECTARINIA

ESTOS PEQUEÑOS chupadores de néctar, también denominados nectarínidos o pájaros sol, son el equivalente africano (también existen especies asiáticas) de los colibríes americanos. Su plumaje también es tornasolado, y también cuentan con largos y estrechos picos diseñados para llegar hasta el corazón de las flores en busca de néctar. A diferencia de los colibríes, sin embargo, no son capaces de libar suspendidos en el aire.

Variedades más populares

En muchas especies, los machos se distinguen de las hembras por su colorido, más brillante, pero a veces se trata de plumaje nupcial y, fuera de la época de cría, ambos sexos son prácticamente iguales.

Nectarinia senegalensis (suimanga pechirrojo del Senegal). Tiene la frente, las mejillas y la garganta de un color verde oscuro e iridiscente, y la pechuga de color escarlata. El plumaje que recubre el resto del cuerpo es negro muy brillante y marrón oscuro. Toda la parte superior del cuerpo de las hembras es marrón y la inferior, de un blanco agrisado y salpicado de rayas oscuras.

Nectarinia cuprea (suimanga cobrizo). En épocas de cría, los machos parecen negros desde lejos y con cierta luz, pero de cerca se perciben con claridad los tonos púrpura y cobre de su plumaje iridiscente. El resto del año, ambos sexos son iguales, es decir, pardo-oliváceos por arriba, con alas y cola marrón oscuro, y por debajo, de un verde aceituna amarillento.

Características y necesidades

A pesar de sus reducidas dimensiones, estos pájaros son sumamente pendencieros entre sí, aunque pueden convivir sin problemas con zosterópidos y pequeñas tanagras. Deben tomar una solución de néctar recién preparada al menos una vez al día, y es muy importante fregar muy bien el dispensador después de cada uso, por lo que se aconseja utilizar uno de esos cepillos especiales para copas muy finas.

En las regiones de clima templado (y no cálido o tórrido), estos pájaros pueden, una vez aclimatados, pasar todo el verano en una pajarera al aire libre provista de refugio nocturno y plantas naturales. En este entorno es

▲ *Los machos de* nectarinia senegalensis *son mucho más llamativos que las hembras en cualquier momento del año. De todos modos, no siempre es fácil sexarlos, ya que los pollos jóvenes de ambos sexos son iguales.*

fácil que críen. Las hembras construyen nidos colgantes en forma de bolsa entre las ramas, a veces utilizando un cajón-nido abierto por delante como soporte. Hay que asegurarse de que tienen suficientes invertebrados vivos a su disposición cuando nazcan los polluelos, porque éstos necesitarán gran cantidad de minúsculos insectos (como moscas de la fruta o grillos *mini*) para salir adelante. También se les suelen ofrecer arañas. En cuanto los polluelos coman por su cuenta, hay que llevárselos para permitir a los padres producir una nueva nidada.

El las regiones de clima templado, los suimangas invernan bajo techo, por lo que son trasladados a una pajarera interior al final del verano. Es importante que en la zona de vuelo las hembras tengan ramas entre las que esconderse, o podrían ser hostigadas por sus machos. Algunos machos se muestran muy posesivos con el dispensador de néctar, y no dejan acercarse a ningún otro, así que conviene colocar varios. Son aves tan pequeñas que su salud se resiente cuando se quedan sin comer.

● *¿Son igual de exigentes con la comida los nectarínidos asiáticos que los africanos?*

Por regla general, las especies africanas resultan mucho mas cómodas de alimentar, ya que no necesitan ingerir tantos insectos fuera de la época de cría. También se consideran algo más resistentes, si bien es cierto que tanto en África como en Asia existen nectarínidos también en la montaña, donde las temperaturas suelen caer en picado por la noche. Como en ambos casos son aves tropicales, y en los trópicos los días son más o menos igual de largos todo el año, cuando se los traslada a otras latitudes necesitan iluminación artificial durante el invierno para tener más oportunidades de alimentarse.

● *Todas las hembras de suimanga parecen iguales. ¿Cómo sé que una hembra es de determinada especie y no de otra?*

Es verdad que no es fácil distinguir las especies a simple vista cuando se trata de una hembra, pero existen manuales ilustrados que describen de manera exhaustiva cada especie, facilitando las cosas.

● *Mi suimanga pechirrojo no deja de fastidiar a la hembra, y tengo miedo de que ella no pueda criar este año por su culpa. ¿Puedo hacer algo para impedírselo?*

Pruebe a llevarse al macho durante unos días (aunque se arriesga a que se ponga todavía más agresivo cuando vuelva). Si coloca otro dispensador de néctar, la hembra podrá alimentarse sin que su compañero se lo impida. Tampoco vendría mal instalar algún tipo de enrejado o espaldera detrás del cual ella pueda esconderse cuando quiera que el macho la deje en paz. Pero no se preocupe: la actitud belicosa del macho remitirá en cuanto se apareen.

▲ *Como mejor se aprecia el bellísimo plumaje iridiscente del* nectarinia cuprea *macho es a pleno sol, en la zona de vuelo de una pajarera al aire libre.*

Características de la especie

Familia: Nectarínidos.

Longitud: 13 cm.

Distribución geográfica: África. También existen especies asiáticas.

Opciones de color: Inexistentes.

Compatibilidad: Las parejas pueden formar colecciones mixtas junto a otras otras especies no granívoras, pero no con sus propios semejantes.

Valor como mascota: No aptos como mascota familiar.

Dieta: Hay que servirles una solución de néctar recién hecha al menos una vez al día, además de una mezcla de varias frutas muy picaditas espolvoreada de pasta de insectos o pienso para no granívoros bajos en hierro. También necesitan ingerir presas vivas (como pequeños grillos) con regularidad.

Problemas de salud: Propensos a sufrir candidiasis.

Consejos de cría: Vigilar al macho para que no ataque al la hembra al inicio de la época de cría.

Nido: Hay que proporcionarles materiales diversos como crin, musgo y hasta telas de araña, si se encuentran, para que ellos construyan su propio nido.

Nidada típica: 1-2 huevos.

Período de incubación: 13 días.

Alimentación durante la época de cría: Les es imprescindible consumir invertebrados minúsculos.

Desarrollo: Los pollos abandonan el nido con unos 17 días de edad.

Esperanza de vida: Pueden vivir entre 7 y 10 años.

Zosterópidos GÉNERO: ZOSTEROPS

Zosterops erythropleura

AUNQUE EXISTEN unas 85 especies diferentes de zosterópidos, casi todas son prácticamente iguales en apariencia y a veces es realmente difícil distinguir unas de otras. Son lindos, vivarachos, fáciles de criar y alimentar, y conviven en grupo sin problemas. El rasgo más característico de todas estas especies son los círculos de plumas blancas que rodean sus ojos, por los cuales también se los *denomina pájaros de anteojos.*

Variedades más populares

El espesor de los anteojos ayuda adistinguir unas especies de otras. El plumaje de las especies africanas suele ser más verde-amarillento que el de las asiáticas.

Zosterops erythropleura (pájaro de anteojos japonés). Esta especie originaria del este de Asia se reconoce al instante por las manchas castañas de sus flancos. Por arriba, es de un verde grisáceo, y más amarillento por debajo. Se dice que para establecer las parejas basta con juntar los ejemplares de flancos más oscuros con los de flancos más claros, pero este truco no es realmente eficaz para sexarlos.

Zosterops palpebrosa

▲ *Todos los zosterópidos se parecen mucho entre sí. De todas las especies que se nutren de néctar, tal vez son el grupo más fácil de alimentar, y también el que cría más facilmente en pajarera. En contrapartida, no son aves resistentes, por lo que necesitan invernar en recintos muy caldeados.*

Características de la especie

Familia: Zosterópidos.

Longitud: 13 cm.

Distribución geográfica: Asia. También existen especies africanas.

Opciones de color: Inexistentes.

Compatibilidad: Los pájaros de anteojos son sociables y viven muy bien en grupo o en pajareras mixtas, junto a otras especies no granívoras de reducidas dimensiones.

Valor como mascota: No aptos como mascota familiar.

Dieta: Hay que servirles una solución de néctar recién hecha a diario, además de fruta picada y espolvoreada de pasta de insectos o pienso para aves no granívoras bajos en hierro. Bolitas de pienso para minás remojadas y bizcochos empapados en néctar. Para estar sanos necesitan ingerir presas vivas todos los días. A veces hay que controlar la ingesta de néctar para evitar la adicción.

Problemas de salud: Si el plumaje se les deteriora, pueden sufrir hipotermia o resfriarse.

Consejos de cría: Tener más de una pareja, para asegurarse de que al menos uno de los ejemplares es de distinto sexo que los demás.

Nido: Necesitan diversos materiales, como crin, musgo y telas de araña, para construir sus nidos. También pueden utilizar cajones de anidación con abertura frontal como base.

Nidada típica: 1-2 huevos.

Período de incubación: 12 días.

Alimentación durante la época de cría: Los pequeños invertebrados son imprescindibles tras la eclosión de los huevos.

Desarrollo: Alrededor de los 12 días de edad.

Esperanza de vida: Pueden vivir 7 años.

▶ *El plumaje sedoso de este z. erythropleura revela que ha podido bañarse con frecuencia. El baño es imprescindible para estas especies para mantener sanas sus plumas.*

Zosterops palpebrosa (pájaro de anteojos). Esta especie se subdivide en varias razas, cuyos colores van desde el verde más intenso hasta el verde-amarillento. La variedad más común en las pajareras es de un verde apagado por arriba, más amarillento por la garganta y la pechuga, y más tirando a gris hacia el abdomen. Los anteojos son de un blanco muy luminoso. Los machos y las hembras son muy similares, pero ellos a veces exhiben un amarillo un poco más intenso en la pechuga.

Características y necesidades

Uno de los principales encantos de estas aves es su carácter, vivaracho y curioso por naturaleza. Su gran curiosidad hace que prueben sin reparo cualquier alimento nuevo, y de hecho son los mejores aliados del propietario a la hora de animar a otras especies que vivan en la misma pajarera a probar nuevas comidas. Pero, –¡cuidado!– no cambie bruscamente de marca de néctar, porque podrían (como ocurre con todas las especies que se alimentan de esta sustancia) sufrir trastornos digestivos que podrían ser graves, o incluso fatales.

Aunque no es fácil sexarlos a simple vista, los machos se reconocen por su canto, dulce y suave. Siempre que pueda, recoja telas de araña para ellos, porque es uno de los materiales de construcción que más les gusta utilizar en sus nidos. Aunque pueden aceptar cajas de anidación abiertas por delante, prefieren construir sus nidos entre las plantas de la pajarera. Éstos, en forma de tazón, pasan desapercibidos entre las ramas, en parte por su pequeño tamaño, en parte porque están diseñados para que no se pueda ver desde fuera al progenitor mientras está incubando, y en parte porque los esconden muy bien. A veces incluso los colocan estratégicamente detrás de algunas hojas colgantes para camuflarlos aún con más eficacia. La época de cría dura poco, y tanto el macho como la hembra incuban. Cuando los polluelos pueden valerse por sí mismos, la pareja está lista para producir una nueva nidada.

P/R...

● **¿Los pájaros de anteojos son resistentes?**

Como todos los pájaros pequeños, no están preparados para soportar el invierno crudo de las regiones de clima templado sin calefacción. También agradecen la iluminación artificial. Si es necesario, se les puede trasladar al interior y hacer que pasen el invierno en una jaula muy grande, pero entonces hay que lavar o reemplazar muy a menudo las perchas de la jaula, ya que se ensucian y vuelven pegajosas debido a la dieta.

● **Creo que mis pájaros de anteojos están criando, pero no estoy segura. ¿Puedo investigar?**

No, no los moleste a no ser que sospeche que algo va mal, porque podrían inducirlos a abandonar el nido y a repudiar sus huevos o sus pollos. Sabrá que los huevos han eclosionado cuando vea las cáscaras azuladas desperdigadas por el piso de la zona de vuelo, porque los padres suelen arrojarlas bien lejos del nido en cuanto los pollos nacen. Cuando los polluelos crezcan y necesiten cada vez más alimento, el constante ir y venir de los adultos le indicará dónde escondieron el nido.

● **Cuando las parejas anidan por segunda vez, ¿utilizan el mismo nido?**

Puede decirse que nunca lo hacen. Prefieren dejar el nido vacío y construirse otro en otra zona de la pajarera. Por lo tanto, hay que volver a proporcionarles material de anidación. Un nido limpio y nuevo reduce el riesgo de transmitir parásitos a los polluelos.

Irénidos GÉNEROS: CHLOROPSIS, IRENA

◄ *Pareja de* chloropsis hardwickei. *La hembra es el ejemplar de abajo. El colorido del macho ha hecho que esta especie también sea conocida como verdín de vientre naranja.*

LOS CLORÓPSIDOS (popularmente denominados «verdines» por su color) clavan su afilado pico en las frutas para extraerles el jugo, succionándolo. Los azulejos *irena*, aunque no mimetizan con su plumaje el color de las hojas, tienen los mismos hábitos y necesidades que los primeros.

Variedades más populares

Existen muchas variedades de estas aves no granívoras, aunque las más destacadas son las siguientes.

Chloropsis hardwickei (verdín de Hardwick). Plumaje verde desde el arranque hasta las alas y el dorso, con un gran *babero* negro desde los ojos hasta la mitad superior de la pechuga y con manchas azules a ambos lados de la garganta. Abdomen anaranjado. Las hembras carecen de plumas azules en las alas y tienen menos plumas negras en la garganta. Además, su abdomen es más amarillento que el de los machos.

Chloropsis aurifrons (verdín de frente de oro). Esta especie presenta una mancha azul en la garganta, bordeada por una franja negra, y ésta subrayada a su vez por una franja de color amarillo oro. Por abajo es enteramente verde. En las hembras, la mancha es más re-

Características de la especie

Familia: Irénidos.

Longitud: 20-25 cm.

Distribución geográfica: Asia.

Opciones de color: Inexistentes.

Compatibilidad: Las parejas deben vivir separadas, aunque cada ejemplar puede convivir por su cuenta con otras aves no granívoras de tamaño similar, como los bulbules.

Valor como mascota: No aptos como mascota familiar.

Dieta: Mezcla de frutas y pienso bajo en hierro para minás, y algunos invertebrados vivos. También una solución de néctar diaria, pero controlando la ingesta para evitar la adicción.

Problemas de salud: Infecciones en las patas.

Consejos de cría: La pajarera debe ser muy frondosa. Suelen construir sus nidos entre las ramas de los arbustos, para proteger a sus crías.

Nido: Entre los materiales de construcción se incluyen ramitas, musgo y fibra de coco.

Nidada típica: 1-2 huevos.

Período de incubación: 13 días.

Alimentación durante la época de cría: Tras la eclosión hay que suministrales preparados de huevo y pequeños invertebrados.

Desarrollo: Los pollos abandonan el nido con unos 14 días de edad.

Esperanza de vida: Pueden vivir entre 8 y 10 años.

● ¿Dónde hay que colocar los comederos y bebederos?

Como estas especies viven en las ramas más altas de los árboles, no conviene dejar sus comederos en el suelo, ya que podrían incluso renunciar a alimentarse con tal de no bajar. Lo mejores es instalar una repisa en la pared, muy bien sujeta y lo bastante accesible como para que se pueda limpiar a diario.

● *Tengo la sensación de que mi verdín de vientre naranja ha dejado de cantar como solía y ahora canta como el shama con el comparte pajarera. ¿Puede ser?*

El registro vocal de los *chloropsis* es muy amplio, pero, como usted ha podido comprobar, su habilidad como cantores no queda ahí, ya que también saben imitar el canto de las especies con las cuales conviven.

● *Tengo un chloropsis macho y otro hembra y deseo que críen, pero no pueden estar juntos. ¿Qué hago?*

Lo ideal sería asignar a cada miembro de la pareja un sector de la zona de vuelo, y separar a ambos mediante un enrejado o panel extraíble. Al iniciarse la época de cría, el macho cantará más a menudo: vigile entonces a ambos de cerca, porque cuando la hembra comience a responder a su llamada habrá llegado el momento de retirar el tabique divisorio (aunque tendrá que seguir estando pendiente para evitar posibles peleas). En el momento adecuado, podrá volver a separarlos con el mismo tabique. También deberá llevarse a otro lugar a los polluelos en cuanto puedan alimentarse por sí mismos.

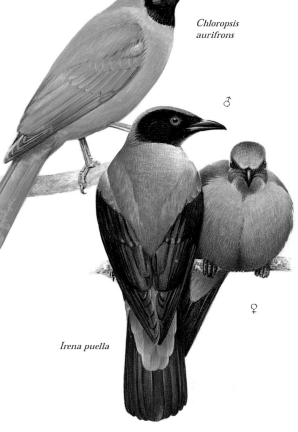

Chloropsis aurifrons

♂

♂

♀

Irena puella

ducida y la frente, en vez de ser amarillo-anaranjada, es de color verde.

Irena puella (azulejo *irena*). El macho tiene plumas azules muy lustrosas desde la coronilla hasta el dorso. Sus mejillas, así como el resto del plumaje, son negras, y sus ojos son de color rojo intenso. Las hembras se distinguen fácilmente por su color, que es azul verdoso en todo el cuerpo.

Características y necesidades

Como todas las aves no granívoras, necesitan muchísima limpieza. Los *irena*, en particular, son muy propensos a sufrir infecciones en las patas si tienen que posarse en perchas sucias.

Si en la pajarera no hay árboles ni arbustos (conviene que los haya, ya que de lo contrario no querrán anidar), habrá que utilizar ramitas recién cortadas como perchas, y renovarlas con cierta regularidad para evitar

▲ *Aunque su rasgo más característico sea el color del plumaje (verde hoja en un caso y azul intenso o turquesa en el otro), los verdines y los azulejos se parecen en casi todo lo demás. Las parejas de* chloropsis, *no obstante, suelen llevarse mucho peor que las de irena, y esto dificulta en gran medida la cría.*

la acumulación de suciedad. La cría de *chloropsis* no es nada fácil debido a sus instintos territoriales, y si dos machos de esta especie coincidiesen en el mismo recinto, podrían pelear a muerte.

Pero los machos también se llevan mal con sus propias parejas, y a menudo hostigan hasta tal punto a su hembra que es necesario separarlos para evitar graves lesiones, que pueden resultar irreversibles. Las parejas de *irena puella*, sin embargo, no suelen pelearse, e incluso conviven sin problemas con otras aves no granívoras de tamaño similar, por lo que dan muchos menos quebraderos de cabeza a sus criadores.

Tordos asiáticos Géneros: Copsychus y Zoothera

Los túrdidos son una de las familias más atractivas de pájaros cantores. Además, resultan fáciles de cuidar, a pesar de ser algo peleones.

▲ *Ganarse la confianza de un shama no es difícil: si se le ofrecen invertebrados vivos con frencuencia, pronto acudirá a comerlos en nuestras manos.*

Variedades más populares

Copsychus malabaricus (shama). Cabeza y librea negras y lustrosas, como la cola, que es muy larga. Tiene una llamativa mancha blanca en la rabadilla y en las coberteras superiores de la cola, por lo que a veces también se le conoce como mirlo coliblanco. También es negra su pechuga, y su abdomen, castaño y muy brillante. Las hembras se distinguen fácilmente por sus tonos parduscos (y también por su librea grisácea). El tamaño varía según la distribución geográfica, pues existen subespecies en todo el sudeste asiático. El aspecto de los ejemplares varía también en función de la edad, ya que las cola de los jó-venes es hasta 7,5 centímetros más corta que la de los shamas adultos.

Zoothera citrina (zorzal de pecho naranja). Procede de las mismas regiones que el anterior. Su cabeza y gran parte de su abdomen son de un naranja-óxido subido. Las alas, el dorso y la cola son gris-pizarra, y en las alas tiene una característica raya blanca. El plumaje naranja de la hembra exhibe tonos más apagados y sus alas son parduscas en vez de grises. Existen varias razas distribuidas por diferentes zonas geográficas. *El z. c. cyanotus* (zorzal de cara blanca) es la raza más diferenciada. Procede de India, y su cara y su garganta son blancas en vez de ser anaranjadas.

Características de la especie

Familia: Túrdidos.

Longitud: 20-25 cm.

Distribución geográfica: Asia.

Opciones de color: Inexistentes.

Compatibilidad: Pueden mostrarse pendencieros.

Valor como mascota: No aptos como mascota familiar.

Dieta: Mezcla de frutas picadas, espolvoreada con pasta de insectos o pienso para minás bajos en hierro. También necesitan invertebrados como los gusanos de la harina y las larvas de polilla.

Problemas de salud: Propensos al ataque de ciertos parásitos internos.

Consejos de cría: Las pajareras muy frondosas son las más adecuadas si se desea que críen.

Nido: Utilizan ramitas, hojas, hierbas secas y musgo para construir nidos en forma de cuenco.

Nidada típica: 3-4 huevos.

Período de incubación: 13 días.

Alimentación durante la época de cría: Los pequeños invertebrados vivos resultan imprescindibles tras la eclosión.

Desarrollo: Los pollos abandonan el nido con unos 17 días de edad.

Esperanza de vida: Pueden vivir entre 8 y 10 años.

● *¿Con qué otras especies pueden compartir pajarera los shamas?*

... Normalmente, es preferible alojar a las parejas por separado para que críen, pero si lo desea puede juntarlos fuera de la época de cría con otras aves no granívoras y robustas, tales como los *chloropsis* y los bulbules de mayor tamaño. Lo que nunca hay que hacer es juntar a una pareja de shamas con sus propios semejantes, porque podrían acabar peleando a muerte entre sí.

● *A los zoothera citrina les gusta comer en el suelo. ¿Anidan a ras de tierra también?*

Hay que colocar sus comederos y bebederos en el suelo, eligiendo un rincón de fácil acceso que se pueda limpiar con comodidad. Normalmente, construyen sus nidos a cierta distancia del suelo (sobre la rama bifurcada de un arbusto, por ejemplo). Para hacerlo, utilizan ramitas, hojas y otros materiales, y a veces untan todo el conjunto exteriormente con lodo.

▲ Zoothera citrina *macho. A estas aves les encanta bañarse: ofrézcales un recipiente adecuado lleno de agua limpia a diario.*

Características y necesidades

Una vez adaptados al nuevo entorno, se convierten en aves resistentes, pero en las zonas de clima templado necesitan un refugio donde protegerse de la humedad y en el que pueda haber calefacción en los días más crudos del invierno.

Con los shamas hay que tener mucho cuidado al colocar las perchas en la zona de vuelo, porque éstas no deben quedar demasiado cerca de la pared, o sus larguísimas colas podrían engancharse (los shamas agitan la cola cada vez que se excitan o en cuanto advierten la menor señal de peligro, y sus plumas remeras podrían romperse o deteriorarse). Los shamas son una especie muy activa y jamás deben permanecer enjaulados.

En cuanto a los *zoothera citrina*, hay que poner especial cuidado al diseñar su zona de vuelo, para asegurarse de que se sentirán totalmente protegidos entre las plantas. Además, toda la pajarera, zona de vuelo incluida, tiene que estar protegida de la lluvia con un buen tejadillo, porque el suelo en el que se posan nunca debe estar encharcado. Es conveniente acolchar el pavimento de su pajarera con grandes virutas de corcho, más cálidas y mullidas que el piso de cemento o de losetas para sus delicadas patas. Tampoco es mala idea cubrir el suelo de la pajarera de césped en vez de solarlo, entre otras cosas porque rebuscarán entre la hierba gusanitos y pequeños insectos, que son un suplemento nutritivo muy conveniente.

Estas especie en particular no debe convivir con otras especies de costumbres terrestres como la codorniz pintada china, por ejemplo (*ortygospiza atricollis*), porque podrían mostrarse sumamente agitada y agresiva.

Periquitos de Australia

ESPECIE: MELOPSITTACUS UNDULATUS

CUANDO EL EXPLORADOR y naturalista John Gould volvió a Inglaterra en 1840, llevando consigo una encantadora pareja de *melopsittacus undulatus* capturados en las áridas regiones del interior de Australia, nunca hubiera podido imaginar hasta qué punto esa especie, desconocida incluso en el sudoeste y las costas orientales australianas y en Tasmania, se extendería por el mundo, haciendo las delicias de millones de hogares.

El propio cuñado del explorador hizo criar a la pareja y, en un abrir y cerrar de ojos, los periquitos de Australia se habían convertido en una de las principales aficiones de las familias de clase media victorianas, fascinadas por la habilidad de estas aves para hablar. Cuando se comprobó que la especie podía reproducirse en cautividad sin problemas, surgieron en Francia gigantescos criaderos especializados (de casi 100.000 ejemplares) destinados a satisfacer la demanda europea. La cría intensiva no tardó en producir mutaciones de color, la primera de las cuales tuvo lugar en 1872, cuando apareció el primer periquito de Australia amarillo claro. Este hecho incrementó aún más el interés por la cría de la especie, y en 1912 se presentaron en público los primeros ejemplares azules, que causaron auténtico furor.

En la actualidad se crían infinidad de colores y combinaciones de color. Y aún siguen surgiendo variedades (como por ejemplo la *spangle* y la *clearbody*), aunque no tan a menudo como en otras épocas. Lamentablemente, algunas variedades antiguas de color han desaparecido, aunque podrían reaparecer en el futuro. Y aún se espera que surja una mutación teóricamente posible, pero no documentada hasta la fecha: el periquito negro.

También existe una enorme variedad en la distribución de las manchas. En muchos casos, los diferentes timbrados se pueden combinar con diferentes tonalidades, dando lugar a miles de posibles combinaciones diferentes.

El color

Todos los tonos posibles de un periquito se pueden incluir en dos grandes gamas, determinadas por la presencia o ausencia de pigmentos en el plumaje: la serie verde y la serie azul. La pigmentación influye de forma directa en el color de estas aves, como muestra el recuadro de la página 119. En realidad, los periquitos de Australia carecen por completo de pigmentos azules: el tono azul que percibimos lo produce la luz al reflejarse en la llamada «capa azul» de las plumas, como ocurre con los papagayos y los loros.

Características de la especie

Familia: Sitaciformes.

Longitud: 18 cm.

Distribución geográfica: Australia.

Opciones de color: Numerosísimas.

Compatibilidad: Suelen llevarse bien, salvo con ejemplares introducidos justo en la época de cría. Lo más habitual es que formen colecciones de una sola especie.

Valor como mascota: Excelentes imitadores de la voz humana, pueden llegar a aprender más de 500 palabras.

Dieta: Mezcla de semillas especial para periquitos, compuesta de diversas variedades de mijo y alpiste, más zanahoria, manzana y hierbas frescas como la pamplina.

Problemas de salud: Propensos a desarrollar quistes. Crecimiento excesivo del pico cuando se tienen como mascota, y sarna facial cuando viven en pajareras.

Consejos de cría: Las parejas deben vivir en colonias, o al menos ver y oír a otros individuos de su misma especie.

Conservan tan arraigados sus instintos de bandada, que una pareja sola puede negarse a anidar.

Nido: Cajón-nido acolchado (con cóncavo).

Nidada típica: 4-6 huevos.

Período de incubación: Suele incubar la hembra. Lo normal es que los huevos eclosionen a los 18 días, aunque a veces los primeros se retrasan porque la hembra no siempre empieza a incubar tras expulsar el primer huevo.

Alimentación durante la época de cría: Pasta de insectos o pienso para aves no granívoras, para incrementar la ingesta de proteínas. También semillas remojadas.

Desarrollo: Los pollos abandonan el nido con unas 5 semanas de edad, y son capaces de valerse por sí mismos más o menos una semana más tarde.

Esperanza de vida: Los ejemplares de concurso a veces no superan los 5 años; los que se tienen como mascota pueden vivir entre 7 y 10 años, o más aún.

La cera de la hembra es marrón, y la del macho azul o amoratada.

♂

♀

♂

Cobalto opalino

Celeste opalino

♂

P/R...

● **¿El color de un periquito influye en su capacidad para hablar?**

Todos los periquitos son excelentes imitadores. Lo único que influye de forma decisiva en su talento es la forma en que se los enseña. Es muy importante establecer una sesión diaria de adiestramiento. Parece que algunos ejemplares tienen más habilidad que otros desde que nacen, pero no influye en ello el color de sus plumas.

● **Se me ha ocurrido soltar a mi periquito para que dé unas vueltas por la habitación. ¿Será buena idea?**

Lo es. Los periquitos están llenos de energía y necesitan espacio para desfogarse. La obesidad y la aparición de lipomas (quistes sebáceos) son mucho más frecuentes en los ejemplares que se tienen como mascota que en los que viven en las pajareras, y eso se debe a que normalmente no hacen suficiente ejercicio. Esas *escapaditas* controladas lo mantendrán en excelente forma física y con buen tono muscular.

● **¿Los periquitos saben orientarse por instinto?**

Hay periquitos capaces de regresar en bandada al lugar del que partieron, pero se han adiestrados para hacerlo, y además sólo lo logran en grupo. Si un periquito solo se escapase, probablemente no sería capaz de volver a casa, porque no conocería la calle.

▲ *Los periquitos son resistentes, fáciles de criar, juguetones, sociables y excelentes imitadores de la voz humana. Además, existen tonos, manchas y combinaciones de color para todos los gustos. ¡No es extraño que sean las aves favoritas de tanta gente!*

Pigmentos y colores

		Melanina (negro)	Psitacina (amarillo)
SERIE VERDE	Verde claro	+	+
	Lutino	—	+
	Amarillo y verde (pío)	—/+	+
SERIE AZUL	Celeste	+	—
	Albino	—	—
	Blanco y azul (pío)	—/+	—

En el color de un periquito también influye un gen denominado «factor oscuro».

Este factor genético produce tres tonalidades diferentes en cada una de las series o gamas. En la serie verde, la ausencia total de este gen produce el tono verde claro. La presencia de un solo factor oscuro en el código genético de un ave produce plumas de color verde oscuro. Y cuando concurren dos factores oscuros en el mismo ejemplar, su plumaje presenta un tono verde oliváceo. Los equivalentes de estas tres tonalidades en la serie azul son el celeste, el azul cobalto y el malva, respectivamente.

Periquitos grises. En el pasado existieron dos variedades de periquito gris, pero la forma recesiva, surgida en la década de 1930, desapareció sólo una década más tarde, tal vez porque la forma dominante (imposible de distinguir a simple vista de la anterior) era mucho más fácil de criar. En contrapartida, al combinar el gris y el verde se obtuvo el actual tono verdegrisáceo de muchos periquitos, que, siendo bastante oscuros, no llegan a ser tan oscuros como los verde-oliváceos. Los periquitos verde-grisáceos son el equivalente, en la serie verde, de los grises mismos, que pertenece a la serie azul al carecer de pigmento amarillo.

Periquitos de cara amarilla. Hasta la década de 1930, no era posible que ningún periquito de la serie azul presentase manchas amarillas, pero todo cambió cuando surgieron las mutaciones de cara amarilla. Existen dos variedades: la amarilla propiamente dicha, o *tipo 2*, y la dorada. Este carácter se puede transmitir a los periquitos grises para crear la variedad gris con cara amarilla, aunque los ejemplares violetas con cara amarilla son mucho más frecuentes.

Periquitos *fallow*. Uno de los rasgos más característicos de los *fallow* son los ojos, que son rojos en vez de ser negros. En los tiempos en que se estaba domesticando la especie, se produjeron varias castas de *fallow* diferentes. La primera surgió en Estados Unidos en 1931 (aunque no llegó a establecerse como variedad oficial). En la actualidad, la variedad más popular es la alemana. Esta variante se distingue fácilmente de la inglesa porque sus pupilas están rodeadas de un iris. Los *fallow* de la serie verde presentan una tonalidad amarillenta llamativa (en vez de verde), salpicada de manchas marrones. Los *fallow* de la serie azul también son más claros de lo normal.

Periquitos violetas. Una de las variedades más estimadas hoy en día es la denominada violeta, que en re-

alidad es una mutación dominante independiente. Para producirla, es necesario combinar el color azul y el factor oscuro. Es un rasgo dominante, y se puede combinar a su vez con con el verde oscuro para producir la variante verde oscuro/violeta (aunque se obtiene un plumaje amarillento en vez de verde oscuro puro). Los ejemplares de este último tipo son sumamente estimados por los criadores, que desean utilizarlos para mejorar la calidad de las actuales castas violeta. También es posible combinar el tono violeta con el carácter pío (manchado).

Lutinos y albinos. Los periquitos lutino son de color amarillo ranúnculo intenso, y tienen los ojos rojos porque carecen de un pigmento; la melanina. Los albinos carecen tanto de melanina como de psitacina, y sus plumas, totalmente despigmentadas, pueden parecer levemente azuladas si se miran a pleno sol, pero en realidad son sólo blancas y ese levísimo tinte azulado no es otra cosa que el reflejo de la luz en la denominada capa azul de las plumas.

▲ *En esta colección de ejemplares jóvenes están representadas algunas de las variedades más comunes de periquito. A esta edad todavía no presentan un círculo blanco alrededor de la pupila. A veces, las rayas negras llegan hasta la misma base del pico.*

▶ *El pío recesivo danés es una de las dos variantes manchadas actuales. Sus ojos son de color violeta oscuro. La distribución de las manchas varía de un ejemplar a otro.*

Píos y manchados

En los periquitos píos se combina un tono oscuro con otro tono claro. La distribución de las manchas es genéticamente aleatoria, y algunos píos pueden salir más variegados que los demás. La distribución de las manchas permanece inalterable a lo largo de toda la vida del ave. Los dos tipos de mutación pía que existen en la actualidad se distinguen fácilmente a simple vista.

El pío dominante australiano, documentado por primera vez en 1935, en una pajarera cerca de Sidney, es más corpulento que el pío recesivo danés, y presenta un

Verde claro (ejemplares silvestres)

Verde oscuro

♂

♀

♂

♂

Verde oliváceo

Verde grisáceo

▲ *Gama de tonos básica de la serie verde (producida por el denominado factor oscuro). Aunque su color natural es el verde claro, también aparece el factor oscuro en ocasiones en los ejemplares silvestres.*

P/R...

● **¿Por qué a las hembras les gusta tanto desgarrar cosas?**

Eso es un indicio de que ya están preparadas para procrear. También puede notarlo en el color de su cera –membrana que rodea las narices de ciertas especies de aves– cuando están en celo, su cera es de un marrón mucho más intenso.

● **¿Cómo puedo saber quiénes son los padres de los polluelos que han aparecido en mi pajarera?**

No hay forma de saberlo a ciencia cierta, ya que los machos de *psittacus undulatus* no tienen inconveniente en aparearse con otras hembras, mientras su propia pareja está incubando. Esta *infidelidad* puede hacer que nazcan polluelos de un color no deseado, y por ello los criadores profesionales, cuando llega la época de cría, suelen alojar siempre a las parejas por separado.

● **¿Cómo hay que colocar las perchas en una pajarera para periquitos?**

Debe haber dos como mínimo, una a lo largo de cada panel lateral de la zona de vuelo. Hay quien corta la copa de un árbol o arbusto de su propiedad y la introduce una tinaja o macetón, para que sus ramas ofrezcan muchas más posibilidades de posarse a las aves. Eso sí, nunca coloque los comederos ni los bebederos bajo las perchas o ramas, porque tardarían muy poco en llenarse de excrementos.

característisitico iris alrededor de sus oscuras pupilas. El recesivo danés se presentó oficialmente en Copenhage en 1932. Cuando se observa a plena luz, se ve claramente que sus ojos son de color violeta oscuro. Además, tiene menos manchas negras en las mejillas, y la cera de los machos sigue siendo de color púrpura cuando llegan a adultos, en vez de volverse azul como es habitual.

Manchas de color en las alas

El número de variantes de color se ha incrementado sensiblemente con la aparición de distintos timbrados en las alas. No aparecieron cambios en la distribución de las manchas hasta después de varias décadas de cría en cautividad, y las mutaciones surgieron en puntos tan alejados entre sí como Escocia, Australia y Bélgica. Una de las variantes más comunes en nuestros días es la opalina, que se produjo en la década de 1930 y presenta rayas claras en la cabeza y el cuello, aunque con-

servando las típicas rayas oscuras en las alas. Lamentablemente, en algunos ejemplares, la presencia de melanina hace que la frente se manche de pequeñas *salpicaduras* negras. El carácter opalino puede combinarse con casi cualquier tono y distribución de las manchas, incluyendo las variantes pías, aunque en este último caso pueden aparecer algunas zonas de color homogéneo (un rasgo propio de los píos), que desvirtúen el carácter opalino del plumaje.

La alteración de los gránulos de melanina presentes en las alas también puede provocar cambios en el color de las manchas. Cuando la melanina produce tonos chocolate en vez de negros, aparece la mutación canela. Cuando produce tonos grises, aparecen los ejemplares de alas grises. Y cuando se altera para producir tonalidades aún más claras, aparecen los periquitos de alas blancas.

La *spangle* es una de las variedades más recientes. Surgió en 1978 en una pajarera australiana. En este

▶ *En la variedad de alas de encaje, de color amarillo claro, la mutación no sólo afecta al color de las alas, sino también a su dibujo, haciendo que parezcna una delicada puntilla de encaje. Esta variante es muy rara en la actualidad.*

♀

♂

♂

♂

♂

♀

♂

♂

♂

♂

♂

Serie azul

Series azul y verde

Clearwings

caso, los gránulos de melanina se concentran en la punta de las plumas, y el centro de las mismas presenta tonos mucho más claros. Esto no sólo puede apreciarse en el dorso y en las alas, sino también en los puntos oscuros del cuello. Los *spangle* de factor simple y los de factor doble pueden diferenciarse a simple vista, porque en los segundos todas las marcas son mucho más claras.

Periquitos crestados

Las alteraciones en la longitud del plumaje han producido variantes crestadas, que pueden exhibir cualquier modalidad de color. No obstante, jamás deben emparejarse dos ejemplares crestados, ya que este rasgo está genéticamente asociado a un factor letal. Si quiere producir periquitos crestados, debe cruzar a los ejemplares crestados con otros que no lo sean. Existen tres tipos de cresta: circular, semicircular y en penacho.

▶ *La variante* spangle, *además de espectacular, resulta bastante asequible, al ser genéticamente dominante. Por ejemplo, si se empareja un ejemplar* spangle *con otro verde claro normal, lo más probable es que todos los periquitos nazcan* spangle.

Píos y *clear-flighted*

Opalinos

De ojos rojos

▲ *La enorme popularidad de esta especie se debe en gran medida a los esfuerzos de los criadores por producir infinidad de variantes. Hoy en día hay periquitos para todos los gustos. Las diferentes combinaciones de color y los distintos tipos de timbrado en las alas que aparecen sobre estas líneas son sólo un botón de muestra.*

Características y necesidades

Los periquitos de Australia son especialmente propensos a sufrir enteritis, por lo que deben extremarse las medidas higiénicas. El término *enteritis* suele emplearse para definir casi cualquier trastorno digestivo, pero éstos pueden deberse a múltiple causas. La más común es la provocada por bacterias, y se produce con mucha frecuencia cuando se llena por primera vez la pajarera, sobre todo cuando los ejemplares proceden de distintos proveedores. Un hábito peculiar de la especie contribuye a propagar las infecciones bacterianas, y es su costumbre de picotear las deyecciones una vez están secas. Lo hacen para recuperar las vitaminas que produce la flora bacteriana de su intestino grueso, pues en ese último tramo del aparato digestivo no pueden ya ser absorbidas y la única forma que tienen de aprovecharlas es volviendo a ingerir el alimento ya digerido. Junto a esas vitaminas, sin embargo, pueden ingerir bacterias nocivas excretadas por otros ejemplares, y contra las cuales no está aún inmunizado su organismo. A la larga, este curioso intercambio de microbios produce una especie de inmunidad colectiva, pero al principio es muy habitual que muchas de las aves recién llegadas caigan enfermas.

El propietario puede, no obstante, reducir la incidencia de enteritis durante ese crítico período de adaptación. Por ejemplo, administrando vitamina B a sus periquitos para que sientan menos necesidad de ingerir excrementos, y añadiendo algún preparado probiótico al agua de los bebederos de forma regular, para proteger su tracto intestinal de infecciones.

Otra forma eficaz de prevenir infecciones es limpiar escrupulosamente las instalaciones, y extremar la higiene de los bebederos y comederos. Los dispensadores de grano, además de resultar mucho más prácticos –ya que permiten saber con exactitud cuánta mezcla de semillas queda (algo imposible con los comederos en forma de cuenco o pesebre, siempre llenos por arriba de cascabillo)–, resultan también mucho más higiénicos. En primer lugar, las deyecciones no pueden caer sobre el grano. Y, por si esto fuera poco, los *hopper* o comederos tipo tolva ayudan a mantener toda la pajarera en general mucho más limpia, ya que las cascarillas quedan recogidas en la bandejita inferior en vez de acabar desperdigadas por todo el recinto.

Los bebederos tipo sifón también resultan más higiénicos que los abiertos, sobre todo los modelos que pueden colgarse y descolgarse desde fuera, porque el agua de beber hay que cambiarla a diario. El depósito del agua debe fregarse concienzudamente al menos una vez por semana (o más a menudo, si se hubiese manchado de excrementos). Si hay que desinfectarlo, sólo se utilizarán desinfectantes especiales de uso avícola (que son totalmente inocuos, siempre que se sigan al pie de la letra las instrucciones del envase).

La limpieza de toda la instalación es esencial para la salud de estas aves. Los papeles de periódico que revisten el piso del refugio deben cambiarse una vez por semana, el mismo día en que frieguen el pavimento y las perchas de la zona de vuelo. El suelo de las pajareras para periquitos (en ellas vive más de una pareja) debe ser siempre de cemento, ya que este material es más fácil de limpiar (lo mejor y más práctico para arrancar la suciedad es una manguera con agua a presión, y si queda alguna mancha rebelde, se friega después). El cemento también puede desinfectarse.

El piso de la pajarera debe ser ligeramente inclinado y contar con un orificio de drenaje, para que no se encharque al limpiarlo. Eso sí, este orificio debe ser lo bastante estrecho como para que no puedan colarse a través de él ni las ratas ni los ratones, y durante la muda habrá que inspeccionarlo con regularidad para asegurarse de que no están obstruyéndolo las plumas.

Si llueve con frecuencia, la propia lluvia se encargará de mantener limpias las perchas de la zona de vuelo exterior, pero si no es así, habrá que fregarlas o reemplazarlas periódicamente, como ocurre con las perchas que están en la zona de vuelo, pero a cubierto, o las del refugio nocturno. La limpieza de las perchas deberá extremarse, sobre todo, si se produce un brote de sarna facial, porque los periquitos afectados se rascarán desesperadamente el pico y las mejillas contra las perchas, contaminándolas con los ácaros responsables, y los que aún no están infectados podrían fácilmente contagiarse.

Otra medida higiénica muy importante es sacar de la pajarera a cualquier periquito que parezca enfermo

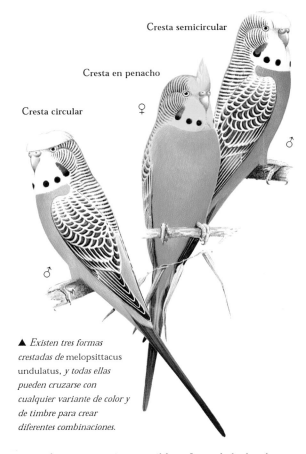

Cresta semicircular

Cresta en penacho

Cresta circular ♀

♂

♂

▲ *Existen tres formas crestadas de* melopsittacus undulatus, *y todas ellas pueden cruzarse con cualquier variante de color y de timbre para crear diferentes combinaciones.*

antes de que contagie su posible enfermedad a los demás. Por otra parte, si se adquiere un ejemplar nuevo, éste nunca debe ser trasladado a la pajarera de inmediato, sino pasar una especie de cuarentena de dos semanas en un alojamiento independiente. Nada más adquirirlo, se debe rociar con un esprái acaricida de uso avícola para exterminar los ácaros de la sarna y otros parásitos externos que pudiera llevar consigo. El tratamiento se debe repetir dos semanas después, justo antes de soltarlo en la zona de vuelo entre sus semejantes. Este especie de cuarentena abreviada permite además al nuevo ejemplar acostumbrarse un poco al nuevo entorno. Cuando se reúna con los demás ejemplares, ya no estará tan estresado como cuando llegó, y contará con más defensas para combatir posibles infecciones.

El periquito como mascota

Si desea tener un periquito de Australia como mascota, elija un ejemplar que acabe de emplumecer, porque los pollos muy jóvenes se acostumbran al entorno fa-

P/R...

● *Mi periquito ha tenido algunas plumas de la cabeza erizadas como cerdas durante semanas. ¿Por qué?*

Tal vez su glándula tiroides (que está en la zona del cuello) no estaba produciendo suficientes hormonas, y padecía un desarreglo hormonal. Asegúrese de que su dieta no es demasiado pobre en yodo, ya que la privación de este elemento es una posible causa. Regálele un bloque de yodo especial, para que lo picotee cuando quiera, pero elíjalo blanco y no rosado si desea participar en alguna exposición o concurso ornitológico, no vaya su ejemplar a mancharse de rosa la cara justo antes de la presentación.

● *A mi periquito se le ha hinchado la pata justo por debajo del anillado. ¿Por qué será? ¿Debo hacer algo?*

Se trata de un problema que afecta más a los *melpsittacus undulatus* que a las demás especies. No se sabe muy bien a qué es debido, pero parece que las anillas empiezan a apretarles mucho, y si un veterinario no interviene de inmediato, pueden llegar incluso a perder la pata. Las anillas de aluminio son mucho más difíciles de retirar que las de celuloide. Ni se le ocurra siquiera intentar cortarla usted misma con unas tenazas, porque lo más probable es que sólo consiguiera herir a su mascota y agravar el problema: el aluminio es muy blando, y la presión haría que se clavase cada vez más en la carne. Sólo el

veterinario cuenta con los utensilios apropiados para abrir el anillado sin provocar más lesiones. Una vez liberada la pata, lo normal es que la inflamación vaya remitiendo poco a poco por sí sola, pero casi siempre quedan secuelas o cicatrices durante toda la vida del ave.

● *Mis polluelos han abandonado ya el nido, pero parece que no pueden volar. ¿Qué les pasa?*

Probablemente se han infectado con un virus que debilita las plumas remeras hasta hacer que se partan. En los casos leves, las remeras pueden volver a salir, pero en ocasiones los pollos quedan incapacitados para volar de por vida. Lo mejor que puede hacer ahora es buscar buenos hogares a sus polluelos para que puedan vivir como mascotas, desinfectar bien las jaulas de cría, y no olvidar que todos los utensilios que haya utilizado para limpiarlas pueden estar contaminados.

● *¿Pueden seguir los periquitos con sus padres cuando ya han abandonado el nido y son capaces de alimentarse solos?*

Los jóvenes polluelos pueden causar muchos problemas sin proponérselo. Por ejemplo, si su madre ha vuelto a anidar, querrán volver al cajón-nido, y tal vez rompan o aplasten sin querer los huevos recién puestos. Así que lo mejor es llevárselos a otro lugar distinto (y sin armar demasiado revuelo) cuando tengan unas seis semanas.

▲ *Los periquitos de Australia, sociables por naturaleza, pueden echar de menos a sus semejantes cuando se tienen como mascota familiar. Si se instalan espejitos y otros juguetes en su jaula, se sienten más acompañados, más entretenidos y más contentos.*

◄ *El periquito blanco de ojos negros es muy poco común. Sólo se diferencia del albino por sus ojos, que son oscuros en vez de ser encarnados porque aún conserva algo de melanina.*

miliar mucho más fácilmente. Lo ideal es que tenga entre seis y nueve semanas de edad. Un ejemplar adulto es más difícil que aprenda a dejarse tocar, y también que llegue a aprender muchas palabras y sonidos.

Los machos están más cotizados como mascota que las hembras. No es cierto, como piensa mucha gente, que aprendan con mayor facilidad, pero sí son más charlatanes y, por lo general, también menos destructivos que ellas. Cuando una hembra está en celo, normalmente siente un deseo irreprimible de destrozar con el pico los muebles y las figuritas de madera, o incluso de arrancar a jirones el papel pintado de la pared, y lo hará en cuanto sus propietarios se descuiden cuando la saquen de la jaula para que vuele un rato. A veces también ponen huevos sobre el piso de la jaula.

No es fácil sexar a los periquitos cuando apenas acaban de emplumecer, sobre todo en ausencia de ejemplares del otro sexo. Lo mejor es acercarse y observar atentamente su cera (esa parte carnosa y desnuda que rodea sus narices y está justo encima del pico). Los machos jóvenes suelen tenerla de color azulado o amoratado, y un poco más abultada que la de las hembras de su misma edad.

La característica cera marrón de las hembra no aparece hasta las 12 semanas de edad, aproximadamente, cuando ya han desaparecido las rayas de la frente en los ejemplares de color. A esta edad también empieza a aparecer el iris blanco de los ejemplares adultos (aunque existen variedades, como la *fallow*, que no llegan a desarrollarlo nunca).

Cuando se adquiere un periquito joven (o cualquier ave parlante), hay que darle uno o dos días para que vaya acostumbrándose a la jaula y a la casa. Después de ese período de adaptación, ya se pueden iniciar las sesiones de adistramiento. Al principio, no siempre es fácil convencer a la mascota para que regrese voluntariamente a la jaula. Como vuelan tan rápido (no es posible capturarlos al vuerlo), y además suelen posarse en el punto más elevado e inaccesible de toda la habitación, lo mejor es correr todas las cortinas o apagar todas las luces, una vez localizado el animal y después, con ayuda de una pequeña linterna, buscarlo y agarrarlo sin brusquedad, porque estas aves jamás vuelan a oscuras.

▶ *Aunque sólo tiene 18 días de edad, este polluelo exhibe ya el característico barrado de sus plumas.*

● *Mi periquito hembra está poniendo huevos en el suelo de la jaula. ¿Qué debo hacer?*

Deje los huevos donde están. Si los retira, sólo logrará que siga poniendo, a costa de sus reservas de calcio y otros nutrientes, tal vez hasta acabar siendo incapaz de expulsarlos sin complicaciones. Como no están fecundados, lo más probable es que se desentienda de ellos no mucho después de completar la nidada habitual. En cuando desista de empollarlos, los podrá retirar sin peligro alguno.

● *Tengo una colonia de cría de periquitos, pero no dejan de pelearse entre sí. ¿Qué puedo hacer?*

Compruebe que todas las cajas-nido están a la misma altura, porque probablemente se están disputando la más alta. Debe haber como mínimo dos cajas-nido por pareja, para que todos puedan elegir.

● *Me parece que mis periquitos están poniendo un montón de huevos no fecundados. ¿Por qué ocurre esto?*

Posiblemente, usted está emparejando y trasladando a las jaulas de cría a sus periquitos demasiado tarde. Las hembras tienen tanta prisa por poner que se introducen de inmediato en los nidos, sin esperar siquiera a aparearse. La solución es bloquear la entrada al nido durante una semana, aproximadamente, una vez trasladadas las parejas a las jaulas de cría. Compruebe también que las perchas están bien colocadas y firmes, para facilitar el apareamiento.

▲ *Si quiere tener periquitos sanos y alegres, ofrézcales una dieta muy variada. A éstos los ha agasajado su propietario con un festín de sandía y perejil.*

Periquitos de Australia en pajarera

Estos simpáticos y vivarachos periquitos resultan encantadores en una pajarera de jardín. A diferencia de otros sitácidos, no tienen problemas para vivir ni para criar en comunidad, aunque, eso sí, los ejemplares se emparejarán de manera aleatoria y cada año nacerán más periquitos de color verde claro, que es el color natural de la especie.

La principal ventaja de las jaulas de cría es que es el propietario quien elige a las parejas, y de este modo puede conseguir pollos del color deseado. Por eso tanto criadores, sobre todo profesionales, trasladan a las parejas desde la gran pajarera comunitaria hasta las jaulas individuales de la *birdroom* para que críen, aunque esto les obligue a trabajar más durante toda la época de cría.

Los periquitos de Australia son aves resistentes, y no requieren ni calefacción ni iluminación artificial durante el invierno, a no ser que elijan justo los meses más fríos del año para anidar. Si va a criar periquitos en colonia, en la pajarera, en vez de utilizar las jaulas de cría de la *birdroom*, no deberá permitir que aniden nada más que en verano, porque de lo contrario podrían surgir muchas más complicaciones durante la puesta, o muchos huevos podrían congelarse.

Aunque no son particularmente destructivos, al menos comparados con otros muchos pericos y cotorritas, siguen siendo muy capaces de arrancar con el pico, a pedacitos, el armazón de madera de la pajarera, hasta el extremo de debilitar la estructura. Hay que tener en cuenta este dato a la hora de diseñar la pajarera, ya que todas las partes de madera (y sobre todo las esquinas) deberán estar protegidas de sus potentes picos. Si hay perchas de madera recién cortada en abundancia, los periquitos tendrán la oportunidad de afilarse el pico sin tener por ello que echar abajo su propia casa.

Periquitos de hierba australianos

GÉNERO: NEOPHEMA

EL GÉNERO NEOPHEMA engloba siete especies que en el entorno natural se alimentan de semillas de herbáceas, rebuscándolas entre la hierba. Estos pericos de hierba australianos llevan más de cien años viviendo y reproduciéndose en cautividad. Aunque se asemajan bastante en la forma y el tamaño a los *melopsittacus undulatus*, no están estrechamente emparentados con ellos.

Los periquitos de hierba australianos son bastante nerviosos y no se adaptan a la vida en el hogar. Es una lástima, teniendo en cuenta el deslumbrante colorido de muchas de sus variedades. En contrapartida, pueden vivir y reproducirse muy a bien en las pajareras, cuando cuentan con un espacio lo suficientemente grande como para poder desarrollarse.

Variedades más populares

Las mutaciones y la riqueza de color surgidas en los últimos años han contribuido a aumentar todavía más la popularidad y la afición por estos periquitos.
Neophema pulchella (periquito turquesa). Esta especie es muy fácil de sexar porque los machos exhiben una llamativa raya roja en las alas y tienen muchas

◄ *Mutación de vientre rojo del* n. pulchella. *El macho (a la izquierda) exhibe tonos más llamativos. Como todos los periquitos de hierba, son muy adecuados para una pajarera de la ciudad.*

Características de la especie

Familia: Sitácidos.

Longitud: 20-23 cm.

Distribución geográfica: Australia, incluyendo Tasmania y todas las islas cercanas a la costa.

Opciones de color: Bastantes.

Compatibilidad: Poco compatibles con otros neophema.

Valor como mascota: No aptos; sólo en pajareras.

Dieta: Alpiste y mezcla de mijo, más algunas semillas de girasol y granos de avena partidos. También herbáceas, pamplina y manzana.

Problemas de salud: Propensos a desarrollar lombrices intestinales.

Consejos de cría: Suele ser fácil sexarlos a simple vista. Son prolíficos y su ciclo reproductor dura unos 10 años.

Nido: Cajón-nido de 20 cm² x 30 cm profundidad.

Nidada típica: 4-6 huevos.

Período de incubación: Los huevos normalmente tardan entre 18 y 19 días en eclosionar. Los primeros huevos pueden tardar un poco más, ya que las hembras no empiezan a empollar inmediatamente después de la primera puesta.

Alimentación durante la época de cría: Pienso para aves no granívoras o pasta de insectos para incrementar la ingesta de proteínas. También semillas remojadas.

Desarrollo: Abandonan el nido con un mes aproximadamente.

Esperanza de vida: Pueden vivir 15 años o más.

más plumas azules en la cara que las hembras. Por desgracia, esta especie es particularmente agresiva, hasta el punto de que no conviene alojar a las parejas en zonas de vuelo adyacentes porque podrían herirse incluso a través de la malla metálica. Si hubiese que hacerlo, se tendría que utilizar un mallado doble. Estos periquitos también son más nerviosos de lo normal. En lo que respecta a la cría, sin embargo, resultan tan prolíficos como los otros, y las parejas suelen producir dos nidadas seguidas.

Las mutaciones de color se han criado de forma muy intensa en los últimos años. Tal vez la más llamativa sea la amarilla. En esta variedad, las plumas amarillas reemplazan a las verdes, las azules son más claras de lo habitual y, en los machos, las rojas conservan su intensidad.

En la variante de frente roja, los machos son aún más espectaculares que las hembras, ya que la mancha roja se extiende por su pechuga y su abdomen, mientras que las hembras sólo tienen roja la zona de la cloaca. Esta mutación puede combinarse con otras: por ejemplo, es posible cruzar une ejemplar de frente roja con otro amarillo para producir ejemplares amarillos con frente roja.

La mutación menos llamativa es la de factor oscuro; los ejemplares jade son de una tonalidad más clara que los verde-oliváceos. También se ha fomentado la cría de variantes pías o manchadas, aunque no han obtenido gran éxito comercial, y ha aparecido una rara variante canela.

Neophema splendida (periquito espléndido). También denominada perico de pecho escarlata, por el deslumbrante colorido de la pechuga de los machos adultos. Las hembras se parecen mucho a las hembras de *n. pulchella*, aunque pueden distinguirse de aquella porque sus loras son azules en vez de ser blancuzcas. Como sólo existían en libertad en zonas muy concretas de la remota Australia y apenas podían encontrarse ejemplares, durante cierto tiempo se pensó que se habían extinguido. En la década de 1930, no obstante, dos parejas de hermosos ejemplares fueron capturadas y llevadas a Inglaterra (una de ellas fue llevada ante el rey Jorge V), donde anidaron y criaron, demostrando que la especie podía reproducirse en cautiverio. Desde entonces, los *n. splendida* se convirtieron en una de las especies más criadas en pajarera.

Se han producido varias mutaciones azules, la más notable de las cuales es una variante verde-mar, cuyas

● *¿Los periquitos de hierba arman mucho escándalo?*

No destacan precisamente por ser ruidosos. De hecho, su voz resulta atractiva y melodiosa, lo que los convierte en una opción ideal para las pajareras de jardín de un barrio residencial, ya que es improbable que molesten a los vecinos.

● *¿Por qué son tan propensos a desarrollar lombrices intestinales?*

Porque pasan mucho más tiempo en el suelo de la pajarera que los loros y cotorras sudamericanos, por ejemplo, pues éstos rara vez bajan al suelo en busca de alimento.

● *¿Puede hacerse algo al planificar la pajarera para reducir el riesgo de que desarrollen lombrices?*

Sí, se puede solar el piso en vez de cubrirlo de césped o gravilla. Y esto obviamente ayuda, ya que un suelo pavimentado se puede fregar. Si todo está muy limpio, los huevos de las lombrices no proliferan y se reduce el riesgo de que las aves los ingieran mientras rebuscan en el suelo minúsculas porciones de alimento.

▲ *Los* neophema splendida *actualmente se ven con bastante frecuencia en las pajareras de todo el planeta, pero en la década de 1930 se creía que los ejemplares silvestres prácticamente se habían extinguido. Hoy en día existen bastantes variantes de color –sobre todo azules–, porque las parejas anidan en cautiverio sin problemas.*

plumas conservan cierto matiz verdoso. En esta variedad, la pechuga del macho es de color salmón claro en vez de escarlata.

También han surgido una variante azul de frente blanca y otra de vientre rojo, equivalente a la *neophema splendida* y existen variantes manchadas (pías), así como una rara mutación de color canela, que es apreciada por su rareza.

Neophema bourkii (periquito de Bourke). Esta especie exhibe tonos rosados, algo realmente inusual en la familia de los loros. Este color se aprecia sobre todo en el abdomen. Los machos se distinguen a simple vista por la mancha azul que se extiende desde el pico hasta los ojos, ya que esa zona es blanquecina en las hembras. También se observan matices parduscos, algo muy raro en los sitácidos.

Los inconfundibles tonos rosados de esta especie se acentúa aún más en la mutación rosa, un carácter recesivo y vinculado al sexo. Lamentablemente, este gen elimina la mancha azul que en otras variantes ayuda a identificar a los machos. De todos modos, sigue siendo posible sexarlos a simple vista, ya que los tonos pardos son más agrisados en el macho que en la hembra.

Otra mutación reconocida es la amarilla o crema, que es en realidad una variante de la normal con tonos más claros y ojos de color rojo. En ella, aún se advierten restos de azul, aunque las plumas azules son mucho menos visibles y no aparecen más que en el arranque de las alas. La mutación isabelina o canela también tiene ojos rojos, pero su plumaje es pardo, sobre todo en las alas, que son mucho más oscuras en la variante normal. Cruzando ejemplares rosas y canelas se obtienen periquitos con los ojos rojos y las plumas de un color rosa deslumbrante.

Neophema elegans (periquito elegante). Especie menos popular que la de Bourke, tal vez por ser menos colorista. Los machos suelen distinguirse de las hembras porque la mancha azul que cruza su frente es más ancha, pero de todos modos son los periquitos de hierba más difíciles de sexar entre todas las variantes. Necesitan los mismos cuidados que las otras especies, y las parejas también crían con facilidad y producen dos nidadas seguidas.

Las variantes de color de esta última especie son escasas, y se crían muy pocos ejemplares de cada una de ellas. La atractiva variedad lutino (amarilla y con ojos

◄ *En la variante rosa del periquito de Bourke, el color rosa es mucho más intenso. Como todos los periquitos de hierba, suelen mostrarse mucho más activos a primera hora de la mañana y al atardecer.*

Neophema splendida

Neophema bourkii

Neophema pulchella

Neophema chrysostoma

► *Colección mixta de periquitos de hierba. A diferencia de sus parientes cercanos, los* n. chrysostoma *resultan más prolíficos en colonias de cría que formando parejas aisladas.*

P/R...

● **¿Los periquitos de hierba pueden vivir en colonias?**

No; normalmente, hay que aislar a las parejas, o en todo caso alojarlas junto a especies con las que no estén en absoluto emparentados, como las palomas o los conirrostros más corpulentos.

● **¿Necesita calefacción la pajarera en invierno?**

Los periquitos de hierba son bastante resistentes y no sufren en exceso con las bajas temperaturas. No obstante, al proceder en general de climas áridos, son propensos a contraer enfermedades respiratorias a causa del exceso de humedad. Por este motivo, si se prolongan las lluvias o los días de niebla, hay que procurar que permanezcan en su refugio.

● **¿Cuál es la mejor forma de instalar nuevos periquitos de hierba en la pajarera?**

Cuando una pareja llega a una pajarera por primera vez, lo más seguro es encerrarlos varios días en el refugio antes de soltarlos en la zona de vuelo. Esto no sólo garantiza que encontrarán el alimento y el agua sin problemas, sino también que aprenderán a sentirse seguros en el refugio. Después, si un gato saltase sobre el techo de la zona de vuelo, se refugiarían en él en vez de volar presos del pánico arriesgándose a lesionarse gravemente o incluso a matarse.

rojos), en la cual las manchas blancas reemplazan a las azules, sigue siendo una rareza. Surgió en Bélgica en 1972. También existe una mutación canela vinculada al sexo.

Neophema chrysostoma (periquito de alas azules). Esta especie es una de las más tranquilas del grupo. Los adultos son prolíficos y bueno padres, y los jóvenes se muestran menos nerviosos de lo habitual. Los sexos se distinguen por la diadema azul que recorre su frente, ya que es más ancha en los machos que en las hembras. Se parecen bastante a los *n. elegans*, aunque sólo exhiben una banda azul. Aún no se han registrado mutaciones en esta esepcie.

Otras especies. Las dos especies restantes *neophema petrophila* (periquito de roca) y *neophema chrysogaster* (periquito de vientre naranja, más raro aún que el anterior) prácticamente son desconocidos por los aficionados.

Características y necesidades

Cada pareja necesita una zona de vuelo de entre 2,7 y 3,6 metros de longitud y un refugio nocturno de 0,9 metros cuadrados. Como son especies muy activas, sólo deben colocarse perchas a ambos lados de la zona de vuelo, para que puedan desfogarse volando de un extremo a otro del recinto sin estorbos. No obstante, si se introduce la copa de un arbusto en un macetón y se coloca en la zona de vuelo, no obstante, lo agradecerán, porque aportará variedad al entorno y también les proporcionará perchas de distinto grosor para posarse.

Es esencial que en el refugio nocturno haya buena luz, para que se sientan atraídos y seguros y acepten pernoctar a cubierto cuando haga mal tiempo. Si hay alguna ventana de cristal o plexiglás, habrá que recubrirla con malla metálica para que no intenten salir volando y se golpeen la cabeza. Los huesos finos de su cráneo se fracturan con facilidad, y además son propensos a sufrir hemorragias cerebrales, y tanto las hemorragias como las fracturas podrían provocar su muerte. El riesgo se incrementa con los ejemplares recién llegados, y también con los pollos que acaban de abandonar el nido, pues en ambos casos tienden a asustarse y volar enloquecidos por el pánico a la menor señar de peligro.

El suelo de la pajarera también debe planificarse con cuidado, pues estas especies son muy vulnerables a las lombrices intestinales. Conviene hacer analizar las heces de cualquier ejemplar nuevo para saber si está infestado de estos parásitos. Otra posibilidad es desparasitar cualquier nueva adquisición, de manera preventiva, antes de trasladarla a su alojamiento definitivo. Siempre es más fácil evitar que las lombrices infesten la pajarera que erradicarlas cuando hayan empezado a proliferar.

Los periquitos de hierba son muy poco exigentes con la comida. De hecho, una de las razones de su popularidad es la facilidad con que se los alimenta. Su mezcla de semillas ideal incluye alpiste y varios tipos de mijo, además de una pequeña cantidad de semillas de girasol y granos de avena partidos. Nunca viene mal añadir un suplemento vitamínico y mineral a su dieta, y, desde luego, tampoco debe faltarles nunca un hueso de jibia, ni gravilla o arena gruesa. Todos los días se les debe ofrecer además una pequeña ración de hierba fresca, como pamplina (*stellaria media*) o gramíneas. Las verduras de hoja, como las espinacas, son un complemento nutritivo ideal para el invierno en las regiones de clima templado. Los periquitos de hierba suelen ser amantes de la fruta, pero aceptan la manzana y la zanahoria.

Cuando están alimentando a sus polluelos, las parejas consumen gran cantidad de semillas remoja-

▶ *Aunque el* neophema elegans *no puede copmpetir en colorido con muchos otros periquitos de hierba, algunos ejemplares exhiben una mancha de color naranja en la mitad inferior de su abdomen. Los machos de esta especie en concreto tienen fama de ser bastante agresivos.*

das, y sienten especial predilección por las panojas de mijo. A veces aceptan también preparados de huevo, pasta de insectos o piensos para aves no granívoras mientras están criando, y es conveniente que los tomen porque incrementan la ingesta de proteínas, algo que los polluelos necesitan para desarrollarse.

En las regiones de clima templado, estas especies sólo deben anidar desde la primavera hasta finales del verano, ya que con tiempo frío las hembras podrían tener serias dificultades para expulsar los huevos. Además, tanto los huevos como los polluelos podrían llegar a congelarse. Normalmente, para evitar que aniden con tiempo frío bastará con retirar de su pajarera todas las cajas de anidación.

A diferencia de otros sitaciformes, los periquitos de hierba sólo usan la caja-nido para anidar, y no para dormir simplemente. No desdeñan las cajas-nido instaladas en la zona de vuelo porque en su entorno natural suelen preferir los huecos de los árboles a las ramas frondosas. De todos modos, si una pareja en particular es especialmente nerviosa, tal vez merezca la pena instalarles cajones-nido también en el refugio, por si los consideran más seguros y deseables.

Los machos anuncian el inicio de la época de cría cantando con más insistencia que nunca y exhibiéndose ante las hembras. Si ellas no les corresponden de un modo inmediato, ellos pueden empezar a acosarlas persiguiéndolas por toda la pajarera, aunque los periquitos de hierba australianos machos no suelen llegar al extremo de la agresión. Las hembras cada vez pasarán más tiempo cerca de la caja-nido. Conviene instalarlas de forma que permitan a la pareja posarse sobre ellas, además de en la percha de la entrada. De este modo, se acostumbrarán a utilizarlas, y de paso servirán de ayuda a las hembras cuando el macho las acose con excesiva insistencia durante el cortejo.

Después de la puesta, lo machos se quedan cerca del nido, e incluso pasan algún tiempo en su interior, junto a las hembras, aunque no las ayudan a incubar. No hay que molestar a las parejas en esta

● *¿Con qué hay que acolchar interiormente sus cajas-nido?*

... Lo ideal es proporcionarles virutas de madera, porque su pico no es muy fuerte y no pueden arrancarlas ellos mismos para acondicionar sus nidos.

● *¿Cómo sabré que los huevos han eclosionado?*

No se preocupe: raro será que no oiga piar a los polluelos desde dentro del cajón, ni vea fragmentos de cáscara esparcidos por el piso de la zona de vuelo.

● *¿Puedo hacer algo para impedir que los polluelos de neophema pulchella se hagan daño con la malla metálica cuando salgan del nido?*

Plante capuchina trepadora junto a la malla a principios de primavera. Así, cuando empiecen a volar, las hojas les advertirán de la existencia de una barrera. Además, el denso follaje es una excelente pantalla protectora.

fase, e incluso hay que evitar en lo posible el alboroto cerca de la zona de vuelo, porque si los padres abandonasen precipitadamente el nido podrían dispersar los huevos, y éstos podrían romperse o cascarse. Si nada sobresalta a los padres, el período de incubación suele concluir felizmente y sin percances.

La fase crítica del proceso reproductor llega más o menos un mes más tarde, cuando los polluelos salen del nido por primera vez. No sólo debido a su nerviosismo, ya peligroso de por sí, sino también a que es posible que su padre los hostigue, sobre todo si siente deseos de volver a anidar. Por eso conviene trasladar a los pollos jóvenes a una zona de vuelo reservada en cuanto se tenga la absoluta certeza de que pueden alimentarse sin ayuda. Si permaneciesen más tiempo junto a su padre (sobre todo los machos), éste podría atacarlos, y hasta herirlos de muerte en un momento dado.

Rosellas (platicercos) GÉNERO: PLATYCERCUS

▶ *La rosella verde, aunque no es tan conocida, requiere exactamente los mismos cuidados que las otras. Estas especies necesitan una amplia zona de vuelo para evitar la obesidad.*

LAS ROSELLAS SON TAMBIÉN muy populares entre los aficionados a la cría de aves de todo el mundo. El género *platycercus* abarca ocho especies distintas, algunas de las cuales exhiben un colorido muy discreto, mientras que otras resultan extremadamente llamativas. No obstante, todas comparten un inconfundible timbrado en sus alas, una característica mancha a ambos lados del pico y una cola que se ensancha generosamente hacia la punta.

Lamentablemente, diferenciar los sexos a simple vista es muy difícil en la mayoría de casos y en otros, simplemente es imposible. Las ocho especies se crían sin dificultad alguna.

Variedades más populares

En los últimos años, sobre todo, se han producido numerosas mutaciones de color. Las más populares y extendidas por el mundo se describen someramente en las siguientes líneas, poniendo de relieve las características más relevantes.

Platycercus caledonicus (rosella verde). La rosella verde o rosella de Tasmania (no existe en Australia continental) es la más corpulenta de todas, y una de las variedades que se ven con menos frecuencia en las pajareras, tal vez por su relativa falta de color. A primera vista, casi se confunde con la *p. flaveolus* o rosella amarilla, pero en realidad es mucho más oscura, sobre todo en las alas. Las hembras se distinguen por las pequeñas manchas naranjas que exhiben en la zona de la garganta.

Platycercus elegans (rosella carmesí). También conocida con el nombre de rosella elegante, procede de las costas orientales de Australia y se ha convertido en uno de los pericos australianos más populares gracias a su original y vistoso plumaje. En él, las plumas de un rojo deslumbrante contrastan vivamente con las plumas más oscuras negras y azules. Los ejemplares jóvenes son muy distintos, ya que son predominantemente verdes antes de desarrollar el plumaje de adultos.

La mutación de color más común en la actualidad es la azul (conocida como rosella de Pennant). En esta variedad, las plumas carmesíes son reempla-

● *Estoy pensando en comprar una rosella Adelaida. ¿Puede decirme algo de esta variedad?*

Sólo existe en libertad en Adelaida, en una zona bastante limitada de Australia meridional. Su color puede variar muchísimo y hay ejemplares con manchas naranjas muy pequeñas en el abdomen, mientras que en otros ejemplares estas manchas son muy extensas. Según algunos especialistas, las rosellas de abdomen anaranjado son producto de una hibridación espontánea entre el *platycercyus elegans* y el *platycercus flaveolus,* es decir, descienden de una rosella roja y otra amarilla. Tengan razón o no, lo cierto es que se han producido rosellas fértiles de aspecto muy similar al descrito mediante cruces, en las pajareras.

● *¿Las rosellas son aves resistentes?*

Sí, normalmente son capaces de pasar el invierno al aire libre y sin calefacción adicional. De hecho, se han criado en pajareras exteriores de países de clima templado (no cálido o tórrido) durante muchas generaciones. Aunque existe una excepción: la rosella de Brown, que necesita cuidados especiales durante el invierno.

Características de la especie

Familia: Sitácidos.

Longitud: 25-37 cm.

Distribución geográfica: Australia, incluyendo Tasmania.

Opciones de color: Numerosas.

Compatibilidad: Las parejas deben vivir aisladas.

Valor como mascota: No aptos. Sólo pueden vivir en pajareras.

Dieta: Mezcla de mijo y alpiste, más semillas de girasol.

Problemas de salud: Propensos a desarrollar lombrices intestinales.

Consejos de cría: Las parejas son fecundas durante mucho tiempo, y a veces también muy prolíficas. Es muy difícil sexarlos a simple vista. Si se producen peleas, significa que ese macho y esa hembra en concreto no son compatibles.

Nido: Cajón-nido de 25 cm² x 60 cm profundidad.

Nidada típica: 4-6 huevos.

Período de incubación: 18-22 días. Los *platycercus caledonicus* suelen incubarlos más tiempo que los demás.

Alimentación durante la época de cría: Mijo y alpiste remojados, además de hierbas frescas y preparados de huevo.

Desarrollo: Los polluelos están preparados para abandonar el nido con unas 5 semanas de edad.

Esperanza de vida: Pueden vivir 25 años o más.

zadas por plumas blancas, pero el resto de los colores quedan inalterados. Actualmente están empezando a criarse variantes amarillo diluido y lutino con fines comerciales.

Platycercus eximius (rosella oriental). Esta especie también se caracteriza por tener unas plumas de color rojo intenso, que le cubren toda la cabeza y la parte superior de la pechuga. El resto de la pechuga y el abdomen son de color amarillo intenso, y las coberteras de la cloaca son de color verde. Los machos tienen las manchas de ambos lados del pico de un blanco deslumbrante, pero las hembras las tienen sólo blanquecinas, aunque este factor no ayuda demasiado a diferenciar los sexos. El colorido más vistoso es el que exhibe una subespecie denominada *p. e. cecilae* (o rosella de manto dorado, también llamada a veces *GMR*). Estos pericos proceden del sudeste de Australia, y la raza de manto dorado es la variante geográfica más extendida en la zona septentrional.

Entre las mutaciones de color que se están criando en la actualidad, tal vez la más llamativa sea la roja, que tiene una historia curiosa. La descubrió en su entorno natural John Gould en 1837, la consideró una especie independiente y le dio el nombre de *p. ignatus*, por el rojo incandescente de sus plumas. Como sugiere esta denominación, tiene más proporción de rojo intenso en el abdomen que ninguna otra variante de su especie, pues el color rojo encendido se extiende en ella hasta las mismas coberteras inferiores de la cola. También es rojo el característico timbrado de las alas.

Desde luego, no cabe duda de que la mutación más inusual es la negra. En ella, toda la parte inferior del cuerpo es predominantemente negra, aun-

▲ *Perico de Pennant* (platycercus elegans). *Estas aves a veces arrancan las plumas a sus polluelos en el nido, pero se les regeneran al emplumecer.*

que los machos exhiben un inconfundible babero rojo que resulta una indiscutible pista a la hora de diferenciar los sexos.

Esta variante de color surgió en los criaderos de New South Gales, en Australia.

Platycercus adscitus (rosella de cara blanca). Aunque no es una de las más impactantes a primera vista, exhibe una hermosa combinación de colores. Tiene la cara blanquecina, las plumas negras de su dorso y de sus alas son amarillas por la punta y toda la parte inferior de su cuerpo es azulada. En los ejemplares muy jóvenes, a veces se observa alguna que otra pluma roja, pero éstas desaparecen en seguida. Esta especie es difícil de sexar, aunque muchas veces las hembras adultas exhiben una franja distintiva en la cara interna de las alas.

Platycercus icterotis (perico de Stanley). También conocida popularmente como rosella del oeste, es la más pequeña de las rosellas, y también, en opinión de muchos especialistas, la más dócil. Exhibe un colorido muy atractivo y resulta bastante fácil de sexar, porque el plumaje rojo de la pechuga está salpicado de pequeños puntos verdes que caracteriza de un modo singular a las hembras. Su escasa popularidad entre los criadores, a pesar de todas sus cualidades, tal vez se deba al hecho de que resulta mucho menos prolífica que otras, al anidar sólo una vez cada estación en vez de hacerlo dos veces seguidas como la *p. adscitus*, por ejemplo. Procede del extremo sudoccidental de Australia.

Existe una subespecie o variante natural, la *p. i. xanthogenys*, que tiene rojizas, más que verdes, las grandes escamas se dibujan en sus alas, y actualmente se está criando una mutación azul, así como una variante lutino.

Plarycrcus flaveolus (rosella amarilla). Especie fácil de identificar por su plumaje predominantemente amarillo, sus mejillas azuladas y la estrecha franja roja que exhibe justo por encima de la cera. Existe una variante de color amarillo claro producida por una mutación que reduce la cantidad de melanina y de pigmento azul en el plumaje, pero no está muy extendida. Esta especie procede de las zonas no costeras del sudeste de Australia.

Platycercus venustus (rosella de Brown). También conocida como rosella del norte, se ve muy raramente en cautividad, sobre todo fuera de Australia. Tiene la cabeza negra, las mejillas blancas y la parte inferior del cuerpo de color crema amarillento.

● *El anterior propietario de mis rosellas dice que las desparasitó hace poco tiempo. ¿Debo repetir el tratamiento?*

Sí, más vale prevenir. Merece la pena volver a desparasitarlas antes de trasladarlas a su alojamiento definitivo, porque siempre es más fácil impedir que las lombrices intestinales infesten una pajarera que erradicarlas cuando definitivamente ya se han instalado en ella.

● *¿Se pueden criar las rosellas en colonia si la pajarera es muy grande?*

No es aconsejable, porque a veces pueden mostrarse muy agresivas, sobre todo en épocas de cría. La *p. venustus* (rosella de Brown) es tal vez las más violenta de todas. Es preferible tener una sola pareja en cada aviario y, aún así, siempre hay que estar vigilante para evitar que el macho le haga la vida imposible a la hembra.

● *He perdido a mi perico de Pennant hembra justo en plena época de cría. ¿Puedo juntar al macho con una hembra de nueve meses de edad?*

¡Ni se le ocurra! Si intenta emparejar a un macho adulto con una hembra joven e inmadura, éste verá frustrados sus deseos de anidar y reaccionará de forma violenta. Incluso si la nueva hembra fuese adulta la atacaría, porque ella tampoco tendría ganas de anidar en un entrono nuevo y potencialmente hostil. Lo más sensato es esperar y no introducir ningún ejemplar nuevo hasta que haya pasado la época de cría, momento en que el macho se mostrará bastante menos agresivo.

Características y necesidades

Las rosellas, en general, son una aves muy activas, y algunas especies en concreto (como *la p. caledonicus* o rosella verde) engordan con demasiada facilidad, así que necesitan mucho espacio para volar. Por este motivo, es conveniente que la zona de vuelo reuna una serie de condiciones mínimas para conseguir un desarrollo equilibrado.

Las medidas idóneas constan de un mínimo de 3,6 metros de longitud, y el refugio nocturno unos 0,90 metros cuadrados por lo menos. Además, en la pajarera no es conveniente colocar demasiadas perchas. En la zona de vuelo bastará con dos perchas, cada una de ellas instalada en cada uno de los extremos. Por motivos estrictamente higiénicos, conviene colocar losetas debajo de esas perchas, ya que ahí es donde caerán más

*Platycercus
eximius cecilae*

♂

*Platycercus
icterotis*

♂

*Platycercus
flaveolus*

*Platycercus
adscitus*

◄ *Estas cuatro especies exhiben la gran mancha de
las mejillas y el inconfundible timbrado de las alas
que distingue a las rosellas de cualquier otro perico
australiano. También es muy característica la
forma de su cola, que es achatada en vez de
afilarse gradualmente hacia la punta. Todas las
rosellas son aves resistentes, y también prolíficas.
En muchos casos, las parejas producen dos nidadas
seguidas.*

Las semillas remojadas les encantan, y necesitan más cantidad durante la época corres-
pondiente a la cría. También hay que ofrecerles de forma regular vegetales crudos y
frutas; en cuanto a los primeros, la pamplina, es uno de sus preferidos, y en cuanto a la
segunda, las manzanas, especialmente las más
maduras y dulces.

Las rosellas no están preparadas para criar
hasta los dieciocho meses de edad como mínimo, aunque es posible que intenten hacerlo
cuando aún no han madurado por completo.
Hay que intentar evitarlo por todos los me-
dios, porque siendo tan jóvenes podrían surgir
muchas complicaciones, sobre todo en el momento de expulsar los huevos y se pondría en
peligro la vida de las crías.

En el momento de la puesta, prefieren cajas-
nido bastante profundas, muy acolchadas, re-
llenas con unos 5 centímetros de virutas de
madera, que hay que colocar en rincones no
demasiado visibles de la zona de vuelo y siempre bajo techo, para protegerlos y que no se
mojen si cae una lluvia fuerte.

Algunas parejas, sobre todo en las especies *platycercus elegans* y *platycercus eximius,* suelen poner ocho o nueve huevos
en cada puesta. Siempre que no les falten
los alimentos adecuados para la cría, como los preparados de huevo y las semillas remojadas, son capaces
de sacar adelante a todos los polluelos sin ningún problema.

En cuanto los pollos puedan alimentarse por sí
mismos, lo que es muy posible que ocurra en las dos semanas siguientes al momento en el que abandonan el
nido, habrá que trasladarlos a otro lugar, o podrían ser
atacados por su padre, que para entonces estará desean-
do volver a anidar y no tolerará hijos ya criados a su alrededor molestándole.

excrementos, y las losetas nos facilitan la limpieza y
el fregado de dicha superficie. Si se limpian escrupulosamente las deposiciones y se desinfecta periódicamente la zona, será mucho más fácil controlar las lombrices intestinales u otros tipo de parásitos que se
desarrollan en ámbitos poco saludables.

Las rosellas son muy fáciles de alimentar. Se nutren básicamente de semillas como el mijo y el alpiste, más una pequeña cantidad de pequeñas semillas
de girasol, cártamo y si acaso pequeños piñones de
cuando en cuando, para enriquecer y dar más variedad a la dieta.

También conviene suministrarles un suplemento
vitamínico y mineral con cierta regularidad, y nunca
les deben faltar ni los huesos de jibia ni la arenilla.

Pericos de Barnard y de Port Lincoln GÉNERO: BARNARDIUS

EL GÉNERO BARNARDIUS abarca sólo dos especies australianas, con un total de siete razas diferenciadas. Son pericos relativamente grandes muy extendidos por gran parte de Australia meridional. Todas las variantes geográficas se parecen bastante a las rosellas (véanse págs. 136-139), y requieren exactamente los mismos cuidados, aunque son muy diferentes en lo que respecta al color, ya que en su plumaje predomina siempre el color verde.

Variedades más populares
Tanto los pericos de Barnard como los de Port Lincoln llevan mucho tiempo criándose en cautividad (empezaron a criarse en Europa desde 1870 aproximadamente) y resultan tan espectaculares como vistosos en las pajareras.

Barnardius barnardi (perico de Barnard). Esta especie procede del este de Australia. Tiene la frente roja y una franja amarilla atraviesa de parte a parte su pechuga. Los machos tienen el dorso azul oscuro, y las hembras son de un tono más verdoso. En el resto de cuerpo predomina el color verde azulado. Las hembras exhiben tonos más apagados en general.

De las cuatro razas comprendidas en esta especie, la más característica es la Cloncurry (*b. b. macgillivrayi*). Procede de la parte oriental del territorio del norte y Queensland. Su plumaje es de un hermoso verde claro, con tonalidades más cercanas al pastel que las del perico de Barnard estándar. Los ejemplares adultos de esta raza carecen de la banda frontal de color rojo, y tienen el abdomen de color amarillo brillante.

Barnardius zonarius (perico de Port Lincoln). Esta especie se ve más a menudo en la zona central y occidental de Australia. Tiene la cabeza negra, adornada con algunas plumas azules, el abdomen amarillo y un collar amarillo alrededor de la garganta. Su pechuga y sus alas son verdes. La cabeza de las hembras suele ser de un negro pardusco.

Otra raza inconfundible es la *b. z. semitorquatus*, conocida popularmente como *twenty-eight* («veintiocho»). Tiene el abdomen completamente verde y una franja roja justo por encima de la cera). Es el más corpulento de todos los pericos australianos y procede del extremo sudoriental de Australia.

Características y necesidades
Estos pericos australianos necesitan mucho espacio para moverse. Su zona de vuelo debe medir 3, 6 m de longitud como mínimo (más, preferiblemente), y tener perchas sólo en los laterales. También necesitan gran cantidad de ramas de madera más blanda para ejercitar sus picos, u optarán por destrozar el armazón de madera del aviario.

Su dieta ideal es la de las rosellas. Suelen alimentarse a ras de tierra, así que se les puede colocar un recipiente con comida sobre el piso del refugio, aunque

◄ *Este raro ejemplar azul de* barnardius barnardii *(perico de Barnard) exhibe también el collar por el que en muchos lugares se conoce a esta especie como* Mallee Ringneck Parakeet.

Barnadius barnardii

Barnadius zonarius

▲ *Debido a la relativa dificultad para determinar el sexo en estas especies, es conveniente realizar la prueba de ADN para evitar las falsas parejas.*

● *¿Se han producido muchas mutaciones de color en estas especies?*

Existen bastantes, aunque ninguna de ellas es común. Existe una variante azul del perico de Barnard, y en 1927 se vieron ejemplares lutino en libertad. A veces se han criado pericos de Port Lincoln azules en Europa y en Australia, y también hay mutaciones azules y lutino del *b. z. semitorquatus* (twenty-eight). Estos pericos azules tienen el collar blanco en vez de amarillo, y su abdomen es blanquecino en vez de ser amarillo, que es el color normal en los Port Lincoln.

● *¿De qué calibre debe ser la malla en una pajarera para pericos de Barnard?*

Como son bastante grandes, y poseen un pico robusto, lo más probable es que deterioren el armazón de madera de los paneles si tienen acceso a él, así que es importante protegerlo de forma adecuada. Se recomienda utilizar malla del 16 (16G) en vez de malla del 19 (19G) en los paneles.

● *Estos pericos australianos se ven muy poco y son caros. ¿Es porque se crían con dificultad?*

Es verdad que los pericos australianos no son muy abundantes, pero en realidad no es porque sean difíciles de criar ni de mantener. Una vez formada, una pareja puede seguir criando durante muchos años. Lo único que les hace falta a sus criadores es armarse de paciencia, sobre todo en el caso del *barnardius barnardii*, ya que es una cuestión de tiempo.

● *¿En qué se nota que un macho está cortejando a una hembra?*

La cola ancha de estas aves es la protagonista de la danza nupcial. El macho despliega su cola y la agita rápidamente de un lado a otro. Cuando se acerca la época de cría, los machos suelen mostrarse más inquietos y vuelan hacia arriba y hacia abajo una y otra vez.

probablemente desparramen muchas semillas por el suelo. Cuando se introduce un nuevo ejemplar en la pajarera, no obstante, hay que colocarle un comedero al lado de la percha, pues aún no se sentirá suficientemente seguro y no se atreverá a bajar hasta el suelo.

Sus cajas-nido deben ser sólidas y a prueba de picotazos. Algunos criadores utilizan troncos huecos, pero las parejas aceptan bien las cajas-nido. Si una pareja no parece interesarse en absoluto por una de ellas, bastará con cercarla para que despierte su atención.

Características de la especie

Familia: Sitácidos.

Longitud: 33-41 cm.

Distribución geográfica: Australia.

Opciones de color: Variantes difíciles de encontrar.

Compatibilidad: Hay que mantener a las parejas aisladas, porque son especies bastante agresivas.

Valor como mascota: No aptos. Sólo pueden vivir en pajareras.

Dieta: Mezcla de semillas para pericos australianos: alpiste, mijo, avena partida y semillas de girasol. También hay que ofrecerles hierbas frescas y manzanas dulces.

Problemas de salud: Lombrices intestinales.

Consejos de cría: Si el macho y la hembra no son compatibles, probablemente no criarán. A veces producen dos nidadas seguidas.

Nido: Cajón-nido de 25 cm² x 75 cm profundidad.

Nidada típica: 4 huevos.

Período de incubación: 21 días.

Alimentación durante la época de cría: Semillas remojadas y hierbas frescas.

Desarrollo: Abandonan el nido a las 5 semanas.

Esperanza de vida: Pueden vivir 20 años o más.

Pericos de espalda roja y mulga

GÉNERO: PSEPHOTUS

ESTAS DOS ESPECIES AUSTRALIANAS se parecen mucho a los periquitos de hierba (véanse págs. 130-135), aunque tienen la cola más larga en proporción. El género *psephotus* engloba cuatro especies llenas de colorido, pero todas de colores diferentes.

Variedades más populares

Este grupo incluye dos de los pericos australianos de colorido más vistoso.

Psephotus haematonotus (perico de espalda roja). Este perico del sudeste de Australia es una de las especies australianas más atractivas y populares. Anida sin problemas en pajarera y es sumamente fácil de sexar. Los machos, mucho más llamativos que las hembras, tienen la cabeza, la pechuga y las alas de color verde azulado y el abdomen amarillento. Las hembras son de color verde grisáceo y no tienen la rabadilla roja como los machos. Los sexos se pueden diferenciar a simple vista desde que emplumecen, antes de que salgan del nido, aunque no desarrollan el plumaje de adultos hasta por lo menos cuatro meses más tarde.

La variedad amarilla lleva muchos años criándose en cautiverio. En realidad no es amarilla, sino que presenta tonos más diluidos que el perico de espalda roja estándar. El plumaje es más amarillento en las hembras. Más recientemente ha surgido una verdadera variante lutino, en la cual los machos conservan

▲ *Mutación azul del* psephotus heamatonotus. *Debe su color a un gen autosómico recesivo y ha ganado bastante popularidad en los últimos años.*

la mancha rojo intenso de la espalda y tienen las alas más claras que el resto del cuerpo, de color amarillo limón. Las hembras son más claras en general que los machos.

En la variante azul del *p. haematonotus*, los machos tienen la rabadilla blanca y las hembras, azul.

Características de la especie

Familia: Sitácidos.	**Consejos de cría:** No suelen tener problemas para criar y los sexos se distinguen fácilmente. No maduran sexualmente hasta cumplir un año.
Longitud: 25-30 cm.	
Distribución geográfica: Australia.	
Opciones de color: Bastantes, en el caso del *p. haematonotus*.	**Nido:** Cajón-nido con unos 60 cm de profundidad.
Compatibilidad: Las parejas deben vivir aisladas por su tendencia a la agresividad.	**Nidada típica:** 4-6 huevos.
	Período de incubación: 18-20 días.
Valor como mascota: No aptos. Sólo pueden vivir en pajareras.	**Alimentación durante la época de cría:** Piensos para aves no granívoras, preparados de huevo o pasta e insectos. También se recomienda ofrecerles semillas remojadas, por ejemplo panojas de mijo.
Dieta: Mezcla de alpiste y mijos de calidad, con algunas semillas de girasol. También se les pueden ofrecer vegetales frescos como la pamplina y las manzanas dulces.	
	Desarrollo: Abandonan el nido a las 4 o 5 semanas.
Problemas de salud: Lombrices intestinales.	**Esperanza de vida:** Pueden vivir 15 años o más.

Las alas de las hembras son más plateadas que las de los machos. Han surgido otras variantes, como la pía o manchada y la ópalo (esta última mutación produce un colorido similar al de los periquitos de Australia opalinos).

Psephotus varius (perico mulga). La palabra «mulga» alude a una herbácea muy abundante en las tierras interiores del sur de Australia de las que esta especie procede. Hasta hace poco, esta especie era difícil de conseguir. Los machos tienen plumas amarillas sobre la cera y una mancha anaranjada en el abdomen. La distribución de las manchas puede variar mucho de un individuo a otro, y los ejemplares más cotizados son los que exhiben el plumaje más colorista. Las hembras se distinguen por las rayas de color rojo anaranjado de sus alas.

Características y necesidades

El *psephotus haematonotus* (perico de espalda roja) es resistente, se reproduce con facilidad y no causa destrozos, lo que le convierte en un perico ideal para principiantes. Además, no es ruidoso, y el canto de los machos resulta tan grato que difícilmente molestará a ningún vecino. El *psephotus varius* (perico mulga) es menos resistente que el anterior, y también menos prolífico. El único inconveniente de todos los *psephotus* es su temperamento agresivo. Las parejas deben mantenerse aisladas, y aún así es probable que el macho y la hembra peleen entre sí en ocasiones. Los machos casi siempre se muestran muy agresivos con sus propios polluelos, y a veces llegan incluso a matarlos antes de que emplumezcan. Por este motivo tal vez sea preferible adquirir parejas muy jóvenes, para evitar el riesgo de comprar un macho que puede haber malherido ya a su descendencia en épocas de cría anteriores.

La dieta típica de los periquitos es adecuada para estas especies, aunque habrá que complementarla con vegetales frescos, sobre todo mientras los polluelos permanezcan en el nido. También pueden comer semillas de girasol, aunque sólo en pequeñas cantidades.

▶ *El* p. haematonotus *y el* p. varius *tienen hábitos similares, aunque los pollos de perico mulga tardan normalmente más en emplumecer y abandonan el nido aproximadamente una semana más tarde.*

● *¿Hay más especies, aparte de las descritas?*

El género *psephotus* abarca otras dos especies, la *p. haematogaster* y la *p. chrysopterygius*. La primera tiene la cara y las alas azuladas. La segunda exhibe una mancha dorada en el arranque de las alas y se ve con muy poca frecuencia en cautividad. Lo mismo puede decirse de una subespecie denominada *p. c. dissimilis*, aunque esta última ha empezado a criarse con más intensidad hace poco. Su plumaje es básicamente azul turquesa, con alas amarillas.

● *¿Todos los* psephotus *son iguales a la hora de criar?*

Los *p. haematonotus* son muy poco exigentes, con frecuencia producen dos nidadas seguidas y en general resultan muy prolíficos. Los *p. c. dissimilis*, sin embargo, dan muchos más problemas a los criadores, ya que en el hemisferio norte eligen con frecuencia los meses invernales para criar y no queda más remedio que trasladarlos a una pajarera interior con calefacción.

♂

Psephotus haematonotus

♀

♂

Psephotus varius

♀

143

Pericos polytelis GÉNERO: POLYTELIS

EL GÉNERO POLYTELIS abarca tres especies procedentes de gran parte de Australia que se ven con bastante frecuencia en cautividad.

Variedades más populares

A diferencia de otros pericos australianos, las especies descritas a continuación pueden llegar a ser mansas y dóciles con sus propietarios, aunque no puedan vivir enjauladas en el hogar.

Polytelis alexandrae (perico spinifex). Este sitácido, conocido también como reina Alejandra, princesa de Gales o perico de garganta rosa, debe el nombre de *spinifex* a una herbácea muy común en las áridas regiones interiores de la Australia central, de donde procede. Tiene la coronilla de color azul claro, la garganta rosada, las alas verdosas y el abdomen gris azulado claro. Las hembras suelen distinguirse por el tono más agrisado de su coronilla. Los ejemplares jóvenes se parecen más a las hembras, aunque tienen la cola más corta, y los machos son fáciles de identificar porque erizan las plumas de la coronilla cuando cantan.

Ésta es la única especie del género *polytelis* con variantes de color reconocidas, ya que de las demás especies prácticamente no se conocen mutaciones. En 1951 se produjo en Australia una mutación azul del *polytelis alexandrae*, y posteriormente esta mutación se repitió en otras partes del mundo. Son aves muy her-

- **¿A qué edad podré sexar a mis pollos de barraband?**

Los machos de *p. swainsonii* pueden tardar hasta tres años en adquirir el plumaje de adultos, pero normalmente los sexos ya se distinguen a simple vista con dos años de edad.

- **¿Qué tipo de pajarera necesitan estas especies?**

Donde mejor se aprecian estos sitácidos es en las pajareras con una zona de vuelo alargada. Si piensa tener más de una pareja, debe introducir todos los ejemplares a la vez para minimizar el riesgo de que se produzcan disputas territoriales. Su refugio nocturno debe ser seco y abrigado. Aunque el frío no les afecta en exceso, no toleran las lluvias prolongadas ni la niebla, y podrían contraer enfermedades respiratorias si no se los protege adecuadamente de la humedad.

- **¿Los polytelis anidan todos los años?**

Las parejas suelen ser fecundas durante muchos años, y los machos cortejan a las hembras de forma espectacular, agachando y girando sus cabezas frente a ellas, y rodeándolas, antes de aparearse. Una vez elegido el lugar más adecuado para anidar, regresan a él año tras año en la época de cría, aunque no suelen pernoctar en las cajas-nido en otras épocas del año. Los pollos suelen mostrarse muy intranquilos cuando abandonan el nido, y conviene evitar el revuelo cerca de la pajarera hasta que se sosieguen y adapten por completo al nuevo entorno, algo que normalmente ocurre una o dos semanas después.

Características de la especie

Familia: Sitácidos.

Longitud: 41-46 cm.

Distribución geográfica: Australia.

Opciones de color: Actualmente sólo existen en el *p. alexandrae*.

Compatibilidad: Las parejas a menudo son sociables y pueden convivir sin problemas con cacatúas ninfa.

Valor como mascota: Pueden mostrarse dóciles y confiados con sus propietarios en la pajarera, pero no vivir como mascotas en el hogar.

Dieta: Pequeñas semillas de cereales (alpiste, panizo común y mijo), además de semillas de girasol y granos de avena partidos. Normalmente les gustan las manzanas dulces, y todo tipo de vegetales frescos, incluyendo la pamplina.

Problemas de salud: Son sumamente propensos a sufrir infecciones oculares y lombrices.

Consejos de cría: A veces los adultos (el macho casi siempre) devoran sus propios huevos. Hay que mantener al padre alejado de los huevos hasta que eclosionen.

Nido: Cajón-nido con unos 60 cm de profundidad.

Nidada típica: 4-6 huevos.

Período de incubación: 20-21 días.

Alimentación durante la época de cría: Algunas parejas aceptan los preparados de huevo. También hay que ofrecerles semillas remojadas y vegetales de hoja.

Desarrollo: Abandonan el nido con unas 5 semanas de edad.

Esperanza de vida: Pueden vivir 20 años o más.

mosas, con manchas de color azul celeste en las alas, rabadilla de color violeta claro y plumaje azul plateado en el resto del cuerpo. Todas las variantes tienen el pico de color coral. En la década de 1970 surgió en Alemania oriental una mutación lutino, en la que predominan las plumas rosas y las amarillas.

Polytelis swainsonii (perico barraband). Se le denomina perico soberbio. Los ejemplares adultos son muy fáciles de sexar. En los machos predomina el color verde intenso, y tienen una franja roja por debajo de la garganta y otra de color amarillo en la cara. Las hembras son de color verde grisáceo y tienen plumas azules en la cabeza. Los ejemplares jóvenes son imposibles de sexar, porque se asemejan a las hembras adultas. Ambos sexos exhiben algunas plumas rojas en los muslos. El ciclo reproductor de los barraband es muy prolongado, y las parejas a veces son fecundas durante 20 años seguidos.

Polytelis anthopeplus (perico de roca). Existen dos colonias de *p. anthopeplus* silvestres, una en la zona este de Australia meridional y otra en el oeste australiano. Esta última exhibe más plumas verdosas que la primera. La especie también es conocida popularmente como *rock pebbler*, *smoker* y *regent*. En los machos predomina el color amarillo. Las hembras son verde-oliváceas y tienen rojas las coberteras de las alas más cercanas a las plumas remeras. Los machos jóvenes tienen más plumas amarillas en el abdomen y no adquieren el plumaje de adultos hasta los 18 meses de edad.

Características y necesidades

Donde mejor se aprecian el garbo y la elegancia de estos pericos es en las pajareras con una zona de vuelo muy larga. Pueden incluso reproducirse muy bien en colonias, cuando la pajarera es espaciosa.

Su dieta ideal es muy similar a la de cualquier otro perico australiano, aunque hay que ofrecerles vegetales de hoja en gran cantidad y con frecuencia y adoran las panojas de mijo remojadas.

A todos los *polytelis* les encanta mojarse con la lluvia, pero no suelen sentir el menor interés por las bañeras para aves. Por lo tanto, si pasan mucho tiempo en una pajarera interior y no pueden ducharse con la lluvia, habrá que rociarlos periódicamente con un atomizador para plantas para que su plumaje se mantenga limpio y en perfectas condiciones.

◄ Polytelis alexandrae *macho. Esta especie se puede domesticar con facilidad en la pajarera y acude gustosa si se le ofrecen vegetales de hoja con la mano.*

Otros pericos australianos

GÉNEROS: APROSMICTUS Y ALISTERUS

LOS DOS GÉNEROS MENCIONADOS proceden tanto de Australia como de Nueva Guinea y las islas de los alrededores. Los *alisterus scapularis* son particularmente llamativos, y no es raro criar en cautividad descendientes de ejemplares silvestres. Los *aprosmictus eryhropterus* también son populares y se crían con cierta frecuencia en pajareras.

Variedades más populares

Aprosmictus erythropterus (perico de alas rojas). En los machos, las grandes manchas de color carmesí de sus alas contrastan vivamente contra el fondo negro del manto, un rasgo totalmente excepcional en los pericos. Las hembras resultan mucho menos espectaculares al carecer de plumas negras en el manto y tener muchas menos plumas rojas en las alas. Los ejemplares jóvenes se parecen a las hembras, pero se diferencian de los adultos porque aún tienen los ojos castaños en vez de rojizos.

Alisterus scapularis (perico rey australiano). Esta especie procede de las costas orientales de Australia. Sólo los machos tienen la cabeza y la mayor parte del cuerpo (exceptuando las alas) de un deslumbrante rojo carmesí. Las coberteras de las alas son de color verde claro y las plumas remeras, de color verde oscuro. Las hembras tienen verde la cabeza y la pechuga, y exhiben plumas rojas únicamente en el abdomen. Los ejemplares jóvenes son relativamente fáciles de sexar aunque al principio su plumaje sea idéntico al de las

Alisterus scapularis

♂

*Aprosmictus
erythropterus*

▲ *Los machos de* aprosmictus erytrhopterus *y de* alisterus scapularis *son mucho más espectaculares que las hembras. Ambos necesitan ser vigilados al inicio de la época de cría para evitar que ataquen a su pareja.*

Características de la especie

Familia: Sitácidos.

Longitud: 36-46 cm.

Distribución geográfica: Australia, Nueva Guinea y las islas cercanas de Indonesia.

Opciones de color: Muy escasas y difícilmente asequibles.

Compatibilidad: Las parejas deben mantenerse aisladas.

Valor como mascota: No aptos como mascota familiar. Sólo pueden vivir en pajareras.

Dieta: Cereales como el alpiste, el panizo común y los distintos tipos de mijo, más arroz *paddy* en el caso de los *alisterus scapularis* de Nueva Guinea. También semillas de girasol, piñones, hierbas y frutas.

Problemas de salud: Parásitos internos, incluso la tenia.

Consejos de cría: Hay que tener paciencia, pero las parejas son fértiles durante mucho tiempo, a veces más de una década.

Nido: Cajón-nido de 25 cm² como mínimo, y con 90 cm de profundidad.

Nidada típica: 3-6 huevos.

Período de incubación: 21 días.

Alimentación durante la época de cría: Semillas remojadas, vegetales de hoja y piensos para aves no granívoras.

Desarrollo: Abandonan el nido con entre 6 y 8 semanas de edad.

Esperanza de vida: Pueden vivir 25 años o más.

▲ *El* aprosmictus erythropterus *debe su nombre popular al deslumbrante rojo carmesí de sus alas, como exhibe en todo su esplendor este ejemplar macho. Los pollos pueden tardar hasta tres años en adquirir el plumaje de adultos.*

hembras adultas, porque muy pronto el pico de las jóvenes hembras se oscurece visiblemente.

Características y necesidades

Estos pericos australianos pueden tardar varios años en adaptarse a la nueva pajarera, sentirse como en casa y estar en condiciones de procrear. Necesitan una zona de vuelo prolongada –y en la que no falten las plantas– porque, a diferencia de otros pericos australianos, proceden de zonas boscosas. También necesitan protegerse bien del frío durante el invierno, sobre todo los ejemplares recientemente importados, que necesitan una aclimatación cuidadosa y pasar el primer invierno en un recinto provisto de calefacción.

La dieta típica de los pericos australianos es también adecuada para ellos. Los padres se las arreglan con la mezcla de semillas habitual, suplementada con avena, alforfón y poco más, para sacar adelante a sus polluelos, aunque se obtienen mejores resultados con una dieta más variada, así que conviene ofrecerles alimentos para aves no granívoras y vegetales de hoja también.

● *Mi perico rey macho no deja de hostigar a la hembra y tengo miedo de que no la esté dejando comer. ¿Qué debo hacer para evitar esta situación?*

Si el macho se ha apropiado de una zona de la pajarera y no permite a la hembra utilizar el comedero, coloque varios comederos más. Intente colocar un recipiente con agua y otro con comida en el suelo, porque es más improbable que el macho la siga hasta allí.

● *¿Qué se puede hacer para facilitar la cría de polluelos de esta especie?*

Cuando los machos están en celo, a veces pueden mostrarse muy agresivos, y si las hembras no los aceptan, tal vez sea preferible recortarles las plumas remeras de una de sus alas para evitar que sigan molestándolas. Si las hembras pierden la forma física, será mucho más difícil que críen con éxito. No obstante, después de la primera puesta, habrá pasado el peligro. Los pollos deben trasladarse a otro lugar en cuanto puedan alimentarse por sí mismos, porque a veces las parejas anidan de nuevo. Si deja a los pollos con sus padres, molestarán a éstos cuando estén intentando producir la segunda nidada, y además es posible que el macho adulto los ataque.

Kakarikis GÉNERO: CYANORAMPHUS

*Cyanoramphus
novaezelandiae*

*Cyanoramphus
auriceps*

ESTOS PECULIARES SITÁCIDOS proceden de Nueva Zelanda, de climas más templados que la mayoría de los pericos y loros. Su nombre significa, en maorí, «pequeño papagayo». Los kakarikis son muy vivarachos y mucho más ingeniosos que los demás sitácidos para escaparse, colándose por cualquier rendija, y detectan hasta el más mínimo resquicio en la malla metálica de la pajarera. Por esto hay que extremar las medidas de seguridad.

Variedades más populares

Este género abarca cuatro especies, pero sólo dos de ellas se crían en cautividad. Actualmente existen variantes de color reconocidas del *cyanoramphus novaezelandiae*, que es la especie más popular.

Cyanoramphus novaezelandiae (kakariki de frente roja). En 1891 se empezaron a criar ejemplares de esta especie en Inglaterra en 1891, pero hasta la década de 1970 prácticamente no se conocía en el resto de Europa ni en Norteamérica. Estos sitácidos son inconfundibles por las manchas de color carmesí que tienen so-

◀ *Tanto el kakariki de frente roja como el de frente amarilla proceden de North Island y South Island, Nueva Zelanda, así como de las islas cercanas. Se recomienda desparasitarlos dos veces al año.*

Características de la especie

Familia: Sitácidos.

Longitud: 20-30 cm.

Distribución geográfica: Nueva Zelanda y las pequeñas islas de la zona.

Opciones de color: Sólo se han registrado en el *c. novaezelandiae.*

Compatibilidad: Son pendencieros por naturaleza, así que las parejas deben vivir aisladas.

Valor como mascota: Pueden sentirse a gusto en el hogar.

Dieta: Mezcla de mijo, alpiste y semillas de girasol, más vegetales de hoja, fruta y algunos gusanos de la harina.

Problemas de salud: Lombrices y sarna facial.

Consejos de cría: En las regiones de clima templado hay que retirar los cajones-nido durante el invierno para evitar que las

parejas aniden con tiempo frío, lo que incrementaría el riesgo de que la hembra tuviese dificultades en la expulsión de los huevos. En las regiones de clima cálido o tórrido, hay que colocar los cajones-nido en lugares frescos.

Nido: Cajón-nido de unos 23 m², con 30 cm de profundidad.

Nidada típica: 7-8 huevos.

Período de incubación: 19-21 días.

Alimentación durante la época de cría: Normalmente ingieren con avidez pasta de insectos o pienso para aves no granívoras y presas vivas, alimentos que necesitan los polluelos para desarrollarse.

Desarrollo: Abandonan el nido con unas 5 semanas de edad.

Esperanza de vida: Pueden llegar a vivir 16 años.

bre la cera, unidas a franjas también rojas que les cubren los ojos como si se tratase de un antifaz. El resto del cuerpo es verde en su mayor parte, aunque exhiben más manchas rojas a ambos lados de la rabadilla, y sus plumas remeras son azuladas. El pico es de color azul-acero, con la punta negra. Los sexos sólo se diferencian por su tamaño, ya que los machos son más corpulentos.

La mutación más llamativa y popular es la lutino. En ella, las plumas verdes son reemplazadas por plumas de color amarillo intenso, que contrastan vivamente con las plumas carmesíes. También existe una variante pía con manchas verdes y amarillas, distribuidas de distinta forma en cada ejemplar, y una discreta variante canela.

Cyanoramphus auriceps (kakariki de frente amarilla). Esta especie se distingue fácilmente de la más común por la gran mancha amarilla que recubre la parte más alta de su cabeza, y porque la única mancha roja que tiene en la cara es una estrecha franja ubicada justo detrás de la cera. Además de no tener plumas rojas detrás de los ojos, es de menor tamaño que el *c. novaezelandiae*. Los ejemplares jóvenes tienen los ojos marrones en vez de rojos, y las colas más cortas que los adultos.

Características y necesidades

Es preferible adquirir ejemplares jóvenes, porque no son especies demasiado longevas. Como no son aves ruidosas ni destructivas, resultan muy adecuadas para una pajarera de la ciudad. Pasan mucho tiempo a ras de tierra, y si el suelo de su pajarera es de cemento hay

que colocar semilleros con hierba no tratada para que escarben, algo que harán con fruición.

Siempre que sea posible, hay que evitar que las parejas críen más de dos nidadas seguidas. Los pollos de kakariki crecen muy deprisa, y a veces con sólo cuatro o cinco meses de edad ya están dispuestos a procrear. Sin embargo, no conviene que aniden hasta que cumplan un año, porque hasta entonces no habrán madurado por completo.

▼ *En la variante pía (manchada) del* c. novaezelandiae, *la distribución de las manchas es aleatoria y puede variar mucho de un ejemplar a otro.*

● ¿Los kakarikis son buenas mascotas?

Un ejemplar joven puede convertirse en un animal de compañía vivaracho y encantador, pero no olvide que estas aves son muy activas. Si sueña con un lorito tranquilo capaz de pasar mucho tiempo posado en su hombro, le conviene más una cacatúa ninfa. Los kakarikis necesitan mucho espacio para vivir, pero si piensa alojarlo en una gran jaula, asegúrese de que los barrotes están lo bastante próximos entre sí como para que no intente colarse entre ellos y se quede atrapado, porque este tipo de accidentes podrían causarle la muerte.

● Mi kakariki a veces parece tener dificultades para posarse en la percha. ¿Qué le ocurre?

Los kakarikis son bastante propensos a estresarse, y el estrés a veces se manifiesta de ese modo. Si coloca a su mascota en un lugar silencioso y oscuro y la deja allí aproximadamente

una hora, probablemente se recuperará. Esa especie de ataques también pueden deberse a un nivel demasiado bajo de calcio en la sangre.

● ¿Los kakarikis son caprichosos con la comida?

No, suelen adaptarse muy bien a la dieta que se les ofrece, lo que no significa que un ejemplar no pueda tener preferencias individuales. Todos los días se les deben ofrecer frutas y vegetales frescos, incluso en invierno, cuando el apio y el brécol están en plena temporada. Los granos de granada y las fresas les encantan, y también comen con avidez algunas variedades de pimiento no picante.

● ¿Criar kakarikis es fácil?

Sí, normalmente es muy fácil, porque las parejas no son nada perezosas a la hora depara anidar. Eso sí, deben mantenerse aisladas, ya que en épocas de cría pueden desarrollar conductas agresivas.

Loríes GÉNEROS: PSEUDEOS, CHALCOPSITTA, LORIUS Y EOS

LOS LORÍES son sitácidos procedentes de Oceanía que se alimentan de néctar y de fruta en vez de comer frutos secos o semillas. En este apartado nos ocupamos de los loríes propiamente dichos, que tienen la cola corta y cuadrada en vez de tenerla larga como las especies de la siguiente sección. Varios géneros diferentes se crían en cautividad, y algunas especies exhiben colores deslumbrantes. Existen muchas subespecies y las diferencias en el plumaje normalmente sólo revelan la procedencia geográfica del ejemplar, pero no ayudan a determinar su sexo, por lo que casi siempre es necesario recurrir a pruebas de ADN para sexar estas aves.

Variedades más populares

Las siguientes especies pertenecen a géneros bastante populares entre los avicultores.

Pseudeos fuscata (dusky). El término *dusky* (crepuscular) alude a los colores de su plumaje, que evocan de inmediato una puesta de sol. El colorido puede variar mucho de un ejemplar a otro, pues oscila entre el naranja tórrido hasta el amarillento. Los *dusky* naranjas siempre producen polluelos naranjas, pero los amarillos pueden producir tanto ejemplares amarillos como naranjas, incluso en una misma nidada. En esta especie es posible diferenciar los sexos, porque la rabadilla de los machos parece blanco-amarillenta comparada con la de las hembras. El pico es anaranjado en los adultos y marrón oscuro en los jóvenes.

Chalcopsitta duivenbodei (lorí de Duivenbode). Estos grandes loríes resultan aún más espectaculares en pajareras grandes. Lamentablemente, son tan ruidosos que no es posible criarlos en el entorno urbano. Los sexos no se distinguen a simple vista, pero los jóvenes se diferencian de los adultos porque la piel que rodea sus ojos es blanca en vez de negra.

Lorius garrulus (lorí charlatán). Plumaje escarlata, muslos verdes y alas verdes con manchas amarillas en el arranque. Los ejemplares jóvenes tienen el pico marrón. Existe una subespecie más colorista denominada *l. g. flavopalliatus* (lorí de espalda amarilla), que sólo existe en libertad en alguna de las islas Molucas. Como muchos otros loríes, el *l. g. flavopalliatus* puede domesticarse, incluso viviendo en una pajarera.

Eos bornea (lorí rojo o de Borneo). Los *eos* son loríes de menor tamaño en los que predominan las plumas rojas, en contraste con manchas azules, negras y moradas. Las pequeñas diferencias en su plumaje indican el origen geográfico cada ejemplar, pero nunca su sexo. Los pollos tienen aún el pico oscuro y el iris marrón. Existen loríes rojos en libertad en algunas islas de Indonesia, como por ejemplo Amboina y Kai.

◄ *El* dusky *es un lorí resistente, popular, vivaracho y de color bonito que se cría sin dificultad en las pajareras.*

Características de la especie

Familia: Sitácidos.

Longitud: 25-30 cm.

Distribución geográfica: Australia, Nueva Guinea, Indonesia y otras islas del Pacífico.

Opciones de color: Prácticamente no se conocen.

Compatibilidad: Las parejas deben vivir aisladas.

Valor como mascota: Pueden domesticarse e incluso llegan a hablar, si se adquieren de jóvenes.

Dieta: Mezcla de néctar. Hay que servirles también fruta (manzana, uvas, granos de granada, etc.) a diario.

Problemas de salud: Propensos a la candidiasis.

Consejos de cría: Hay que colocar los cajones-nido en rincones no demasiado visibles de la pajarera.

Nido: Cajón-nido de unos 30 cm², con un mínimo de 30 cm de profundidad, revestido con una buena capa de virutas gruesas de madera.

Nidada típica:	2 huevos.
Período de incubación:	24 días.

Alimentación durante la época de cría: Pueden tomar pasta de insectos o piensos blandos para aves no granívoras mientras crían.

Desarrollo: Abandonan el nido entre las 10 y 11 semanas de edad.

Esperanza de vida: Pueden vivir más de 20 años.

▲ *El plumaje marrón y amarillo del* c. duivenbodei *es inconfundible. Estos ruidosos y corpulentos sitácidos proceden del norte de Nueva Guinea.*

Características y necesidades

Alimentar y alojar a los loríes es muy fácil, pero su dieta blanda obliga a limpiar más a menudo la pajarera.

Anidan sin problemas en cajones-nido estándar para loros, pero viene muy bien algún tipo de portilla o ventanuco lateral desde donde se pueda recubrir, o incluso reemplazar, las virutas de madera manchadas cuando los polluelos hayan salido del cascarón. El cajón-nido debe permanecer en el mismo sitio todo el año, porque los loríes lo utilizan también para dormir.

● **¿Se puede tener un lorí como mascota?**

Aunque se dejan domesticar, e incluso aprenden a hablar como los loros, no se suelen tener en el hogar porque manchan demasiado con sus excrementos. Éstos son tan abundantes y pegajosos que hay que fregar con relativa frecuencia su jaula.

● **¿Cómo es la pajarera ideal de los loríes?**

Hay que diseñarla de forma que se pueda limpiar con facilidad. Conviene que el piso sea de cemento, para que se pueda limpiar cómodamente con manguera. Esto es muy importante, porque las deposiciones de estas aves son abundantes, líquidas y pegajosas. Algunos criadores optan por las pajareras colgantes, para poder limpiar a diario el suelo con la manguera. Los loríes, además, tienen el pico bastante fuerte, de modo que los paneles de la zona de vuelo deben ser de calibre 16G. Todas las superficies del refugio nocturno deben estar revestidas de materiales no porosos que se puedan limpiar con una simple bayeta, porque de lo contrario los restos de los excrementos podrían llenarse d emoho. Las parejas suelen resistir bien el frío una vez aclimatadas, de modo que no es necesario, normalmente, instalar ningún tipo de calefacción durante el invierno, ni siquiera en los países de clima templado.

● **¿Cómo se alimenta a estas aves?**

Existen preparados en polvo especiales que contienen todos los nutrientes necesarios para que se mantengan en buena forma. Son muy fáciles de usar: basta medir el agua y mezclarla con la dosis recomendada de polvos hasta que el preparado quede perfectamente disuelto. Eso sí, hay que fregar muy bien los dispensadores antes de rellenarlos. También existen piensos secos para ellas que se pueden consumir directamente, tal como salen del envase. Se sirven solos, en un recipiente aparte, o espolvoreados sobre la ración de fruta diaria. Incluso hay piensos especiales que hacen las deposiciones de estas aves más sólidas para facilitar las tareas de limpieza.

Loríes de cola larga

LA DIFERENCIA MÁS VISIBLE entre estas especies y los loríes propiamente dichos es la cola, mucho más alargada. Este rasgo es especialmente notorio en el *charmosyna papou* (lorí de Papúa). Aunque también se nutren principalmente de néctar y necesitan el mismo tipo de piensos, la superficie de su lengua está cubierta de papilas que actúan como un cepillo o pincel para extraer los microscópicos granos de polen de las flores. Necesitan exactamente los mismos cuidados que los loríes de cola corta.

Variedades más populares

No suelen producirse mutaciones de color en estas especies, aunque existen en el *trichoglossus haematodus*. Muchas especies sólo viven en libertad en puntos muy concretos (algunas pequeñas islas) y rara vez se ven en pajareras.

Trichoglossus heamatodus (lorí arcoiris). Este lorí es el sitácido con más subespecies reconocidas del mundo. Se han documentado veintiuna subespecies diferentes, aunque en todas, curiosamente, la distribución de las manchas es idéntica. La cabeza siempre es oscura (con frecuencia azulada) y hay llamativas manchas a ambos lados del cuello. El dorso y las alas son verdes y la pechuga, por regla general, amarillenta, anaranjada o roja. Las plumas de la pechuga con frecuencia son más oscuras por la punta.

La subespecie que se ve más a menudo en las pajareras europeas y norteamericanas es la *t. h. haematodus* (lorí arcoiris de nuca verde), que vive en libertad en Nueva Guinea y otras islas del Pacífico. Como su propio nombre indica, se distingue por tener la nuca verdosa. En las pajareras australianas es normal ver ejemplares *de t. h. moluccanus* (lorí de Swainson o de las Molucas). Esta raza es muy colorista, con la pechuga escarlata normalmente, y la cabeza de un azul más intenso que el *del t. h. haematodus*.

Otras razas que se pueden ver en los aviarios son la *t. h. capistratus* (lorí de Edwards), que sólo existe en libertad en la isla de Timor, en Indonesia; la *t. h. masse-*

◀ T. h. moluccanus *(lorí de Swainson). Se sabe que esta raza es capaz de excavar nidos en el suelo si no encuentra un cajón-nido adecuado en la pajarera. Conviene, no obstante, evitar que aniden en el suelo, porque si lloviese, el nido podría anegarse.*

Lorí de nuca verde

Lorí arco iris

Lorí de Edward

◄ *Las subespecies del lorí de nuca verde se distinguen por el color de las plumas que recubren su cabeza y su pechuga. El lorí arco iris es mucho más colorista, por ejemplo, que el de Edwards, que tiene la pechuga amarilla. El lorí de nuca verde tiene las manchas de ambos lados del cuello de color amarillo verdoso.*

P R...

● **¿Por qué es tan importante el color del pico de los loríes de Stella?**

En pico de estos loríes indica claramente su estado de salud. Cuando están sanos, tienen el pico de color rojo intenso. Si el pico parece descolorido, significa que padecen una enfermedad degenerativa del hígado que no tiene cura, aunque puedan seguir viviendo durante algún tiempo.

● **¿Puedo utilizar Stella rojos o con melanosis como reproductores?**

Los ejemplares con melanosis suelen venderse bastante baratos, porque sus colores resultan mucho menos espectaculares. En todo caso, tenga en cuenta que si dos ejemplares con melanosis procrean, los polluelos pueden salir tanto con melanosis como rojos, y lo mismo puede decirse cuando se emparejan un ejemplar con melanosis y un Stella rojo. En cambio, de dos Stella rojos, sólo pueden nacer ejemplares rojos.

● **¿Los loríes de cola larga son resistentes?**

Sí, son resistentes por regla general una vez aclimatados, pero no olvide que las especies más pequeñas, debido a su tamaño, pueden tener muchas más dificultades para sobrevivir al duro invierno de las regiones de clima templado sin calefacción ni iluminación artificial, así que todo depende de las dimensiones; incluso los loríes de mayor tamaño deberían pernoctar durante el invierno en el refugio.

na (lorí de Masena); muy extendida por las islas del este de Nueva Guinea, y, por último, la *t. h. mitchelli* (lorí de Mitchell), originaria de Lombok y de Bali. Aunque en algunas de estas razas se observan leves diferencias entre los sexos (el color de la pechuga del macho es con frecuencia más intenso), suele ser mucho más seguro recurrir a pruebas de ADN para sexarlos. Otra posibilidad, cuando no se conoce a ciencia cierta el sexo de estos loríes, es hacerlos criar en colonia en vez de mantener sólo una pareja (que podría no serlo realmente). El único requisito para crear una colonia es introducir a todos los ejemplares al mismo tiempo y, por supuesto, instalar más cajones de anidación.

Trichoglossus goldiei (lorí de Goldie). Esta especie originaria de Nueva Guinea no empezó a criarse en

Características de la especie

Familia: Sitácidos.

Longitud: 18-28 cm.

Distribución geográfica: Australia, Nueva Guinea y otras islas del Pacífico.

Opciones de color: Prácticamente no se conocen.

Compatibilidad: A veces pueden vivir en colonias.

Valor como mascota: No suelen tenerse como mascota a causa de sus deposiciones, que ensucian en exceso, pero son aves despiertas y muy sociables.

Dieta: Preparado de néctar y fruta fresca (manzana, uvas, granos de granada, etc.).

Problemas de salud: Propensos a la candidiasis.

Consejos de cría: Hay que colocar los cajones-nido en rin-

cones no demasiado visibles de la pajarera.

Nido: Cajón-nido de unos 25-30 cm², con un mínimo de 28 cm de profundidad, revestido con una buena capa de virutas gruesas de madera.

Nidada típica: 2-3 huevos.

Período de incubación: 22-26 días.

Alimentación durante la época de cría: Pueden tomar pasta de insectos o piensos para aves no granívoras, así como gusanos de la harina vivos, mientras los pollos permezcan en el nido.

Desarrollo: Abandonan el nido con entre 9 y 11 semanas de edad.

Esperanza de vida: Pueden vivir más de 15 años.

◀ Los pollos del lorí de Goldie tienen ya la cabeza de color berenjena, pero su pico es más claro que el de los adultos, ya que es pardusco en vez de negro. El ejemplar de la fotografía exhibe ya el plumaje de adulto. Las marcas en forma de raya, distintas en cada individuo, permiten muchas veces su identificación.

▶ Ni el lorí de Stella ni ningún otro sitácido necesita mejoradores del color para mantener vivo el color rojo de sus plumas. Los Stella se desplazan por las perchas saltando de un modo muy característico.

cautividad hasta 1977. Desde entonces demostró ser muy prolífica, y actualmente estos pequeños loríes pueden llenar de encanto cualquier pequeña pajarera de jardín, sobre todo porque son mucho más silenciosos que sus parientes de mayor tamaño. Sus manchas son inconfundibles: un bonete rojo les cubre la frente y la coronilla, sus mejillas son malvas y toda la parte inferior de su cuerpo es de color amarillo claro y está sembrada de rayas verde oscuro. Los sexos no se pueden diferenciar a simple vista, pero los ejemplares jóvenes se distinguen por sus tonos más apagados. Aunque comen también algunas semillas pequeñas como el mijo, también se nutren básicamente de néctar y fruta fresca.

Charmosyna papou (lorí de Papúa). De todos los loríes de cola larga, el de Papúa es uno de los más bellos. Una de sus subespecies (la *c. p. stellae* o lorí de Stella) es la más popular entre los amantes de los loríes. Existen dos variedades claramente diferenciadas en libertad. La variedad roja es de un carmín encendido, con alas verdes y manchas muy oscuras en la parte baja del abdomen y justo detrás de los ojos. En este caso, las hembras se detectan fácilmente, porque tienen manchas de color amarillo en la rabadilla. Los ejemplares que viven a gran altitud (en las montañas de Nueva Guinea) se distinguen a menudo por su melanosis, que oscurece su plumaje hasta el punto de que casi todo su cuerpo es negro y lustroso, salvo la coronilla, que es azul oscuro. En este caso, lo machos se distinguen por las manchas rojas que exhiben a ambos lados de la rabadilla, totalmente negra en la hembra. Son aves silenciosas y no destructivas que despliegan todo su encanto en zonas de vuelo amplias, donde puedan mostrar su carácter juguetón.

Características y necesidades

En las pajareras en las que vivan estos loríes se debe extremar la limpieza. Una gruesa capa de papel de periódico en el suelo del refugio nocturno facilita bastante la recogida de deposiciones. Todas las especies descritas son bastante resistentes, aunque las variedades de menor tamaño siempre agradecen algo de calefacción durante el invierno.

Necesitan una mezcla de néctar especial. Los loríes de Stella, como los *charmosyna*, requieren una concentración distinta que los demás en la solución de néctar (consulte las intrucciones del fabricante o preguntar a un criador). El néctar siempre debe servirse en dispensadores cerrados y con pico, porque si se utilizasen recipientes abiertos, los loríes no resistirían la tentación de bañarse, y eso sería desastroso para sus plumas. Por eso nunca debe faltarles un gran recipiente con agua limpia que haga las veces de bañera.

También hay que servirles a diario fruta fresca y otros alimentos, como bizcocho empapado en néctar. Los loríes de cola larga también comen hierbas o vegetales de hoja y hortalizas como la zanahoria troceada. Es importante ofrecerles vegetales surtidos, entre otras cosas para aportar más fibra alimentaria a su dieta. Aunque se alimenten básicamente de líquidos, es esencial que siempre tengan a su alcance agua limpia para beber.

Para criar necesitan lo mismo que los loríes de cola corta y cuadrada, aunque hay que adaptar el tamaño de la caja-nido a las dimensiones de cada especie. Los *t. haematodus* (loríes arco iris) son más destructivos que los demás en épocas de cría, por lo que necesitan cajones-nido más sólidos y resistentes. También tienen la costumbre de desplumar a sus polluelos, aunque éstos recuperan las plumas pocas semanas después de abandonar el nido.

Cacatuidos GÉNEROS: EOLOPHUS Y CACATUA

LOS CACATUIDOS SE IDENTIFICAN fácilmente por su largo moño de plumas, que se eriza cada vez que se excitan o sobresaltan. Son aves inquietas, ruidosas y bastante destructivas, por lo que sólo pueden vivir en pajareras amplias, resistentes y alejadas de los vecinos, a los cuales sin duda molestarían con sus chillidos estrepitosos. Los cacatuidos alimentados a mano pueden convertirse en excelentes mascotas, pero a menudo se vuelven rencorosos y malévolos cuando alcanzan la plena madurez, a los cuatro o cinco años de edad. Al carecer de la llamada *capa azul* presente en la mayoría de los sitácidos, su plumaje exhibe tonalidades más bien monótonas en casi todas las especies.

Variedades más populares

Los cacatuidos procedentes de Indonesia se ven con más frecuencia en cautividad que los australianos. Sólo se han registrado variantes de color en el *eolophus roseicapillus*.

Eolophus roseicapillus (gala). Esta especie es muy popular entre los criadores australianos, pero prácticamente desconocida en el resto del mundo. El gobierno australiano prohibió en 1960 la exportación de ejemplares, pero los gala son tan prolíficos que el número de ejemplares criados en cautividad no se redujo ni en Estados Unidos ni en Europa. Actualmente se están criando *e. ro-*

seicapillus con plumas blancas en vez de grises. La intensidad del tono rosado que caracteriza a esta especie (conocida por muchos como *cacatúa rosa*) es variable.

Cacatua sulphurea (cacatúa de moño amarillo). La *c. sulphurea* de Timor, denominada *c. s. parvula*, es la raza más reducida de todas. La raza procedente de la isla de Sumba, denominada *c. s. citrinocristata*, no tiene la cresta de color amarillo-azufre, sino más bien anaranjada.

Cacatua alba (cacatúa de moño blanco). Estas impresionantes cacatúas blancas como la nieve sólo pueden vivir en pajareras de obra, ya que las estructuras de madera sucumbirían sin remedio a sus ataques.

Eolophus roseicapillus

Cacatua alba

Características de la especie

Familia: Cacatuidos.

Longitud: 30-46 cm.

Distribución geográfica: Australia, Nueva Guinea y otras islas del Pacífico, incluyendo las Molucas.

Opciones de color: Prácticamente no se conocen.

Compatibilidad: Los machos en celo pueden comportarse de forma agresiva.

Valor como mascota: Pueden ser buenas mascotas. Ruidosos e impredecibles al alcanzar la edad adulta.

Dieta: Mezcla para loros de buena calidad con suplementos nutritivos, más vegetales de hoja y fruta.

Problemas de salud: Vulnerables a infecciones de las plumas como el PBFD. Los gala son propensos a desarrollar lipomas.

Consejos de cría: Las cajas-nido siempre deben estar a su alcance, y nunca deben faltarles trozos de madera que des-

trozar con el pico para forrar interiormente sus nidos con las virutas y para desfogarse, lo que reduce el riesgo de que se produzcan agresiones.

Nido: Cajón-nido, barril o tronco hueco natural y espacioso. Por regla general, debe medir un mínimo de 40 cm² y tener no menos de 51 cm de profundidad.

Nidada típica: 2 huevos, aunque algunos gala han puesto hasta cinco huevos en ocasiones.

Período de incubación: 25-30 días.

Alimentación durante la época de cría: Pueden comer con avidez semillas remojadas mientras sus pollos permanezcan en el nido.

Desarrollo: Abandonan el nido con 10 y 11 semanas.

Esperanza de vida: Si hacen suficiente ejercicio y su dieta es adecuada, pueden vivir incluso más de 70 años.

▲ *El característico amarillo azufre del* cacatua sulphurea *se aprecia sobre todo en las plumas del moño. Esta especie se concentra en Sulawesi, Indonesia.*

◄ *La forma del moño varía en cada especie. La amplia cresta desplegada del* cacatua alba *tal vez sea la más impactante y majestuosa.*

Características y necesidades

Que dos cacatúas sean de distinto sexo no siempre significa que estén dispuestos a procrear entre sí, y para estar seguros de que son compatibles lo mejor es elegir una pareja que ya haya criado anteriormente. Lo ideal es adquirir dos ejemplares de distinto sexo cuando aún son muy jóvenes y esperar que maduren juntos, pues de este modo es más probable que se acepten. Parece ser que los cacatúas se unen para toda la vida y, si un ejemplar pierde a su pareja, puede ser muy difícil convencerle de que acepte otra.

No es raro que un cacatuido rechace cualquier alimento salvo las consabidas semillas de girasol, pero en realidad necesitan una dieta más variada. Es más fácil acostumbrarlos al pienso completo cuando son pollos jóvenes que aún no han probado más que lo que ingerían de polluelos.

● *¿Qué es el PBFD y cómo afecta a las cacatúas?*

Es una infección vírica que sólo se detectaba en las cacatúas. Se recomienda someter a pruebas de PBFD a cualquier ejemplar antes de comprarlo, porque se trata de una enfermedad crónica que puede llegar a causar la muerte. Nunca se debe adquirir un cacatuido si no tiene el plumaje en perfectas condiciones. Si un ejemplar tiene calvas, sólo puede ser porque está infectado o porque sufre un trastorno de la conducta que lo empuja a arrancarse las plumas, y este vicio no se erradica fácilmente.

● *¿Puede darme algún consejo adicional relacionado con la cría de cacatúas?*

Necesitan cajas-nido resistentes y de fácil acceso, porque suelen desatender al polluelo más joven en beneficio del mayor y más fuerte, que, al tener más oportunidades de alimentarse, engorda cada vez más mientras su hermano menor se debilita hasta morir. Normalmente es posible salvarles la vida completando manualmente su ración, aunque en ocasiones es preferible retirar estos polluelos del nido y ocuparse de su manutención en el hogar, sobre todo cuando sus padres son muy nerviosos y se sienten perturbados con nuestras repetidas visitas al nido. Los gala a veces acolchan sus nidos con hojas, ramitas y otros materiales recogidos en la pajarera.

Cacatúas ninfa ESPECIE: NYMPHICUS HOLLANDICUS

LAS CACATÚAS NINFA, o de cara amarilla, se diferencian de los demás cacatuidos por su cola larga y su perfil grácil y esbelto. Son más fáciles de mantener que sus parientes más voluminosos, tanto en pajarera como en jaula. Como las demás cacatúas, utilizan las largas plumas de su cabeza para expresar sus estados de ánimo y carecen de la llamada *capa azul*, por lo que su color depende únicamente de la presencia o ausencia de pigmentos. La especie está extendida por casi toda Australia, exceptuando las zonas costeras.

Los *nymphicus hollandicus* empezaron a criarse en cautividad por la misma época que los *melopsittacus undulatus* (periquitos de Australia), pero siempre fueron mucho menos populares que ellos. Su popularidad se ha incrementado considerablemente, no obstante, desde que surgieron las primeras variantes de color.

Los ninfa causan muchos menos destrozos que las cacatúas propiamente dichas, por lo que pueden alojarse sin problemas en una estructura de madera corriente, con los paneles revestidos de malla metálica de 19G. Además, pueden vivir en colonias, o incluso compartir pajarera con los periquitos.

Se comunican emitiendo una especie de silbidos en serie, y el canto de los machos es un dulce gorjeo que difícilmente molestará a ningún vecino. Los pollos jóvenes se pueden convertir en estupendas mascotas familiares, y su esperanza de vida es prolongada. Otra de sus ventajas es que siguen reconociendo a su propietario y portándose bien cuando maduran... algo que, desde luego, no puede decirse siempre de sus parientes más grandes.

▲ *Los ninfa son tranquilos y dulces por naturaleza, incluso en épocas de cría. Son tan sociables que pueden compartir pajarera con conirrostros, aves no granívoras de pequeñas dimensiones y hasta palomas sin el menor peligro de que surjan disputas.*

Variedades más populares

Las variaciones en el color son más limitadas que en muchas otras especies de sitácido debido a la peculiar estructura de su plumaje. En algunos países, como Estados Unidos, por ejemplo, ya se han establecido *estándares* oficiales para las distintas variantes de color. Estas mutaciones no afectan en absoluto a su docilidad, su capacidad de imitar la voz humana o su aptitud como mascotas.

Los machos se identifican fácilmente por su cabeza de color amarillo limón y por los círculos naranjas que dibujan las coberteras de sus oídos. El resto de su plumaje es gris, con grandes manchas blancas en las alas y las plumas inferiores de la cola negruzcas. Las hembras tienen la cabeza más grisácea y rayas amarillas en las plumas inferiores de la cola. Los ejemplares jóvenes se parecen mucho a las hembras, pero su cera es rosada en vez de gris y las plumas de sus colas son más cortas. Es posible identificar a los machos jóvenes antes de que desarrollen el plumaje de adultos (lo hacen a los seis meses de edad) gracias a sus gorjeos.

Pía (manchada). Esta mutación fue la primera en producirse, ya que tuvo lugar en 1949, en California.

El aspecto puede variar mucho de un ejemplar a otro, aunque en todos los casos aparecen manchas de color amarillo claro sobre el fondo gris. Con escasa frecuencia esta mutación afecta a las patas, que se vuelven rosas en vez de grises, uñas incluidas, debido a la ausencia de melanina en esa zona. Los criadores prefieren los ejemplares que exhiben manchas simétricas y armoniosas, pero ni siquiera emparejando dos ninfa píos casi iguales se puede garantizar que la distribución de las manchas será la misma en su descendencia.

Lutino. La mutación lutino surgió a finales de la década de 1950. Los lutino son fáciles de sexar si se los observa de cerca y con buena luz, porque las hembras exhiben rayas de color amarillo más oscuro en la parte inferior de la cola. A diferencia de la pía, que es recesiva y autosómica, la mutación lutino está vinculada al sexo.

Canela. En 1950 se descubrieron, en una pajarera neozelandesa, ejemplares de un cálido tono marrón en vez de grises, aunque en las bandadas de *nymphicus hollandicus* salvajes, en Australia, ya se habían visto ejemplares de ese color. Este color lo produce una alteración de la melanina presente en las plumas. El plumaje canela está vinculado al sexo, y los machos se vuelven más oscuros que las hembras al alcanzar la madurez.

Perla. Esta mutación afecta a la forma en que se distribuye la melanina por las plumas. Éstas son siempre claras por el centro y oscuras por los bordes, y al juntarse dibujan un delicado festón. Este efecto, no obstante, desaparece en los machos cuando llegan a adultos, porque se produce un incremento de melanina en su organismo que borra las manchas perladas (despigmentadas en realidad) de sus plumas. Recientemente ha surgido en Estados Unidos una nueva mutación perla en la cual los machos no cambian el plumaje, y se ha

▲ *La mutación* lutino *fascinó a los criadores hasta el punto de lograr que los* nymphicus hollandicus *pasasen de ser prácticamente desconocidos a ser una de las especies más populares en pocos años.*

comprobado que es posible cruzar ejemplares perla con ejemplares tanto claros como oscuros para producir, por ejemplo, variantes canela o lutino perlados.

De cara blanca. En esta variante desaparecen las características manchas naranjas y amarillas de la especie. Las hembras tienen la cabeza grisácea y conservan las rayas blancas en la parte inferior de la cola, pero los machos tienen la cara completamente blanca y el resto

Características de la especie

Familia: Cacatuidos.

Longitud: 30 cm.

Distribución geográfica: Casi toda Australia.

Opciones de color: Bastantes.

Compatibilidad: Los ninfa son muy sociables.

Valor como mascota: Son excelentes mascotas. Los ejemplares jóvenes se convierten en animales de compañía. **Dieta:** Mezcla de varios tipos de mijo, alpiste, avena partida y semillas de girasol con cierta cantidad de cañamones, más vegetales (hierbas) de hoja y manzanas dulces.

Problemas de salud: Los jóvenes padecen candidiasis y los adultos, de lombrices intestinales.

Consejos de cría: Las parejas crían mejor a sus polluelos cuando viven aisladas que cuando viven en colonias.

Nido: Cajón-nido de unos 23 cm² x 30 cm de profundidad, acolchado interiormente con virutas de madera.

Nidada típica: 5-6 huevos.

Período de incubación: 19 días.

Alimentación durante la época de cría: Mientras los polluelos permanezcan en el nido, no les deben faltar ni piensos blandos para aves no granívoras ni semillas remojadas, como por ejemplo panojas de mijo.

Desarrollo: Abandonan el nido con unas 5 semanas.

Esperanza de vida: Pueden vivir más de 30 años.

del plumaje de un tono gris muy oscuro. Esta mutación ya se ha combinado con otras, incluyendo la manchada y la perla, y también se ha logrado producir cacatúas ninfa de cara blanca albinos cruzando ejemplares de cara blanca con ejemplares lutino.

Plata dominante. En la mutación plata británica, es fácil diferenciar a simple vista los ejemplares con factor simple y doble porque estos últimos son mucho más claros que los primeros. Cruzando ninfas plata do-minante con ninfas de cara blanca se obtiene la llamada variante platino.

Otros colores. En la década de 1960 surgió una rara mutación plata recesiva que tenía los ojos rojos y aún existe en la actualidad. La variante *fallow* muy similar a la canela, es reciente y aún no está muy extendida. Una de las mutaciones más recientes es la de orejas amarillas, en la cual los caracterísicos círculos naranjas de las mejillas son reemplazados por manchas de color amarillo-oro.

◀ *Ejemplar canela perlado de orejas amarillas. Esta variante es una de las más recientes. Actualmente este tipo de combinaciones son normales, y con frecuencia se aúnan los tres tipos de mutación: las que afectan a las manchas faciales, las que producen dibujos en las plumas y las que alteran el color de fondo del plumaje.*

Características y necesidades

Si desea dedicarse a la cría, lo mejor es que adquiera ejemplares jóvenes para estar más seguro/a de su edad. Deberá desparasitarlos de forma preventiva antes de reunirlos con las otras aves que estén viviendo en la pajarera para evitar que puedan transmitirles lombrices intestinales. Si desea formar una colonia de cría, es preferible que introduzca a todos los ejemplares a la vez, en prevención de posibles disputas territoriales. Nunca introduzca un nuevo ninfa en plena época de cría, porque podría provocar el abandono de muchos huevos y polluelos por parte de sus padres. Si lo que quiere es obtener ejemplares de un determinado color, debe alojar por separado a las parejas para saber a ciencia cierta quiénes son los padres. Si lo que está buscando es una mascota, no olvide que hay muchos más ejemplares jóvenes a la venta desde finales de primavera hasta principios del invierno que en todo el resto del año.

A los cacatúas ninfa siempre se los había alimentado con una mezcla de semillas para periquitos de Australia enriquecida con cierta cantidad de semillas de girasol, pero actualmente muchos criadores prefieren utilizar piensos completos de alta calidad en bolitas para evitar los suplementos nutricionales que tendrían que suministrarles, si sólo les ofreciesen semillas, para compensar las deficiencias de vitamina A y otros nutrientes de ese tipo de dieta.

Cuando los ninfa viven en colonia, a menudo dos parejas deciden compartir un cajón-nido y se juntan allí tantos huevos que no es posible incubarlos a todos, por lo que no llegan a eclosionar. Por este motivo, la producción de polluelos se incrementa cuando las parejas viven aisladas. Aunque se trata de una especie prolífica y las hembras ponen huevos durante casi todo el año, en las regiones de clima templado es preferible permitir que aniden sólo durante los meses cálidos. Para lograrlo basta con introducir los cajones-nido en primavera y retirarlos en el momento oportuno.

▶ *Ninfa amarillo pálido pío y perlado. En realidad, «amarillo pálido» no es el nombre de una mutación, sino simplemente una forma de referirse a los ejemplares que nacen con las plumas amarillas más claras (casi blanco-amarillentas).*

P/R...

● **¿Por qué se me están muriendo los polluelos tras salir del cascarón?**

Puede deberse a múltiples causas, desde el abandono por parte de los padres, hasta una debilidad congénita. La causa más habitual es la candidiasis, propiciada por una deficiencia de vitamina A. Si los está alimentando con semillas, suminístreles un complemento vitamínico y es probable que solucione el problema.

● **Uno de los polluelos ha nacido con el plumón blanco en vez de amarillo. ¿Estará enfermo?**

¡En absoluto! Los ninfa se cubren de una gruesa capa de plumón que, aunque por regla general es amarillo, en las variedades que carecen de este pigmento es blanco. En cuanto abra los ojos podrá saber si se trata de un ejemplar albino, porque éstos no tienen los ojos negros sino encarnados.

● **¿Produciré más pollos si junto a todas mis cacatúas en una gran pajarera?**

Probablemente no, porque los adultos tienen la costumbre de compartir los cajones de anidación y en el nido se acumulan doce o más huevos, tantos que luego no son capaces de incubarlos. Algunos mueren sin llegar a eclosionar, y los que logran salir del cascarón no lo hacen todos a la vez, sino de forma escalonada. Entonces, los más jóvenes, incapaces de competir con los mayores y más fuertes por la comida, acaban muriéndose de hambre. Además, si los cacatúas viven en colonia, usted nunca podrá emparejarlos a voluntad.

Pequeños guacamayos GÉNERO: ARA

ESTOS SITÁCIDOS AMERICANOS están muy extendidos desde México hasta Sudamérica. Se distinguen por sus mejillas desprovistas de plumas y su larga cola.

Las pajareras para guacamayos suponen un inversión considerable, y muchos aficionados eligen las especies menos corpulentas y destructivas, aunque a veces resulten muy ruidosas. Los polluelos criados por humanos se convierten en excelentes y afectuosas mascotas, aunque no destacan como aves *parlantes*, ya que rara vez llegan a aprender más de 20 o 30 palabras en total.

Variedades más populares

Las siguientes especies son fáciles de adquirir en Estados Unidos y en Europa, y si una pareja cuaja y la pajarera es idónea, crían todos los años sin problema alguno.

Ara auricollis (macao de nuca amarilla). Se distingue por la mancha de color amarillo intenso que rodea su nuca. Tiene manchas de un negro pardusco en la cabeza, y en el resto del cuerpo predomina el color verde. Las plumas timoneras son azuladas por arriba y rojizas por la punta. Como muchos otros macaos, nos pueden ser sexados con total seguridad más que mediante pruebas de ADN, pero en general los machos tienen la cabeza menos estilizada que las hembras.

Ara manilata (macao de vientre rojo). Procede de Guyana y las tierras colindantes. La piel de sus mejillas no es blanca como en otros guacamayos, sino amarillenta. Su plumaje es verde, aunque con manchas azules en la cabeza y la pechuga y una gran mancha marrón rojiza en el vientre y entre los muslos. Esta especie engorda con suma facilidad, y su obesidad es la causa de muchos casos de muerte súbita, que se producen sobre todo en situaciones estresantes como un traslado o el acoso de un gato. Por este motivo conviene sustituir la clásica dieta a base de semillas de girasol por un pienso seco de calidad y ofrecerles gran cantidad de fruta fresca. Agradecen la calefacción durante el invierno.

Ara nobilis (macao de Hahn). Es la especie más reducida de todas. Está muy extendida por las regiones más nororientales de Sudamérica. Se caracteriza por su tamaño miniatura y por la mancha roja que presentan en el borde exterior de las alas. Los macaos de Hahn, como los demás guacamayos, tienen blancas y peladas las mejillas en vez de la piel que ro-

◄ *Los* ara auricollis *proceden de Sudamérica. Actualmente pueden verse en libertad en Paraguay, Bolivia, el norte de Argentina y algunas zonas de Brasil.*

Características de la especie

Familia: Sitácidos.

Longitud: 30-46 cm.

Distribución geográfica: Casi toda Sudamérica.

Opciones de color: No se conocen.

Compatibilidad: Pueden vivir en colonias.

Valor como mascota: Si se adquieren de jóvenes, pueden convertirse en buenas mascotas y aprender a hablar.

Dieta: Pienso completo o mezcla para loros de buena calidad complementada con fruta y/o vegetales de hoja.

Problemas de salud: Los pequeños guacamayos a veces tienen la manía de arrancarse a sí mismos las plumas.

Consejos de cría: Las cajas-nido deben colocarse en rincones tranquilos de la pajarera.

Nido: El cajón debe ajustarse a las dimensiones de cada especie, pero en términos generales debe medir entre 23 y 30 cm y contar con un mínimo de 60 cm de profundidad. Se acolcha con una buena capa de virutas gruesas de madera.

Nidada típica: 2-3 huevos.

Período de incubación: 25-27 días.

Alimentación durante la época de cría: Piensos blandos para aves no granívoras.

Desarrollo: Abandonan el nido conentre 8 y 12 semanas de edad.

Esperanza de vida: Pueden vivir más de 30 años.

---

dea sus ojos, un rasgo propio de las cotorras (véanse págs. 166-169).

Existe una subespecie, el *a. n. cumanensis* o ara noble, con la parte superior del pico de color cuerno claro en vez de gris, pero está poco representada en la avicultura.

Características y necesidades

Necesitan pajareras resistentes, con paneles de madera de 5 cm de espesor como mínimo revestidos de malla metálica de calibre 16G. Todas las partes deterioradas deberán reforzarse antes de que los ocupantes acaben de destruirlas con sus picos. Si hay bastantes perchas y éstas se renuevan con frecuencia, los macaos se distraerán con ellas y causarán menos destrozos en la carpintería.

Hay que servirles una buena mezcla para loros complementada con un suplemento nutricional adecuado o pienso seco completo, además de frutas y vegetales de hoja surtidos. A algunos guacamayos les encanta picotear gruesos tronchos de acelga, y en general todos adoran los granos de granada.

Necesitan sólidos cajones de anidación durante todo el año, ya que también los utilizan para dormir. Cuando se acerca la época de cría, las hembras permanecen en su interior durante parte del día, y ambos sexos se muestran más ruidosos y, casi siempre, también más destructivos, pues empiezan a picotear furiosamente los huesos de jibia y las perchas. En este momento conviene introducir en el cajón trozos de madera, para que la hembra pueda reducirlos a astillas y acolchar con ellas el nido. Después de la puesta, sólo las hembras incuban, aunque los machos las acompañan en ocasiones.

P R...

● *¿Puedo tener más de una pareja de macaos en la pajarera?*

Eso depende del tamaño de su pajerera. Las parejas de *ara nobilis* viven muy a gusto junto a otras parejas y suelen anidar sin problemas siempre que haya suficientes cajones de anidación y todos estén colocados más o menos a la misma altura. Nunca hay que introducir nuevos ejemplares en la pajarera cuando un grupo ya esté formado, pero la comunidad aceptará a los polluelos nacidos en su misma pajarera cuando abandonen el nido.

● *Mi macao de nuca amarilla tiene algunas plumas naranjas en el collar. ¿Son una pista para conocer su sexo?*

Lo único que indican esas plumas es el origen geográfico de su ejemplar. El tono de la nuca puede variar ligeramente de un *ara auricollis* a otro, pero no da ninguna pista acerca de su sexo ni se altera con el tipo de alimentación.

● *¿Cómo se pueden distinguir los pollos de macao de nuca amarilla de los adultos?*

Aunque su plumaje es muy similar, los ejemplares jóvenes tienen las patas grises en vez de rosas cuando abandonan el nido.

● *¿Los pequeños guacamayos pueden anidar dos veces seguidas?*

Es más probable que lo hagan los *ara nobilis* que las especies más voluminosas. Éstas prefieren descansar antes de la segunda puesta. Se les puede inducir a que pongan de nuevo retirando los huevos recién puestos e incubándolos artificialmente.

● *¿Cuál de estas especies es la más adecuada como mascota?*

Probablemente, los *ara nobilis* sean los más adecuados, porque son más pequeños y manejables (lo que permite que vivan en el hogar), y además porque su voz no es tan chillona como la de sus parientes de mayor tamaño.

Grandes guacamayos GÉNERO: ARA

Ararí

Aracanga

Guacamayo
aliverde

ESTOS GUACAMAYOS enormes y llenos de colorido viven en los parques zoológicos y ornitológicos, debido a su tamaño, pocos particulares les pueden ofrecer un alojamiento tan grande y prácticamente indestructible como necesitan. Además, sus gritos son tan ensordecedores que se escuchan incluso a larga distancia.

Variedades más populares

Tres famosas especies viven en libertad en regiones muy vastas del planeta, y el tamaño de los ejemplares puede variar dependiendo de su distribución geográfica.

Ara ararauna (ararí). Este guacamayo común en casi toda la mitad septentrional de Sudamérica se iden-

tifica de inmediato por su pechuga y abdomen dorados y por las plumas azules que se extienden desde la coronilla hasta la parte superior de su cola, pasando por el dorso y las alas. Existe una especie muy similar, aunque mucho más localizada y declarada en peligro de extinción, en Bolivia. Tiene azules las plumas de la garganta y recibe el nombre *ara glaucogularis* (canindé de Bolivia).

Características de la especie

Familia: Sitácidos.

Longitud: 86-91 cm.

Distribución geográfica: Centroamérica y gran parte de Sudamérica.

Opciones de color: Muy raras.

Compatibilidad: Las parejas crían mejor aisladas.

Valor como mascota: Cualquier familia media tendrá dificultades para alojarlos y alimentarlos convenientemente.

Dieta: Pienso completo o mezcla de frutos secos y semillas de buena calidad, más fruta y vegetales (hierbas) de hoja.

Problemas de salud: Disfunciones específicas del aparato excretor y papilomas en la cloaca.

Consejos de cría: Comprobar que las cajas-nido están bien fijadas, para evitar que puedan caerse.

Nido: Cajón-nido de unos 46 cm² con 91 cm de profundidad como mínimo de 60 cm, bien acolchada con gruesas virutas de madera. Se necesita una escalerilla interior de acceso bien segura.

Nidada típica: 2-3 huevos.

Período de incubación: 26-28 días.

Alimentación durante la época de cría: Pueden comer piensos blandos para aves no granívoras mientras sus pollos permanezcan en el nido.

Desarrollo: Abandonan el nido con entre 12 y 14 semanas de edad.

Esperanza de vida: Pueden vivir más de 50 años.

► *La piel desnuda de las mejillas refleja el estado de ánimo de estos guacamayos, que se ruborizan al excitarse. Las estrechas líneas de plumitas, distintas en cada individuo, permiten su identificación.*

◄ *Sexar a simple vista y con seguridad a los aras multicolores no es posible, aunque con frecuencia los machos tienen la cabeza un poco más grande que las hembras. El tamaño de los ejemplares varía según la distribución geográfica, y estas variaciones también se reflejan en los ejemplares nacidos en cautividad.*

Ara chloroptera (guacamayo aliverde). Su cuerpo es de color rojo intenso y, en sus alas, el verde de las plumas coberteras va transformándose de forma gradual en el azul de las plumas remeras, desde el centro hasta la punta. Existe en libertad desde Centroamérica hasta el norte de Argentina. Las delgadas hileras de finas plumitas de las mejillas son aún parduscas en vez de rojas en los ejemplares jóvenes, y sus ojos aún son oscuros (como en todos los ara inmaduros).

Ara macao (aracanga). Conocido como guacamayo rojo, se distingue de la especie anterior por la mancha amarillo-dorada de sus alas. Es un emblema viviente en Venezuela, pues sus plumas reflejan los colores de su bandera. Aunque pueden verse ejemplares en libertad desde Centroamérica hasta el norte de Brasil, en las regiones más septentrionales la población de aracangas está disminuyendo y se los considera una especie en peligro de extinción.

Características y necesidades

Pueden alimentarse con pienso completo o con una mezcla de grandes frutos tales como las nueces, las avellanas y las nueces del Brasil, todos con cáscara, como alimento principal. Les encantan las semillas de girasol y los cacahuetes, pero no deben ser el ingrediente principal de su dieta porque podrían propiciar la mala costumbre de arrancarse las plumas. Si se los alimenta a base de frutos secos, conviene suministrarles un complemento nutritivo, que puede espolvorearse sobre la mezcla de fruta fresca o los vegetales de hoja que se les deben ofrecer a diario.

Su cajón-nido debe ser realmente muy resistente para soportar el ataque de sus picos. Muchos criadores utilizan toneles vacíos con este fin, que colocan sobre una plataforma y a cubierto en la gran pajarera. En épocas de cría, todos estos aras pueden mostrarse agresivos (y en especial los criados por mano humana), por lo que conviene tomar las precauciones necesarias cuando haya que acercarse a sus nidos.

P/R...

● *¿Se han registrado mutaciones de color en los guacamayos multicolores?*

En el *ara ararauna* (ararí) se produjo una mutación con plumas blancas en vez de amarillas en toda la parte inferior de su cuerpo. Un ejemplar así fue presentado oficialmente en Inglaterra en 1974, en la National Exhibition of Cage and Aviary Birds que se celebró en Londres, y en las exposiciones ornitológicas de 1999 pudieron verse nuevos ejemplares.

● *¿Por qué los guacamayos huelen de esa forma tan especial?*

Los guacamayos exhalan un intenso olor a almizcle, sobre todo cuando están en perfecto estado de salud. Este olor no es desagradable ni asfixiante en absoluto. Podría proceder de las glándulas sebáceas que mantienen engrasadas sus plumas, aunque no se sabe muy bien para qué emiten tales señales olfativas los guacamayos, teniendo en cuenta que ningún ave utiliza el del olfato para casi nada.

● *¿Cómo puedo asegurarme de que una pareja de guacamayos será capaz de criar?*

Lo más seguro es invertir algo más de dinero en una pareja que ya haya criado anteriormente. Hay que tener mucho cuidado cuando se intenta emparejar dos ejemplares adultos, porque podrían pelear entre sí, aunque este riesgo disminuye si ambos se ven por vez primera en territorio neutral. Cuando dos ejemplares ya se han emparejado, seguirán criando juntos durante décadas, pero los guacamayos jóvenes pueden tardar más de cinco en alcanzar la madurez.

Cotorras aratinga GÉNEROS: ARATINGA Y NANDAYUS

EN GÉNERO ARATINGA está formado por diecinueve especies diferentes, y con frecuencia se incluye también una especie con la que todas están estrechamente emparentadas, la *nandayus nenday*. En muchas de ellas predomina el color verde, aunque existen excepciones, como los atractivos *aratinga solstialis*. Ningún aratinga puede sexarse a simple vista, pues las diferencias en las manchas no dan ninguna pista acerca del sexo de los individuos.

Variedades más populares

Como es de esperar, las variedades más populares son las que exhiben un colorido más deslumbrante.

Aratinga solstialis (aratinga Sol). La intensidad de los colores varía de un individuo a otro. A ambos lados de la cara y en el abdomen predominan los tonos naranjas, sus plumas remeras son azules y las manchas verdes de sus alas son variables. Las plumas timoneras son de un verde oliváceo y normalmente azuladas por la punta. Alrededor de los ojos tienen un círculo de piel desnuda y blanca y su pico es negro. Los ejemplares jóvenes exhiben más tonalidades que los adultos y tienen más plumas verdes en general.

Aratinga erythrogenys (aratinga de cara roja). Esta especie procede de Perú y Ecuador. Muchos aratinga exhiben plumas rojas, pero en éstos la mancha roja es más extensa, ya que cubre toda su cabeza y su cara, exceptuando la zona posterior de las mejillas. También tienen rojas las puntas de las alas y la parte interior de las mismas. Los ejemplares jóvenes se distinguen de los adultos porque su cara aún está cubierta de plumas verdes.

Aratinga canicularis (aratinga de Petz). Esta especie procede de la parte occidental de Centroamérica, desde México hasta Honduras. En ella predomina el color verde, aunque su cabeza y la parte superior de su pechuga son verde-grisáceas. Estas cotorras tienen una llamativa mancha naranja encima del pico y plumas de color azul claro más atrás, por encima de los ojos.

Nandayus nenday (nanday). Procede de las regiones meridionales de Sudamérica y se reconoce al instante porque tiene la cabeza de color negro, manchas rojas en la parte superior de los muslos y una faja de color azul claro que atraviesa de lado a lado su pechuga. En el resto de su cuerpo predomina el color verde.

Características y necesidades

Estas cotorras quedan muy bonitas en cualquier pajarera, pero emiten un sonido agudo y penetrante que puede hacerse insoportable cuando se reúnen varias parejas en zonas de vuelo adyacentes, y lo peor es que, cuando una pareja se alarma, hace que se exciten todas las demás. Las cotorras aratinga suelen vivir agrupadas en estado salvaje y conviven sin problemas en las pajareras, siempre que éstas sean suficiente-

◀ *Los* aratinga solstialis *proceden de las regiones más septentrionales de Sudamérica. Hasta 1971 eran prácticamente desconocidas por los aficionados a la avicultura, aunque ya habían sido criadas en cautividad en Francia en 1883.*

Características de la especie

Familia: Sitácidos.

Longitud: 23-36 cm.

Distribución geográfica: Centroamérica y gran parte de Sudamérica.

Opciones de color: No hay oferta.

Compatibilidad: Si se desea utilizarlos como reproductores, es preferible alojar a las parejas por separado.

Valor como mascota: Son amigables por naturaleza, pero pueden hacer demasiado ruido.

Dieta: Pienso completo o mezcla para loros de buena calidad complementada con semillas como la avena partida, el alpiste y el mijo. Hay que servirles fruta fresca y vegetales de hoja a diario.

Problemas de salud: Pueden adquirir el vicio de arrancarse las plumas.

Consejos de cría: Suelen preferir las cajas-nido instaladas en el refugio nocturno a las de la zona de vuelo.

Nido: Cajón-nido de unos 30 cm² y unos 46 cm de profundidad, acolchada con una capa de gruesas virutas de madera.

Nidada típica: 3-4 huevos.

Período de incubación: 26-28 días.

Alimentación durante la época de cría: Pueden comer piensos blandos para aves no granívoras mientras sus pollos permanezcan en el nido.

Desarrollo: Abandonan el nido con 7 u 8 semanas de edad.

Esperanza de vida: Pueden superar los 25 años de vida.

*Aratinga
erythrogenys*

*Aratinga
canicularis*

*Aratinga
aurea*

mente grandes. La cría, sin embargo, suele dar mejor resultado cuando las parejas se mantienen aisladas entre sí.

Estos aratinga son fáciles de alimentar, aunque cada cotorra pueda mostrar preferencia por determinados alimentos.

Las cotorra necesitan siempre cajones-nido, porque los utilizan para dormir cuando no están criando.

◄ *Los aratingas de cara roja quedan muy vistosos en la pajarera, aunque pueden causar algún destrozo que otro. Son una de las especies más corpulentas del grupo. La llamativa mancha que adorna la frente del aratinga de Petz hace que también se lo conozca como aratinga de frente naranja.*

● **¿En qué se diferencian los aratingas de frente naranja de los de frente dorada?**

Los *aratinga canicularis* (de frente naranja) tienen la parte superior del pico de color marfil, mientras que los aratinga aurea (de frente dorada), también *llamados de frente melocotón*, la tienen de color negro. Los ejemplares jóvenes de ambas especies se distinguen por sus iris oscuros y porque la mancha anaranjada de su frente es más reducida.

● **¿Con qué frecuencia anidan los aratinga?**

Pueden producir dos nidadas seguidas, o sólo una cada vez, eso depende de cada pareja. Las especies más pequeñas, como la *aratinga aurea* (aratinga de frente dorada) suelen ser más prolíficas que las de mayor tamaño como la a. erythrogenys (de cara roja). Cuando vea a sus aratinga pasar parte del día en el cajón-nido, en vez de utilizarlo sólo para dormir, estarán preparados para anidar.

● **¿Dónde tengo que colocar el cajón-nido?**

Elija un rincón íntimo, poco expuesto, donde sus aratingas puedan sentirse seguros.

● **¿Las cotorras aratinga pueden vivir en colonia?**

Sí. Es normal ver bandadas de aratinga salvajes en su entorno natural, y no tienen ningún inconveniente en vivir agrupados en las pajareras, siempre que éstas sean suficientemente espaciosas. No obstante, si lo que desea es dedicarse a la cría, debe saber que las parejas suelen resultar más productivas cuando viven aisladas.

Otras cotorras

GÉNEROS: PYRRHURA, CYANOLISEUS Y ENICOGNATHUS

LAS COTORRAS PYRRHURA tienen más claras las puntas de las plumas que recubren su tórax, por lo que su pechuga parece cubierta de escamas. Las *enicognatus leptorhynchus* se les parecen, aunque son de mayor tamaño, y las *cyanoliseus patagonus* son las más ruidosas y destructivas. Todas ellas son amigables y nada perezosas a la hora de procrear.

Variedades más populares

Pyrrhura frontalis (cotorra de vientre granate). Las plumas de su cabeza y de sus alas son de un verde esmeralda deslumbrante. Su coberteras auriculares son pardas y las plumas de su pechuga, amarillas por la punta. Su vientre y la parte inferior de su cola son de color corinto. Cortejan pavoneándose de forma muy graciosa sobre la percha y se muestran amigables y confiadas con los humanos aunque vivan en pajarera, aunque no se muestran demasiado sociables con sus propios congéneres.

Cyanoliseus patagonus (cotorra de Patagonia). Plumaje verde oliváceo oscuro, con la pechuga pardo-grisácea, los muslos de dorados y el centro del abdo-

◄ *La* pyrrhura frontalis *es una de las especies que más se ven en cautividad de su género. Popularmente se los denomina cotorras de vientre granate, rojo o corinto.*

Características de la especie

Familia: Sitácidos.

Longitud: 23-51 cm.

Distribución geográfica: América Central y toda Sudamérica.

Opciones de color: Extremadamente inusuales.

Compatibilidad: Las parejas resultan más productivas cuando viven aisladas.

Valor como mascota: Son aves de compañía vivarachas y afectuosas. Algunas pueden hacer bastante ruido.

Dieta: Pienso completo o bien mezcla para loros de buena calidad complementada con semillas como la avena partida, el alpiste y el mijo. Suelen aceptar sin problemas los vegetales de hoja, la fruta y las zanahorias.

Problemas de salud: A veces adquieren el vicio de arrancarse las plumas. Los *enicognathus leptorhynchus* son propensos infestarse de lombrices.

Consejos de cría: Colocar las cajas-nido en el refugio nocturno y de forma que sea fácil acceder a su interior.

Nido: Para los *pyrrhura*, cajón-nido de unos 25 cm² con 46 cm aproximadamente de profundidad. Las cotorras de Patagonia necesitan cajones de 38 cm².

Nidada típica: 4-6 huevos.

Período de incubación: 24-26 días.

Alimentación durante la época de cría: Se recomienda suministrar semillas remojadas y piensos blandos para aves no granívoras.

Desarrollo: Abandonan el nido a las 7 u 8 semanas de edad.

Esperanza de vida: Pueden vivir 25 años o más.

► El c. patagonus, *procedente de Argentina y Chile, es la cotorra más corpulenta. Un cinturón de plumas blancas atraviesa su pechuga, aunque éste puede variar de un ejemplar a otro.*

▼ El e. leptorhynchus *es una cotorra inconfundible gracias a la parte superior de su pico, que se prolonga hacia abajo y utiliza para excavar la tierra en busca de raíces.*

men de color rojo. Los adultos tienen el pico negro, pero en los ejemplares jóvenes éste es aún parcialmente blanco.

Enicognathus leptorhynchus (cotorra de pico largo). Plumaje verde, con manchas rojas alrededor de la cera y una gran mancha roja en el centro del abdomen. Los ejemplares jóvenes tienen el pico más corto que los adultos y la piel desnuda que rodea sus ojos es aún blanquecina en vez de gris.

Sólo los *pyrrhura* pueden vivir en las pajareras convencionales. Los demás necesitan desarrollarse en pajareras más sólidas y adaptadas a las necesidades de cada especie. El c. *patagonu*, por ejemplo, necesita cajones de anidación de fácil acceso, porque en estado salvaje anida y duerme en las paredes verticales de los riscos de piedra caliza.

Los e. *leptorhynchus*, por su parte, necesitan que parte del suelo de la pajarera esté cubierta de césped para que poder hurgar en la tierra con sus largos picos, o al menos un cuadrado de césped con raíz, colocado en un recipiente adecuado sobre el pavimento. Debido a la forma de su pico tan característica, necesitan contar también con bebederos más profundos de lo habitual.

P/R...

● *¿Se pueden sexar a simple vista?*

Por desgracia, no. Su conducta no ofrece pistas al respecto, porque a veces dos ejemplares del mismo sexo se acicalan mutuamente como una verdadera pareja, induciendo a confusión. Si no puede hacerse con una pareja demostrada, tendrá que recurrir a pruebas de ADN o a la endoscopia para sexarlos con seguridad.

● *Aparte de la mezcla de semillas, ¿qué les gusta comer a estas cotorras?*

Las cotorras *pyrrhura* prueban casi cualquier alimento que se les ofrezca, por lo que no es difícil lograr que acepten el pienso completo desde que empiezan a comer por sí mismas. Las e. *leptorhynchus* son más reacias a probar cosas nuevas, pero a casi todas les encantan las zarzamoras. Las c.*patagonus*, por su parte, sienten casi siempre debilidad por los tallos de acelga. También aceptan de buen grado las mazorcas de maíz.

● *¿Las cotorras de pico largo también aprenden a hablar?*

Los e. *leptorhynchus* son buenas mascotas. Si fueron criados por humanos, son hábiles imitadores de la voz humana e incluso se encariñan con sus propietarios.

● *¿Los adultos atacan a los pollos cuando salen del nido?*

Los *pyrrhura* alimentados a mano empiezan muy pronto a mostrarse agresivos con sus compañeros, y hay que evitar que los pollos peleen entre sí. Los e. *petorhynchus* y los c. *patagonus* no necesitan ser retirados de la pajarera después de emplumecer, porque normalmente los adultos no los atacan, sobre todo cuando la pajarera es bastante grande para todos.

169

Brotogeris GÉNERO: BROTOGERIS

Brotogeris jugularis

Brotogeris versicolorus

B. versicolorus chiriri

▲ *Los* brotogeris *son aves muy sociables y las parejas normalmente crían mejor agrupadas en pajareras muy espaciosas. El género engloba siete especies, todas verdes, pero cada una con distintos tipos de manchas en la cabeza y las alas.*

ESTOS PERIQUITOS AMERICANOS llevan más de un siglo criándose en jaulas y pajareras, aunque no son tan buenos reproductores como otros pequeños sitácidos como las cotorras, por ejemplo. Esto se debe en parte al hecho de que no se pueden sexar a simple vista, y en parte a sus arraigados instintos gregarios.

Variedades más populares

En los brotogeris, las mutaciones de color son extremadamente raras, aunque en alguna ocasión se ha producido algún ejemplar azul, algo realmente notable en especies caracterizadas por su verde uniforme como el *brotogeris tirica*, o periquito verde del Brasil.

Brotogeris versicolorus (brotogeris variegado). El *b. versicolorus* propiamente dicho, tirando a verde oscuro y con manchas blancas sobre todo visibles en el borde exterior de las alas, se ve con mucha menos frecuencia en las colecciones que una de sus subespecies, el *b. v. chiriri* (chiriri o periquito con alas de canario). Esta raza exhibe un verde más llamativo y las manchas del borde de sus alas son de color amarillo canario. El *b. versicolorus* vive en la zonas más septentrionales de Sudamérica, y la subespecie *b. v. chiriri*, mucho más al sur.

Brotogeris jugularis (tovi). El tovi, también conocido como *bee-bee*, o periquito de barbilla naranja, es una de las especies menos vistosas, pues las manchas que adornan el arranque de sus alas son parduscas y sólo tiene algunas plumas levemente azuladas en la cabeza y la zona de la rabadilla. Sin embargo, se identifica de inmediato por la llamativa mancha naranja que tiene justo debajo del pico. La especie puede verse en libertad en el sudoeste de México y algunas partes de Colombia y Venezuela.

Características y necesidades

Los brotogeris jóvenes son muy dóciles y adecuados como mascota, pero normalmente se vuelven demasiado ruidosos cuando maduran. Los ejemplares adultos tienden a ser bastante tímidos y no aprenden a confiar por mucho aunque uno se esfuerce en domesticarlos en la pajarera. Sus fuertes picos les permiten deteriorar seriamente las estructuras de madera que no estén protegidas, y para distraer su atención de la carpintería es necesario proporcionarles numerosas perchas recién cortadas que

● *¿Sólo se crían en cautividad estas especies?*

R... Existen otras, como la *brotogeris pyrrhopterus* (brotogeris de flancos naranjas), que es la más colorista de todas, pues tiene plumas azules en la cabeza y naranjas bajo las alas. Esta especie procede de Ecuador y de Perú. La otra especie que puede verse también en las pajareras es la *brotogeris chrysopterus* (brotogeris de alas doradas), con las coberteras de las alas de color naranja y una franja marrón-negruzca por encima de la cera.

● *¿Cómo crían mejor los brotogeris, en parejas aisladas o en colonia?*

Si su pajarera no es realmente grande, lo mejor es que aísle a las parejas, pero en compartimentos adyacentes para que puedan verse y oírse unas a otras. Eso sí, la malla de separación debe ser doble y bien segura, porque si no, cada vez que uno de ellos trepase por la pared de malla, uno de sus vecinos podría herirle en un dedo.

▲ *Este* b. v. chiriri *en vuelo exhibe las típicas manchas amarillas que le han valido el nombre popular de periquito con alas de canario.*

destrozan con sus picos. El problema es que tardan muy poco tiempo en limarlas por los extremos, así que no es mala idea cortar las ramas destinadas a ser perchas más largas de lo necesario, pues los brotogeris pronto se encargán de recortarlas. También conviene colocarlas un poco inclinadas e irlas rectificando a medida que los sus usuarios las deforman. A estos periquitos americanos les encanta bañarse, por lo que necesitan un recipiente lleno de agua limpia todos los días. También necesitan que la fruta fresca sea una parte esencial de su dieta, pero rara vez aceptan los vegetales de hoja.

Las parejas se vuelven cada vez más destructivas a medida que se acerca el momento de anidar. Si viven en colonia, tal vez sólo anide la pareja dominante. Bajo ningún pretexto se debe retirar a un ocupante y devolverlo después a la colonia, porque eso desestabilizaría la estructura social de la bandada y, probablemente, induciría a algunas parejas a abandonar sus nidos.

Características de la especie

Familia: Sitácidos.

Longitud: 18-23 cm.

Distribución geográfica: México, Bolivia, Paraguay y Argentina.

Opciones de color: Se han visto ocasionalmente ejemplares azules.

Compatibilidad: Gregarios por naturaleza, viven muy bien en grupos ya formados.

Valor como mascota: Los pollos pueden domesticarse. No destacan como aves parlantes.

Dieta: Pienso completo o mezcla para periquitos a base de pequeños cereales y pienso para loros de calidad. También hay que servirles fruta fresca a diario.

Problemas de salud: Lesiones en las patas.

Consejos de cría: Colocar distintos cajones-nido en varios puntos discretos para que puedan elegir.

Nido: Cajón nido de unos 18 cm² con 30 cm de profundidad aproximadamente, acolchado con palitos finos que los adultos puedan convertir en virutas con las que forrar interiormente el nido.

Nidada típica: 3-4 huevos.

Período de incubación: 26 días.

Alimentación durante la época de cría: Panojas de mijo y granos de avena partidos, previamente remojados. También fruta, vegetales de hoja y piensos blandos para aves no granívoras.

Desarrollo: Abandonan el nido con 10 u 11 semanas.

Esperanza de vida: Pueden vivir 20 años o más.

Forpus GÉNERO: FORPUS

SEIS MINÚSCULOS loritos verdes integran el género *forpus*. Todos se caracterizan por sus manchas azules y a veces, también amarillas. Son la opción ideal para una pajarera urbana, porque no necesitan mucho espacio y difícilmente molestarán a los vecinos con su gritos, ya que la discrección es una de sus virtudes.

Variedades más populares

Se han registrado varias mutaciones de color, pero la más extendida es la variante azul del *forpus coelestis*, que debe su color a una mutación recesiva autosómica. En las pajareras brasileñas, no obstante, se crían variedades amarillas y lutino de esta especie y algunas variantes manchadas del *forpus xanthopterygius* (forpus de alas azules) y una mutación azul de esta especie.

Forpus coelestis (forpus celestial). Los machos tienen plumas azules detrás de los ojos y una mancha azul en el borde exterior de las alas. Su cara es de color verde intenso. Las hembras son mucho menos coloristas, ya que en todo caso tienen algo de azul en la cabeza y la rabadilla. Hay quien considera al *f. c. xanthops* (forpus de cara amarilla), un poco más grande, aún más colorista y con plumas amarillas en la cara, como una especie totalmente independiente. Los machos tienen

♀

♂

▲ *El* forpus coelestis, *también llamado* forpus celestial o periquito del Pacífico, *procede de Ecuador y Perú. Es fácil de sexar, como todos los* forpus.

Características de la especie

Familia: Sitácidos.

Longitud: 13-15 cm.

Distribución geográfica: Desde México hasta Paraguay y Argentina.

Opciones de color: Azules y lutinos.

Compatibilidad: Las parejas deben vivir aisladas.

Valor como mascota: Se adaptan bien al hogar si fueron criados a mano.

Dieta: Mezcla de pequeñas semillas de cereales, como el mijo y el alpiste, complementada con algunas semillas de girasol y pequeños piñones. También hay que ofrecerles vegetales de hoja y fruta fresca, incluso cuando están criando.

Problemas de salud: Pueden herirse peleando entre sí a través de la malla metálica.

Consejos de cría: No alojar a las parejas en compartimentos adyacentes para evitar reyertas.

Nido: Pueden usar cajones-nido para periquitos de Australia acolchados preferiblemente con virutas de madera, aunque es mejor ofrecerles cajas-nido más pequeñas. Su nido ideal mide 13 cm² y tienen 19 cm de profundidad.

Nidada típica: 4-6 huevos.

Período de incubación: 18-20 días.

Alimentación durante la época de cría: Hay que ofrecerles semillas remojadas y piensos blandos para aves no granívoras.

Desarrollo: Abandonan el nido con 4 o 5 semanas de edad.

Esperanza de vida: Pueden vivir 20 años o más.

▶ *Pareja de* forpus passerinus. *El macho es el ejemplar de abajo. En esta especie, las hembras son más coloristas que los machos, algo muy inusual en los sitácidos.*

las manchas azules de la rabadilla más brillantes que las hembras. Estos loritos sólo existen en libertad en la parte septentrional del valle de Marañón, al norte de Perú, aunque se ha conseguido que su reproducción se desarrolle bastante bien en cautividad.

Forpus passerinus (periquito de Guyana). También conocido como forpus de rabadilla verde, procede de Guyana y Trinidad. El dorso y la rabadilla de los machos es verde esmeralda, como su cara, las coberteras de sus alas son de color azul oscuro y los bordes externos de sus alas son azules también. Las hembras tienen las coberteras de las alas de color verde brillante y plumas amarillentas alrededor de la frente. En Brasil se crían variantes azules, lutino y canela de esta especie, pero son casi desconocidas en el resto del mundo.

Características y necesidades

Estos minúsculos loritos son longevos y se sabe de ejemplares que han criado con éxito durante 18 años seguidos. De todas formas, es preferible empezar con *forpus* jóvenes no emparentados entre sí, lo que no es difícil teniendo en cuenta que es posible sexarlos a simple vista poco después de que abandonen el nido. De este modo se evita la posibilidad de comprar un macho que ya ha atacado o está atacando a sus propios hijos (algunos llegan al extremo de matarlos poco después de que emplumezcan).

Los forpus se desarrollan muy deprisa y con un año ya han alcanzado la madurez sexual, aunque no conviene dejarlos anidar siendo tan jóvenes, porque las hembras podrían tener más dificultades para expulsar los huevos y poner en peligro la vida de la crías. Suelen producir dos nidadas seguidas.

Los *forpus* son fáciles de alimentar. Necesitan una dieta constituida a base de semillas, complementada con fruta y vegetales de hoja y enriquezida con un suplemento vitamínico y mineral. Como siempre, hay que acordarse de proporcionarles arenilla, para que les ayude a digerir las semillas, y un hueso de jibia, como fuente de calcio (éste es especialmente necesario antes de la puesta).

● ¿Los forpus pueden convivir con otras especies?

Me temo que, debido a su temperamento agresivo, no sería recomendable. Harían la vida imposible hasta a especies no agresivas y más corpulentas, como las cacatúas de cara amarilla o ninfa.

● ¿Son especies resistentes?

A pesar de sus reducidas dimensiones, normalmente pueden arreglárselas sin calefacción ni iluminación artificial para pasar el invierno en los países de clima templado (no cálido), siempre que estén debidamente aclimatados. De hecho, suelen despreciar los cajones-nido que se les ofrecen para que pasen la noche. Lo que sí necesitan es pajareras con un refugio nocturno bien abrigado en el que puedan cobijarse cuando el frío arrecia.

● ¿Son adecuados como animal de compañía?

Los ejemplares jóvenes pueden convertirse en atractivas mascotas, aunque no destacan como aves parlantes. Su reducido tamaño permite hacerles un hueco en el hogar y no molestan a nadie con sus gritos.

● ¿Anidan bien en las jaulas de cría?

Sí, pero en las jaulas corren más riesgo de ser atacados poco después de emplumecer, así que deberá estar pendiente, para detectar cualquier indicio de conducta agresiva. Siempre hay que llevarse a otro sitio a los pollos en cuanto puedan valerse por sí mismos, pero en las jaulas de cría corren más peligro aún.

«*Loros pionus*» GÉNERO: PIONUS

ESTOS LOROS VERDES de mediano tamaño no exhiben tantos colores llamativos como los de otras especies, pero los suaves matices de su plumaje se realzan cuando se los ve a pleno sol, y su imagen se transforma por completo. Hay ocho especies reconocidas, ninguna especialmente destructiva o ruidosa. Sexarlos a simple vista es imposible.

▶ *El* pionus maximiliani *puede verse en libertad desde Brasil hasta el norte de Argentina.*

Variedades más populares

Aunque las mutaciones de color no son nada frecuentes, a veces se han producido en la especie *pionus menstruus.*

Pionus maximiliani (loro de Maximilian). Es verde, con algunas plumas de color verde-bronce. Una gran mancha azul o roja (dependiendo de la subespecie) se extiende desde debajo del pico hasta la parte superior de la pechuga y las coberteras inferiores de su cola son rojas. La piel que rodea sus ojos es blanca y desnuda, y su pico es de color cuerno. Normalmente los ejemplares jóvenes se distinguen por el menor tamaño de la mancha azul de la pechuga, y porque tienen una franja roja en la frente. Como todos los pionus, se adapta bien a la vida de mascota si se adquiere con poca edad, y sobre todo si fue alimentado por humanos. Los *p. maximiliani* son mucho menos ruidos que los populares loros amazona.

Pionus menstruus (loro de cabeza azul). Es una de las especies más comunes. Tiene una gran mancha de color azul intenso en la cabeza y la parte superior de la pechuga. Sus coberteras auriculares son negras y tiene plumas rosas en la garganta. El resto de su cuerpo es de color verde, más apagado por los muslos y el abdomen. En el arranque de sus alas hay manchas de color bronce y su pico es negruzco y entre rosa y rojizo por ambos lados.

Características de la especie

Familia: Sitácidos.

Longitud: 25-28 cm.

Distribución geográfica: Desde Méjico hasta Bolivia y Argentina.

Opciones de color: Inexistentes.

Compatibilidad: Las parejas deben estar aisladas para criar.

Valor como mascota: Buenas aves de compañía cuando fueron criados por humanos.

Dieta: Pienso completo o mezcla de semillas entre las que se incluyan las de girasol, cártamo, piñones, cacahuetes y algunos cereales, como por ejemplo panojas de mijo. También necesitan vegetales de hoja y fruta.

Problemas de salud: El hongo *aspergillus.*

Consejos de cría: Necesitan intimidad.

Nido: Cajón-nido de unos 20 cm² con 46 cm de profundidad, acolchado con virutas o provisto de trozos de madera que puedan desmenuzar los adultos.

Nidada típica: 3-4 huevos.

Período de incubación: 26 días.

Alimentación durante la época de cría: Pueden ofrecérseles panojas de mijo remojadas y piensos blandos, además de su dieta normal.

Desarrollo: Abandonan el nido con unas 10 semanas de edad.

Esperanza de vida: Bastante larga, pueden llegar a vivir 25 años o más.

▲ *Los pollos de* pionus menstruus *exhiben tonos más apagados que los adultos, aunque a veces se adornan con una franja de plumas rojas que va desde la cera hasta la frente y desaparece cuando tienen aproximaamente un año de edad.*

Características y necesidades

Sexar a los *pionus* resulta imprescindible, porque los ejemplares del mismo sexo pueden comportarse de forma muy violenta entre sí. En este caso, cuando agitan la cola para mostrar las plumas rojas, están amenazando a su adversario, sobre todo cuando no están familiarizados con el entorno.

A pesar de su tamaño, los loros *pionus* sienten predilección por las pequeñas semillas de cereales, como el alpiste, el mijo y el panizo, y necesitan consumir frutas y vegetales de hoja surtidos con regularidad.

A veces, hasta un macho y una hembra compatibles se pelean, y a medida que se acerca la época de cría hay que estar cada vez más pendientes para evitar posibles lesiones, porque los machos a menudo se exceden por estas fechas, arrancando a las hembras las plumas con insistencia y sin cesar.

● *Mi pionus hembra hace bastante ruido al respirar, pero por lo demás parece sana. ¿Debería preocuparme?*

No necesariamente, porque los *pionus* suelen jadear bastante cuando están asustados, y después de que alguien los haya agarrado y manipulado. No obstante, podría haber contraído una infección por hongos típica en estas especies, la aspergilosis, para la que no existe aún tratamiento realmente eficaz. Consulte a un veteriario para detectar la causa.

● *¿Cómo puedo reducir las agresiones en la época de cría?*

Aunque las parejas sólo empiecen a utilizar el cajón-nido cuando está a punto de iniciarse la época de cría, deben tenerlo a su disposición en todo momento, y en un rincón discreto y resguardado de la pajarera. En caso contrario, la hembra podría negarse a utilizar un nido con el que no está familiarizada justo antes del momento en que tendrían que aparearse, y su pretendiente podría reaccionar atacándola. El momento más peligroso es justo antes de la primera puesta. También es muy importante evitar el alboroto alrededor del nido después de la eclosión, porque si los progenitores se ponen nerviosos pueden matar a sus propios polluelos.

Loros amazona GÉNERO: AMAZONA

LAS VEINTISIETE ESPECIES que integran este grupo suelen ser conocidas, simplemente, como «loros verdes»,
porque este es el color que normalmente predomina
en su plumaje. Sólo es posible sexar a simple vista a los
amazona albifrons, y aun en su caso el diagnóstico no
es del todo fiable. El principal defecto de estos bonitos
loros es su voz chillona y desagradable, que dejan oír sobre todo al amanecer y al anochecer. Sus gritos siempre
son motivo de queja en el vecindario.

Variedades más populares

Entre los amazona caribeños destaca el miembro más
voluminoso de este grupo, el *amazona imperialis* o
amazona imperial de Dominica. Algunas especies están en peligro de extinción y se ven con poca frecuencia, excepcionalmente en colecciones privadas.
Las mutaciones de color son raras, aunque ocasionalmente han surgido ejemplares azules y lutino y
se están criando en pequeñas cantidades, sobre todo
en Estados Unidos.

    Amazona aestiva (amazona de frente azul). Esta es-
pecie procede de tierras bastante meridionales, pues
puede verse en libertad hasta en el norte de Argentina. Como otros amazona, puede tardar varios años en
mostrar las vistosas manchas amarillas y azules de su
frente en todo su esplendor.

*Amazona
amazonica*

*Amazona
aestiva*

▲ ▶ *Los* amazona aestiva *se utilizan
como mascota desde hace muchos años.
Las manchas varían mucho de un
individuo a otro, lo que permite
identificar a los ejemplares. El* amazona
amazonica *tiene un aspecto bastante
similar, aunque sus dimensiones son más
reducidas.*

Características de la especie

Familia: Sitácidos.

Longitud: 25-46 cm.

Distribución geográfica: Desde México hasta Bolivia y Argentina.

Opciones de color: Escasas.

Compatibilidad: Las parejas deben mantenerse aisladas
para criar.

Valor como mascota: Si fueron alimentados por humanos,
pueden convertirse en simpáticas aves de compañía (aunque
ruidosas).

Dieta: Pienso completo o mezcla de semillas a base de girasol, cártamo, piñones y cacahuetes. También comen pepitas de calabaza y maíz partido o en copos. Necesitan así-
mismo fruta fresca y vegetales de hoja.

Problemas de salud: Pueden desarrollar papilomas de origen vírico.

Consejos de cría: En épocas de cría, las parejas pueden volverse agresivas.

Nido: Cajón-nido de unos 25 cm² con unos 46 cm de profundidad, acolchado con palitos que los adultos puedan
despedazar para acondicionar el nido.

Nidada típica: 3-4 huevos.

Período de incubación: 26-28 días.

Alimentación durante la época de cría: Comen semillas de
girasol remojadas y piensos blandos con avidez.

Desarrollo: Abandonan el nido con entre 9 y 10 semanas
de edad.

Esperanza de vida: Pueden vivir 80 años o más.

P/R...

● *Mi loro amazona se ha vuelto introvertido y está muy antipático con nosotros. Ha cumplido tres años hace poco. ¿Qué hemos hecho mal?*

Probablemente, nada. A los machos en particular les puede cambiar mucho el carácter cuando alcanzan la madurez sexual y entran en celo. Pero no se preocupen: con un poco de suerte, las aguas volverán pronto a su cauce.

● *¿Necesitarán mis amazona calefacción este invierno?*

No, siempre que se hayan adaptado perfectamente a la pajarera y tengan acceso directo a un refugio nocturno bien resguardado.● *¿Necesitarán mis*

¿Cómo puedo reconocer un loro amazona joven y cuándo es el mejor momento para comprar uno de estos pájaros como animal de compañía?

Si está buscando un loro amazona como una mascota, lo mejor es empezar con un joven criado artificialmente, que puede ser reconocido por su iris oscuro. La disponibilidad de estas crías está unida a la proximidad con la temporada de crianza de estos loros, que está restringida a los meses de verano y expuestos a las temperaturas de áreas del norte. La selección de los ejemplares más grandes se puede encontrar a partir de finales de verano.

▲ Amazona aestiva. *Si tienen a su disposición un buen surtido de gruesas perchas, los amazona se entretendrán picoteándolas y causarán menos destrozos en una estructura de madera de la pajarera.*

Amazona amazonica (loro común del bajo Amazonas). Esta especie nativa de las regiones más septentrionales de Sudamérica se parece tanto a la anterior que con frecuencia se las confunde. No obstante, puede identificarse porque la parte superior de su pico es de color cuerno más claro y las manchas de las alas y la cola son naranjas en vez de rojas.

Amazona albifrons (loro de frente blanca). Es el más pequeño de todos los amazona, sólo existe en libertad en Centroamérica. Esta especie se puede sexar a simple vista, porque los machos tienen plumas rojas en el borde de las alas. Lamentablemente, es una especie muy ruidosa.

Amazona farinosa (amazona harinoso). Existen varias razas de esta especie, que difieren entre sí básicamente por el tamaño de las manchas azules de la cabeza. Proceden de Centroamérica y algunas regiones de Sudamérica (en las razas sudamericanas predomina más el verde). Esta especie tiene fama de ser una de las más chillonas de todas.

Características y necesidades

Alojar a estas aves sale bastante caro, porque suelen causar muchos destrozos (sobre todo cuando están en celo). Por ello necesitan refugios nocturnos de obra y no de madera.

Alimentarlos no es difícil, aunque no hay que olvidar que los vegetales de hoja, las hortalizas y la fruta fresca deben ser parte esencial de su dieta. Si sólo se alimentan de semillas, sufrirán inevitablemente una carencia de vitamina A que afectará a su capacidad de reproducirse.

Aunque las parejas pueden necesitar un año aproximadamente para acostumbrarse al nuevo entorno después de un traslado, una vez instaladas crían con regularidad año tras año. Como casi todos los grandes sitácidos, producen sólo una nidada cada vez y sólo las hembras incuban. Hay que colocar sus cajones de anidación en rincones discretos de de la zona de vuelo y de forma que sea posible inspeccionarlos sin molestar a los progenitores, que suelen irritarse bastante con las visitas cuando están en el nido.

Papagayos yu-yu y especies afines

GÉNERO: POICEPHALUS

Poicephalus meyeri

Poicephalus senegalus

▲ ▶ *El* p. senegalus *(yu-yu o papagayo del Senegal) tiene la cabeza negruzca, las alas y la pechuga de color verde y el abdomen entre naranja y amarillento, pues puede oscilar según los ejemplares entre el amarillo puro y el naranja rojizo. Existen diversas variantes de* p. meyeri, *algunas con manchas muy distintas a las de las otras.*

EL GÉNERO POICEPHALUS está integrado por nueve especies procedentes del continente africano, todas de cuerpo achaparrado y cola cuadrada y con coloraciones diversas entre sí. El fuerte pico de todas ellas obliga a utilizar malla metálica de calibre 16G en la zona de vuelo. Estos papagayos pueden ser destructivos, pero no ruidosos, y resultan más adecuados como ave de pajarera de lo que mucha gente piensa. Últimamente, sin embargo, están empezando a ganar popularidad, sobre todo porque las especies de menor tamaño no molestan a los vecinos con sus gritos. Hacerlos criar en cautividad es todo un reto.

Variedades más populares

El más corpulento de todos los *poicephalus* es el *p. robustus* (papagayo de El Cabo), una especie declarada en peligro de extinción en algunas regiones de África. No hay ningún problema, sin embargo, para adquirir las siguientes especies:

Poicephalus senegalus (papagayo yu-yu). Procede del África occidental y es la especie más conocida del grupo. La peculiar distribución de sus manchas es inconfundible. No se puede sexar a simple vista.

Poicephalus meyeri (papagayo de Meyer). En esta especie, la distribución de las manchas es muy variable. En algunos casos, tienen plumas amarillentas en la ca-

Características de la especie

Familia: Sitácidos.

Longitud: 23-30 cm.

Distribución geográfica: Gran parte del África subsahariana.

Opciones de color: Desconocidas.

Compatibilidad: Se suele aislar a las parejas para criar.

Valor como mascota: Los pollos que fueron alimentados por humanos resultan mucho más adecuados como mascota de lo que mucha gente se imagina. Gracias a su reducido tamaño, son más fáciles y baratos de alojar que muchas otras especies.

Dieta: Pienso completo o mezcla de semillas a base de girasol, cártamo, piñones y pequeños cereales. Suelen adorar los cacahuetes. Hay que servirles fruta fresca y vegetales de hoja a diario.

Problemas de salud: Peligro de infecciones en los ojos.

Consejos de cría: Siempre hay que colocar el cajón-nido en un rincón oscuro del refugio.

Nido: Cajón-nido de unos 25 cm² con 46 cm de profundidad, acolchado con gruesas virutas de madera o palitos que los adultos puedan despedazar para acondicionar el nido.

Nidada típica: 3-4 huevos.

Período de incubación: 26-28 días.

Alimentación durante la época de cría: Comen semillas de girasol remojadas y piensos blandos con avidez.

Desarrollo: Abandonan el nido con entre 10 y 12 semanas de edad.

Esperanza de vida: Pueden vivir hasta 50 años.

● **¿Puede ser buena mascota un poicephalus?**

Aunque los adultos son bastante desconfiados y no se adaptan a la vida en el hogar (de hecho, se muestran tímidos incluso en las pajareras), si se adquieren de jóvenes pueden convertirse en afectuosos animales de compañía. Son tranquilos, silenciosos y dóciles por naturaleza y aprenden fácilmente a silbar, porque este sonido es muy similar al que ellos mismos emiten espontáneamente. También son capaces de memorizar algunas palabras.

● **¿Algún poicephalus puede sexarse a simple vista?**

Los *poicephalus rufiventris* (papagayos de vientre rojo) son fáciles de sexar, porque sólo los machos tienen de color rojo anaranjado el abdomen, que es siempre verde en las hembras. Todas las otras especies son muy difíciles de sexar a simple vista, porque las pequeñas diferencias en las manchas no dan ninguna pista sobre su sexo, sino sólo sobre el origen geográfico de cada raza.

● **Tengo un macho y una hembra de yu-yu desde hace cinco años, pero jamás han intentado reproducirse. ¿Cómo puedo animarlos a que lo intenten?**

Las parejas de *p. senegalus* necesitan aproximadamente un año para sentirse como en casa después de sufrir un traslado, y mientras tanto no pueden anidar. De todos modos, a estas alturas sus ejemplares ya deberían al menos haberlo intentado. Proporcióneles un buen surtido de cajones de anidación, colcándolos en distintos lugares, pero sobre todo en el interior del refugio. Tal vez usted colocó su cajón-nido en el refugio, pero demasiado cerca de la ventana, y le entra el sol. Ofrézcales también una dieta más variada si es preciso.

▲ *El* p. gulielmi *vive en estado salvaje en la jungla, en vez de proceder del monte bajo como las demás especies del grupo. Los ejemplares jóvenes son menos coloristas que los adultos.*

beza. La parte inferior de su cuerpo es verdeazulada y sus alas marrones, con manchas amarillas en la parte superior. Los ejemplares jóvenes tienen los iris oscuros.

Poicephalus gulielmi (papagayo de Jardine). Plumaje verde oscuro y naranja, con manchas muy variables. Algunos machos tienen el iris de color marrón rojizo. Los iris de las hembras siempre son marrones.

Características y necesidades

Todas estas especies son resistentes una vez aclimatadas, pero a veces intentan anidar con tiempo frío, lo que debe evitarse, porque los huevos o los polluelos podrían perecer a causa del frío en el exterior. Las hembras en celo agitan sus colas (sobre todo cerca de la caja-nido) indicando a los machos que ya están preparadas para anidar. A veces los machos se exceden con sus caricias, dejando calvas en el cuello de las hembras, pero estas plumas reaparecen más tarde. Una vez establecidas, las parejas pueden seguir criando durante toda una década.

Hay que asegurarse de que su dieta es variada, porque si apenas comen otra cosa que semillas de girasol podrían contraer infecciones respiratorias propiciadas por una deficiencia de vitamina A. Los animales infectados tienen obstruidos los orificios nasales y a veces también se les inflama la piel desnuda que rodea sus ojos.

Papagayo gris ESPECIE: PSITTACUS ERITHACUS

EL YACO O PAPAGAYO GRIS es, probablemente, el más conocido de todos los sitácidos y, sin duda alguna, el más dotado para el *habla* de todos. Tiene un aspecto inconfundible y tal vez su peor defecto sea la timidez, sobre todo cuando se tiene como mascota, pues dista mucho de ser confianzudo y hasta descarado como los loros amazona, por ejemplo. En contrapartida, se encariña mucho con las personas a las que ve con frecuencia. Su voz no es especialmente potente ni desagradable (se expresa normalmente mediante series de silbidos), aunque chilla de forma estrepitosa cuando se asusta.

Variantes de color

Hay dos razas diferenciadas de papagayo gris. Los *p. e. timneh* (yacos Timneh), originarios de Sierra Leona, Liberia, Costa de Marfil y Guinea, son un poco más pequeños y bastante más oscuros, pues su plumaje es gris oscuro y la mancha de su cola es granate en vez de roja. Además, tienen una mancha de color cuerno en la parte superior del pico, que es totalmente negro en los *psittacus erithacus* propiamente dichos. Los machos son aún más oscuros que las hembras.

◄ *El tono gris puede variar de un individuo a otro, sobre todo en el yaco propiamente dicho, pues algunos ejemplares exhiben un plumaje más claro –y plateado a veces– que otros.*

Características de la especie

Familia: Sitácidos.

Longitud: 28-33 cm.

Distribución geográfica: Gran parte del África central, desde la islas más occidentales hasta Tanzania y Kenia.

Opciones de color: Prácticamente desconocidas.

Compatibilidad: Se suele aislar a las parejas para criar, aunque pueden vivir perfectamente en colonias si la pajarera es suficientemente grande.

Valor como mascota: Muy estimados como mascota. Los ejemplares jóvenes que fueron alimentados por humanos resultan más manejables y menos costosos que los grandes.

Dieta: Pienso completo o mezcla de semillas a base de girasol, cártamo, piñones y pequeños cereales. Les encantan los cacahuetes, pero no deben comerlos en exceso. También deben consumir fruta, verduras de hoja crudas y otros vegetales, como mazorcas de maíz y zanahorias, a diario.

Problemas de salud: No es raro que los ejemplares que viven como mascota en el hogar adquieran el vicio de arrancarse las plumas.

Consejos de cría: Si un macho y una hembra no se gustan, no se emparejarán.

Nido: Cajón-nido de unos 30 cm² con 46 cm de profundidad. Hay que procurarles palitos para que puedan desmenuzarlos con sus picos para acondicionar interiormente el nido, o bien gruesas virutas de madera.

Nidada típica: 3-4 huevos.

Período de incubación: 28-30 días.

Alimentación durante la época de cría: Hay que ofrecerles panojas de mijo y semillas de girasol remojadas, más piensos blandos.

Desarrollo: Abandonan el nido con entre 10 y 12 semanas de edad.

Esperanza de vida: Pueden vivir 70 años o más.

▲ *Papagayos grises de diez semanas. Los yacos jóvenes se diferencian de los adultos porque tienen los ojos oscuros en vez de amarillos. Esta especie tarda bastante en aprender a hablar, y muchos ejemplares de seis meses aún no imitan la voz humana con soltura.*

Características y necesidades

Los yacos necesitan una aclimatación cuidadosa antes de ser trasladados a una pajarera con refugio nocturno para todo el año. Son aves muy sociables y para dedicarse a su cría lo mejor es adquirir desde el principio varios ejemplares de ambos sexos y esperar que sean ellos mismos lo que elijan pareja, porque si no les gusta la pareja que se les ha elegido no procrearán. Aunque últimamente los criadores tienden a aislar a las parejas y hacerlas criar bajo techo para incrementar la producción (anidan durante casi todo el año), pueden criar sin problemas en colonias, en pajareras al aire libre.

Si no viven al aire libre, hay que *ducharlos* periódicamente con un nebulizador de agua para plantas, para mantener su plumaje en buen estado. En caso contrario, es probable que empiecen a arrancarse a sí mismos las plumas y una vez adquirido, este vicio es difícil de erradicar.

Hay que intentar que coman de todo, porque si se aficionan en exceso a las semillas de girasol y rechazar cualquier otro alimento, su dieta no sería equilibrada.

P/R...

● **¿Merece la pena pagar más por una pareja que ya ha criado anteriormente?**

Sí, porque los yacos son muy selectivos al elegir pareja, y si un macho y un hembra no se gustan, simplemente no se aparearán. Sin embargo, cuando ya han encontrado su media naranja, lo más probable es que sigan emparejados de por vida.

● **¿Qué son los yacos del rey?**

Entre los jefes de tribu africanos están muy cotizados los yacos grises que presentan una coloración anormal en las plumas. La desviación más frecuente con respecto al tipo normal es la presencia de plumas rosadas donde normalmente deberían ser grises. Estos ejemplares se conocen popularmente como yaco *King,* o yaco de rey. En cualquier caso, esta coloración es poco estable, porque las plumas rosas pueden desaparecer o reaparecer después de cada muda. Esta anormalidad puede deberse a un trastorno metabólico, provocado en muchos ejemplares jóvenes por un exceso de aceite de hígado de bacalao en la mezcla utilizada para alimentarlos a mano cuando son polluelos. El precio de estos ejemplares suele ser desorbitado, y no tiene sentido invertir tanto dinero en ellos.

● **¿Se conoce alguna variante de color?**

A veces han nacido *psittacus erithacus* sin melanina en las plumas, pero son muy raros. Tienen todo el plumaje blanco, excepto las plumas rojas de la cola, que conservan del mismo color.

181

Pericos alejandrinos y de Kramer

GÉNERO: PSITTACULA

ESTOS SITÁCIDOS FUERON probablemente los primeros en domesticarse, pues ya se criaban en cautividad hace 2.500 años. Los pericos alejandrinos deben su nombre a Alejandro Magno, cuyos soldados los introdujeron en Grecia al regresar de la campaña de India en el año 327 a. de C.

Variedades más populares

Ambas especies se crían con frecuencia en cautividad, aunque normalmente no como mascota, sino en pajarera. Los *psittacula krameri* son la variedad más extendida.

Psittacula krameri (perico de Kramer). Existen dos razas bien diferenciadas. La africana, denominada *p. k. krameri*, tiene el pico mucho más oscuro que la india, denominada *p. k. manillensis*, pues por arriba es negruzco en vez de rojo.

La raza india cuenta con numerosas variantes de color. Tanto los azules como los lutino descienden de ejemplares silvestres que fueron muy estimados en el pasado por los príncipes de India. A partir de ellos se han podido crear variedades albinas de los dos tipos, en las cuales ambos sexos tienen el plu-

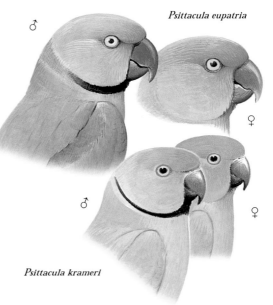

Psittacula eupatria

Psittacula krameri

▲ *Los pericos alejandrinos, además de ser bastante más corpulentos que los de Kramer, se distinguen fácilmente de ellos por la mancha roja que exhiben en la parte superior de las alas.*

Características de la especie

Familia: Sitácidos.

Longitud: *P. Krameri*, 38 cm; *p. eupatria*, 51 cm.

Distribución geográfica: *P. krameri*, norte de África, África subsahariana, sur de Asia y China; *p. eupatria*, desde India hasta Tailandia.

Opciones de color: Bien establecidas, sobre todo en el *p. krameri*.

Compatibilidad: Se suele aislar a las parejas para criar, aunque también pueden vivir en colonia en pajareras grandes.

Valor como mascota: Ni siquiera los ejemplares criados de forma artificial se convierten en verdaderos animales de compañía.

Dieta: Pienso completo o mezcla de semillas de calidad a base de girasol, cártamo, cacahuetes y piñones, más otros alimentos como maíz en copos y pepitas de girasol. Aceptan bien la fruta fresca, los vegetales de hoja y las demás hortalizas.

Problemas de salud: Ambas especies son propensas a sufrir congelación en las patas.

Consejos de cría: Es preferible emparejar hembras jóvenes con machos adultos.

Nido: Cajón-nido de unos 30 cm² con 46 cm de profundidad. Colocar palitos en su interior para que los adultos puedan despedazarlos y acondicionar con ellos el nido.

Nidada típica: *P. krameri*, 4-5 huevos; *p. eupatria*, 2-3 huevos.

Período de incubación: *P. krameri*, 24 días; *p. eupatria*, 30 días.

Alimentación durante la época de cría: Vegetales de hoja, piensos blandos y semillas de girasol remojadas.

Desarrollo: Abandonan el nido con entre 7 y 8 semanas de edad.

Esperanza de vida: Pueden vivir 25 años o más.

▶ *La variante gris del* p. krameri *de India se ve con frecuencia en las pajareras. En libertad, la distribución geográfica de esta especie supera ampliamente a la de cualquier otro sitaciforme.*

maje blanco como la nieve y por tanto no se pueden distinguir a simple vista, ni siquiera después de alcanzar la madurez sexual, ya que también los machos carecen de la característica gargantilla negra. Las variantes grises, verde-grisáceas, manchadas y canela están muy extendidas.

Psittacula eupatria (perico alejandrino). Los machos de esta especie exhiben, como los de la especie anterior, una característica gargantilla negra que está ausente, en ambos casos, en las hembras.

Las variantes de color son escasas y suele ser difícil distinguir las verdaderas mutaciones de los ejemplares creados cruzando esta especie con variedades de la especie anterior, si bien estos últimos suelen reconocerse por su tamaño más reducido. Existe una mutación lutino genuina vinculada al sexo, y también una espectacular variante azul. Existen así mismo ejemplares canela.

Características y necesidades

Ambas especies necesitan pajareras robustas, porque son destructivas por naturaleza, en especial cuando están en celo.

Los *p. krameri* empiezan a anidar antes que los demás pericos en las regiones de clima templado, y con frecuencia las hembras ya empiezan a poner en febrero en el hemisferio norte. Por este motivo es muy importante colocar los cajones de anidación en rincones bien abrigados, para proteger tanto los huevos como los polluelos de cualquier bajada brusca de la tempratura. Los adultos, a pesar de ser resistentes, necesitan también un refugio templado donde guarecerse, ya que son propensos a sufrir congelación en las patas.

Los *p. eupatria* suelen anidar un poco más tarde. Si la primera nidada no eclosiona, las hembras a veces ponen huevos otra vez. Si los huevos eclosionan, no obstante, lo normal es que no produzcan más de una nidada en cada celo. Los *p. eupatria* suelen ser muy prolíficos una vez se acostumbran al entorno, y se sabe de parejas que han seguido criando año tras año durante dos décadas.

P / **R**...

● *¿Por qué no son buenas mascotas estos pericos?*

Porque los machos y las hembras no forman unidades familiares en estado salvaje y no desarrollan dependencia afectiva. De hecho, durante la mayor parte del año, las hembras se muestran muy dominantes y los machos sólo se atreven a acercarse, tímidamente, cuando están en celo. Las caricias entre ambos sexos sólo tienen lugar durante ese breve lapso de tiempo.

● *¿Cómo evitar la congelación de las patas en invierno?*

Pasando la noche a cubierto cuando la temperatura baje de cero. Cubrir el frente y los laterales de la zona de vuelo ayudará a protegerlos de las rachas de viento helado, y también conviene ofrecerles un cajón-nido para que duerman en su interior.

● *¿Cuánto tardan los machos jóvenes en diferenciarse de las hembras?*

Tal vez hasta el tercer o cuarto año de vida no aparezca en su cuello la característica mancha en forma de gargantilla, pero actualmente, gracias a las pruebas de ADN, es posible sexar a los polluelos desde el instante en que salen por primera vez del nido (o incluso antes, si fuera preciso).

Otros pericos asiáticos GÉNERO: PSITTACULA

ESTAS DOS ESPECIES SON sumamente populares, sobre todo el *p. cyanocephala*.

Variedades más populares

Los dos pericos que describimos a continuación son bastante fáciles de cuidar, aunque en las zonas de clima templado necesitan pajareras que minimicen el riesgo de congelación en las patas.

Psittacula alexandri (perico bigotudo). Existen unas ocho razas reconocidas. En general, es posible sexarlas a simple vista porque la parte superior del pico de todos los machos es de color rojo. La subespecie *p. a. alexandri* (perico bigotudo de Java) constituye una excepción, porque las hembras sólo se distinguen de los machos gracias al leve matiz azulado de las plumas grises de su cabeza. Existen *p. alexandri* de distintos colores, pero aún no se ha documentado ninguna mutación verdadera hasta la fecha.

Psittacula cyanocephala (*plum-headed*). En inglés, el nombre de este bonito perico significa «cabeza de ciruela», porque la cabecita redondeada y violácea de los machos recuerda de inmediato una ciruela roja. Las hembras tienen la cabeza grisácea y carecen de la mancha granate que los machos exhiben en las alas. En la subespecie *p. c. rosa* (*plum-headed* rosa), las plumas centrales de la cola son de color amarillo claro en vez de blancas por la punta, pero sólo en los machos, y las hembras exhiben las características manchas granate en las alas.

Una de las más bellas mutaciones de color es la lutino. Los machos lutino tienen el cuerpo de color amarillo intenso, la cabeza roja y el collar que separa ambas zonas es blanco en vez de negro. También se han registrado variantes azules y canela. No son raros los ejemplares amarillos manchados ni los moteados de rojo y verde, pero no son verdaderas mutaciones, porque se trata de una coloración adquirida que puede desaparecer. La distribución de las manchas puede variar con cada muda, algo que nunca ocurre cuando se trata de mutaciones auténticas.

Características y necesidades

Los *psittacula* requieren los mismos cuidados que los *psittacula* anteriormente descritos (véanse págs. 182-

Psittacula cyanocephala

Psittacula alexandri

▲ *Los* p. alexandri *causan muchos más destrozos en la pajarera que los* p. cyanocephala.

183). Aunque los *p. cyanocephala* suelen anidar más tarde, la cría no está exenta de problemas, porque las hembras tienen la desafortunada costumbre de dejar de calentar a sus polluelos antes de que éstos acaben de emplumecer, y con frecuencia sufren hipotermia durante la noche. *Los p. cyanocephala* no intentan criar de nuevo aunque sus huevos se hayan malogrado a causa del frío, pues sólo anidan una vez en cada temporada de cría.

Como ocurre con otros *psittacula*, dos ejemplares pueden no ser compatibles como pareja aunque pertenezcan a distinto sexo. Si la hembra decide acaparar el comedero, hay que colocar más comederos en la pajarera, sobre todo cuando no viven al aire libre.

Características de la especie

Familia: Sitácidos.

Longitud: 33 cm.

Distribución geográfica: *P. cyanocephala,* sobre todo en India y Paquistán; *P. alexandri,* más hacia el este de Asia, China e islas meridionales como Java y Bali.

Opciones de color: Muy raras en el *p. cyanocephala;* desconocidas en el *p. alexandri.*

Compatibilidad: Normalmente se aísla a las parejas de otros miembros de su mismo género para criar.

Valor como mascota: No aptos como mascota. Son aves de pajarera.

Dieta: Pienso completo o mezcla de semillas para periquitos a base de girasol, mijo, piñones, cártamo, avena partida, etc. También hay que ofrecerles zanahoria, vegetales (hierbas) de hoja como la pamplina y fruta fresca con regularidad.

Problemas de salud: Muy vulnerables a la congelación.

Consejos de cría: Necesitan cajas-nido resistentes.

Nido: Cajón-nido de unos 18 cm² con 46 cm de profundidad, acolchado con gruesas virutas de madera, o finos palitos que puedan desmenuzar para los *p. alexandri,* que tienden a ser más destructivos.

Nidada típica: 3-4 huevos.

Período de incubación: 24 días.

Alimentación durante la época de cría: Piensos blandos, panojas de mijo remojadas y vegetales de hoja.

Desarrollo: Salen del nido con entre 7 y 8 semanas de edad.

Esperanza de vida: Pueden vivir 25 años o más.

● *¿Cuándo mudarán la pluma por primera vez mis* **plum-headed?**

Cuando abandonan el nido, estos pericos son casi totalmente verdes y tienen el pico amarillo. Mudan la pluma con entre 12 y 20 semanas de edad, y entonces ambos sexos tienen la cabeza cubierta de plumas gris-plateadas. A veces aparece alguna que otra pluma roja en los machos que permite sexarlos precozmente, pero no desarrollan el plumaje de adultos hasta los dos años de edad.

● *¿Son ruidosas estas dos especies?*

Los *p. cyanocephala* emiten sonidos bastante dulces y melodiosos, básicamente en la época de cría. Los *p. alexandri,* sin embargo, cantan más fuerte y pueden molestar al vecindario.

▼ *Pareja de* p. cyanocephala. *Algunas parejas de esta especie pueden compartir pajarera con conirrostros y aves no granívoras. Se han registrado varias mutaciones de color, pero ninguna es corriente.*

Inseparables de garganta rosa

ESPECIE: AGAPORNIS ROSEICOLLIS

LA MAYORÍA DE LOS PERIQUITOS inseparables que se crían en cautividad pertenecen a esta especie, debido a la gran oferta de mutaciones de color disponibles. Por desgracia, no es posible sexarlos a simple vista, aunque al inicio de la época de cría los huesos de la pelvis de las hembras, situados justo encima de la cloaca, se separan visiblemente para permitir la salida de los huevos, y esto ayuda a identificar su sexo. También ayudan los patrones de conducta, ya que las hembras normalmente son las únicas que se afanan por construir los nidos.

Variedades más populares

La primera variante de color surgió en 1954. Era una versión diluida de color amarillo que posteriormente recibió el nombre de *Japanese Golden Cherryhead* (dorados japoneses con cabeza de cereza). La lutino, con ojos encarnados y rabadilla blanca, es amarilla pero conserva el color rosa en la cara. Existe una coloración que aún no se ha documentado en los periquitos de Australia, la aguamarina, también llamada azul pastel. Estos periquitos conservan una pequeña cantidad de pigmentos amarillos y ro-

◄ Agapornis roseicollis *(periquitos inseparables de garganta rosa). El bonito ejemplar de la izquierda es una mutación aguamarina, también llamada azul pastel.*

Características de la especie

Familia: Sitácidos.

Longitud: 15 cm.

Distribución geográfica: África suroccidental.

Opciones de color: Se están criando intensamente en la actualidad.

Compatibilidad: Normalmente se aísla a las parejas para criar, pero pueden vivir en colonias en grandes pajareras.

Valor como mascota: Los pollos alimentados a mano pueden convertirse en simpáticos animales de compañía.

Dieta: Varios tipos de mijo, alpiste, avena partida y algunas semillas de girasol, más vegetales de hoja y fruta, añadiendo un suplemento vitamínico. También se puede utilizar únicamente pienso completo.

Problemas de salud: Lesiones en las patas provocadas por peleas o por congelación.

Consejos de cría: Necesitan ramitas y otros materiales para construir sus nidos.

Nido: Cajón-nido de unos 15 cm² con 23 cm de profundidad.

Nidada típica: 4-6 huevos.

Período de incubación: 23 días.

Alimentación durante la época de cría: Granos de mijo remojados, piensos blandos y vegetales de hoja.

Desarrollo: Abandonan el nido con unas 6 semanas de edad.

Esperanza de vida: Pueden vivir 15 años o más.

jos, por lo que su cuerpo es azul verdoso y su cara de tono salmón muy claro. Cruzando esta variedad con la lutino se han obtenido otra variante de color crema uniforme, conocida por muchos con el nombre de *creamino*.

También existe una mutación manchada, que puede combinarse con otras para producir píos verde-oliváceos, por ejemplo. En éstos, el color verde es más oscuro de lo normal. Para referirse a los ejemplares verdes con factor oscuro simple se suele utilizar la expresión verde jade, aunque también se los conoce como verdes oscuros. Ya empiezan a ser comunes la variante gris y la canela, entre otras.

Características y necesidades

Los *agapornis roseicollis* son muy fáciles de cuidar aunque, si viven en pajareras adyacentes, el mallado debe ser doble para evitar que se lesionen mutuamente las garras.

▲ *Los píos pueden cruzarse con otras mutaciones para producir nuevas opciones de color. Este pío aguamarina se ha obtenido cruzando un ejemplar aguamarina con un ejemplar manchado.*

Cuando llega el momento de anidar, las hembras arrancan trozos de corteza (véase pág. 189), los pliegan y los transportan en la espalda hasta el cajón-nido, seguramente porque así tardan menos en construir el nido que si tuvieran que transportar los materiales con el pico. Los pollos nacen cubiertos de una densa capa de plumón rojo y se desarrollan muy deprisa. Cuando salen por primera vez del nido tienen manchas oscuras en el pico. En cuanto puedan valerse por sí mismos, hay que trasladarlos a otro lugar para que no molesten a sus padres, que querrán anidar de nuevo.

En las regiones de clima templado hay que ofrecerles un cajón-nido limpio cuando termine la época de cría, para que puedan dormir en su interior, pero retirando todo tipo de material de anidación, pues de lo contrario las hembras podrían volver a producir huevos y probablemente tendrían dificultades para expulsarlos.

● **¿Cómo es la pajarera ideal de una colonia de agapornis roseicollis?**

Es grande y amplia y está equipada con bastantes cajones-nido, todos colocados a la misma altura y con bastante espacio alrededor del orificio de acceso para que sus ocupantes puedan entrar y salir sin estorbos. También es muy importante que todos los periquitos hayan llegado a ella a la vez, porque si se introduce un nuevo ejemplar cuando ya haya un grupo formado, los demás lo verán como un intruso, lo maltratarán e incluso pueden llegar a matarlo.

● **¿Tiene éxito esta especie en los concursos y exposiciones ornitológicas?**

Los *agapornis roseicollis* participan con relativa frecuencia en este tipo de eventos, pero las variantes de color no suelen estar contempladas en el estándar, como ocurre con las del *melpsittacus undulatus* (periquito de Australia), por ejemplo. Lo que más tienen en cuenta los miembros del jurado es el estado físico de los ejemplares, y una calva o la pérdida de una uña están severamente penalizadas.

● **¿Por qué mis inseparables de garganta rosa tienen siempre polluelos de distinto color?**

Eso tiene mucho que ver con la cría en cautividad y el afán de los criadores por producir cada vez más variantes. Hoy en día es muy difícil adquirir una pareja de ejemplares verdes realmente puros, es decir, que no tengan en sus genes ni el menor rastro de alguna mutación de color. Después de tantos y tantos cruces, el color verde de una pareja puede ser sólo aparente y sus polluelos nacen con el aspecto de algún antepasado de otra tonalidad, como el aguamarina por ejemplo.

Inseparables encapuchados y de Fischer GÉNERO: AGAPORNIS

ESTOS DOS PERIQUITOS AFRICANOS están estrechamente emparentados entre sí. Ambos proceden del África oriental. Tienen mucha facilidad para adaptarse al entorno, y cuando no encuentran troncos huecos donde anidar, lo hacen bajo los tejados aprovechando cualquier grieta existente. Pertenecen a un grupo de inseparables caracterizado por la presencia de anteojos, es decir, de grandes círculos de piel blanca y desnuda alrededor de sus iris.

Variedades más populares

Las variantes de color son más comunes en el *agapornis personata*. La variedad azul es una mutación con las alas y el abdomen de color azul puro y plumas blanco-

● *¿Puedo juntar mis periquitos enmascarados y mis periquitos de Fischer?*

No es demasiado buena idea, porque ambas especies podrían cruzarse entre sí, y entonces nacerían polluelos híbridos que podrían parecer puros, y eso pondría en peligro la pureza de las dos especies. De todos modos, podrían identificar a los inseparables de Fischer que no fuesen puros por el tono más oscuro de sus cabezas.

● *¿A qué edad alcanzarán mis periquitos encapuchados la madurez sexual?*

Lo más probable es que ya puedan procrear a los seis meses, pero normalmente no conviene que aniden hasta que cumplan un año. Esto significa, en las regiones de clima templado, que los polluelos nacidos a principios del verano estarán preparados para anidar en el verano siguiente.

● *¿Cómo puedo impedir que mis inseparables aniden en invierno, si no puedo llevarme el cajón-nido porque lo necesitan para dormir?*

La forma más sencilla de impedirlo es cambiando la caja-nido de lugar en otoño, en cuanto acabe la época de cría. Antes de volver a colocarla, lávela con un detergente especial de uso avícola para exterminan cualquier posible parásito. Cuando esté totalmente seca, vuélvala a colocar en la pajarera, pero llévese cualquier material de anidación.

● *Me gustaría tener un periquito encapuchado como mascota. ¿Cómo sabré que el ejemplar es joven?*

Como ocurre con casi todas las aves, el pico es un elemento clave a la hora de establecer la edad de un ejemplar. Los *agapornis personata* de ocho semanas aproximadamente tienen la parte superior del pico oscura por la punta. Además, sus tonos son más apagados en general que los de los ejemplares adultos.

◄ *Mutación azul del* a. personata. *Todos los ejemplares azules que existen en la actualidad descienden de un único macho de ese color que fue llevado a Inglaterra desde África en el año 1927.*

grisáceas reemplazando a las plumas amarillas de la variante estándar, aunque conserva la capucha negra característica de la especie. También existe una variedad amarilla que es una variante diluida de la normal. Ésta se ha cruzado con la azul para producir una variedad blanca, que conserva la cabeza oscura y un leve matiz azulado en el resto del cuerpo. Todas estas mutaciones también existen en el *agapornis fischeri*, pero son menos corrientes.

Agapornis personata (periquito encapuchado). El aspecto de estos inseparables es totalmente inconfundible gracias a su cabeza negruzca, su pechuga amarilla, sus alas verdes y el verde amarillento de su abdomen. Como otras periquitos de anteojos con los que están estrechamente emparentados, los *a. personata* construyen grandes nidos. Normalmente se encargan de ello las hembras, que arrancan tiras de material de construcción y las transportan hasta la caja-nido en sus picos. No es posible diferenciar a los sexos basándose en la coloración del plumaje.

Agapornis fischeri (periquito de Fischer). Tampoco es posible sexar esta especie a simple vista, aunque en algunos individuos el tono negruzco de la zona posterior de la cabeza se difumina progresivamente, mezclándose de forma más gradual con el amarillo de la nuca que en otros. Las parejas no suelen ser perezosas para anidar, una vez adaptadas al entorno en que viven.

Características y necesidades

Estos periquitos son resistentes y pueden pasar el invierno al aire libre sin calefacción, siempre que su pajarera cuente con un refugio nocturno bien abrigado.

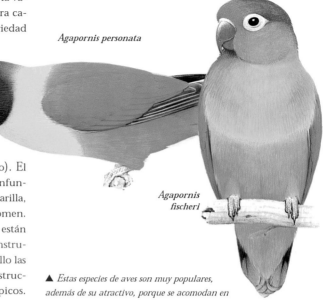

Agapornis personata

Agapornis fischeri

▲ *Estas especies de aves son muy populares, además de su atractivo, porque se acomodan en pajareras de dimensiones modestas.*

Al inicio de la época de cría hay que facilitarles finas ramitas con las que puedan construir el armazón de su nido. Lo más tradicional son las ramitas de sauce, aunque también sirven las de cualquier otro árbol o arbusto (por ejemplo cualquier manzano que no haya sido tratado con productos químicos).

Estos inseparables también recogen plumas, e incluso utilizan las panojas de mijo (después de haberse comido las semillas) para dar aún más volumen a sus nidos, que destacan por ser bastante grandes. Las hembras incuban solas, aunque los machos puedan acompañarlas en ocasiones.

Características de la especie

Familia: Sitácidos.	**Problemas de salud:** Lombrices intestinales.
Longitud: 15 cm.	**Consejos de cría:** Hay que facilitarles material de construcción para sus nidos.
Distribución geográfica: Tanzania. Introducidos en Kenia.	**Nido:** Cajón-nido de unos 15 cm2 con 23 cm de profundidad.
Opciones de color: Más numerosas en *a. personata*.	**Nidada típica:** 4-6 huevos.
Compatibilidad: Las parejas deben criar aisladas.	**Período de incubación:** 23 días.
Valor como mascota: Los pollos alimentados a mano suelen volverse muy dóciles.	**Alimentación durante la época de cría:** Granos de mijo remojados, piensos blandos y vegetales de hoja.
Dieta: Semillas de pequeños cereales, complementadas con algo de girasol, avena partida y una pequeña cantidad de cañamones, más fruta fresca y vegetales de hoja.	**Desarrollo:** Abandonan el nido con unas 6 semanas de edad.
	Esperanza de vida: Pueden vivir 15 años o más.

Inseparables de mejillas negras y Nyasa GÉNERO: AGAPORNIS

ESTOS DOS OTROS miembros del grupo de periquitos con anteojos se crían con menos frecuencia en cautividad, aunque los criadores especializados aseguran que son bastante prolíficos, siempre que se críen en condiciones adecuadas. La distribución geográfica de ambas especies es muy restringida, y a eso se debe en gran parte que los *agapornis nigrigensis* fuesen una de las últimas especies de sitácidos en descubrirse, pues no se documentó su existencia hasta el año 1904.

Variedades más populares

Las mutaciones de color son muy escasas en ambas especies, aunque hubo un tiempo en que la variedad lutino del *agapornis lilianae* era bastante común. Era una variante lutino inusual, pues se debía a un carácter autosómico recesivo en vez de estar vinculada al sexo. Surgió en Australia en 1930 y posteriormen-

▲ *Los* agapornis nigrigensis *se bañan a menudo cuando viven en pajareras exteriores. Si viven bajo techo, hay que ducharlos periódicamente con un nebulizador para mantener su plumaje en buenas condiciones.*

te fue introducida en Europa. Aún existe algún que otro ejemplar en el algunas partes de Europa y en el resto del mundo, pero prácticamente puede afirmarse que la variante como tal se ha extinguido. En la década de 1980 apareció en Dinamarca una mutación azul de *agapornis nigrigensis*, pero no llegó a popularizarse.

Agapornis nigrigensis (inseparable de mejillas negras). En estos periquitos africanos, el color negruzco de la cabeza se va mezclando de forma gradual con los tonos naranjas de la parte superior de la pechuga, y a su vez las plumas anaranjadas se van fundiendo de forma progresiva con las plumas verdes que recubren el resto del cuerpo. El verde de las alas es más oscuro.

Agapornis lilianae (Nyasa). Su aspecto es muy similar al periquito de Fischer, aunque se distingue de él por sus dimensiones más reducidas, porque las coberteras superiores de su cola son verdes en vez de azules, y porque no tienen una sola pluma negra en la cabeza.

Caracterísicas y necesidades

Ni el *a. nigrigensis* ni el *a. lilianae* resisten tan bien el frío como los demás miembros del género *agapornis*, y en las regiones de clima templado conviene alojarlos durante todo el invierno en pajareras interiores. Se ha comprobado que pueden criar sin problemas en el hogar, siempre que sus jaulas sean verdaderamente grandes, lo que explica la relativa abundancia de periquitos de mejillas negras en Escandinavia. Los *nyasa* en concreto son bastante más dóciles que sus parientes cercanos, y cuando viven en colonias resultan especialmente prolíficos.

En las regiones septentrionales de Europa, el principal problema al que deben enfrentarse los criadores es su costumbre de anidar justo en los meses más fríos del año. Esto obliga a trasladarlos durante el invierno a un recinto acondicionado y provisto de luz artificial, para que los progenitores tengan más oportunidades de alimentarse y alimentar a sus polluelos. En las zonas tropicales, incluyendo Zimbabwe (un país muy cercano a su lugar de origen), pueden criar con éxito durante casi todo el año, y lo mismo ocurre en Australia, donde las condiciones climaticas son equiparables. Como muchas otras especies de este grupo, los *a. nigrigensis* y los *a. lilianae* contruyen sus propios nidos, transportando el material de anidación en el pico.

P/R...

● *Mis nyasa están desplumando a sus polluelos. ¿Por qué lo hacen?*

Por desgracia, esta mala costumbre es bastante habitual en los *nyasa*. Podría deberse a un trastorno de la conducta hereditario. Desde luego, se observa con mucha más frecuencia en unas castas que en otras, pero también es posible que influya algún otro factor de tipo ambiental, como la dieta, por ejemplo.

● *¿Cómo impedir que los adultos desplumen a sus polluelos?*

Suelen hacerlo justo cuando sus pollos acaban de emplumecer, y empiezan arrancándoles las plumas de la parte superior de las alas. Si ya ha visto a una pareja haciendo esto, podría significar que el macho y la hembra desean anidar otra vez, y lo mejor que puede hacer es ofrecerles un segundo cajónnido. A veces los padres reaccionan de esta forma al ver frustrado su deseo de volver a criar, y al proporcionarles un segundo cajón, se les induce a preparar una segunda nidada, distrayendo su atención de los jóvenes indefensos.

● *¿Los periquitos de mejillas negras y los encapuchados pueden cruzarse entre sí?*

Lamentablemente, sí, y esto resulta preocupante. Teniendo en cuenta lo restringida que es la distribución geográfica de los *a. nigrigensis* silvestres (inseparables de mejillas negras), habría que hacer todo lo posible por conservar esta especie. Los híbridos se distinguen de los ejemplares puros porque tienen más amarillenta la zona de la garganta.

● *Estoy criando inseparables nyasa en colonia. ¿Debo llevarme a los pollos a otro lugar en cuanto puedan valerse por sí mismos?*

Eso depende del número de ejemplares que estén viviendo ya en la pajarera. La superpoblación propicia las conductas agresivas, pero sacar a los ejemplares más jóvenes para devolverlos a la pajarera no resuelve el problema.

Características de la especie

Familia: Sitácidos.

Longitud: 14 cm.

Distribución geográfica: Los *a. nigrigensis*, sudoeste de Zambia; los *a. lilianae*, Malawi.

Opciones de color: En el *a. nigrigensis*, no se conocen; actualmente muy raras en el *a. lilianae*.

Compatibilidad: Crían en parejas y en colonias.

Valor como mascota: Los pollos alimentados a mano se muestran amistosos, pero no son aves parlantes.

Dieta: Cereales como el mijo más cierta cantidad de semillas de girasol y algunos cañamones, añadiendo fruta y vegetales de hoja a la dieta; también pienso completo.

Problemas de salud: A veces lleva mucho tiempo hacer que críen.

Consejos de cría: Necesitan materiales para construir sus nidos.

Nido: Cajón-nido de unos 15 cm² con 23 cm de profundidad.

Nidada típica: 4-6 huevos.

Período de incubación: 23 días.

Alimentación durante la época de cría: Granos de mijo remojados, piensos blandos y vegetales de hoja.

Desarrollo: Abandonan el nido con unas 6 semanas de edad.

Esperanza de vida: Pueden vivir 15 años o más.

Eclectos y loriculus

GÉNEROS: ECLECTUS Y LORICULUS

LAS ESPECIES DESCRITAS a continuación no son esencialmente granívoras y tampoco resultan adecuadas como mascota, aunque pueden criarse en pajareras debidamente adaptadas y resultan bastante productivas, sobre todo en el caso de los eclectos.

Variedades más populares

Las tres especies descritas resultan muy vistosas en la pajarera. El plumaje de los eclectos hembra es espectacular, y los *loriculus* tienen la curiosa costumbre de pasar la mayor parte del día colgados cabeza abajo de las perchas.

Eclectus roratus (eclecto). Se han identificado unas diez razas distintas. Donde mejor se observan las diferencias es en las hembras, en las que siempre predomina el color rojo. Las razas que se ven con más frecuencia en cautividad son la de Nueva Guinea (*e. r. polychloros*), la de las Molucas (*e. r. vosmaeri*) y la de las islas Salomón (*e. r. solomonensis*).

◄ *Hembra de eclecto de vistoso colorido. La cría de eclectos es estacional, y las hembras pueden poner huevos en cualquier momento del año (salvo cuando están mudando la pluma).*

Características de la especie

Familia: Sitácidos.

Longitud: *Eclectus,* 30-36 cm; *loriculus,* 13 cm.

Distribución geográfica: *Loriculus:* India, Sri Lanka y sudeste asiático; *eclectus:* sólo en las islas alejadas de la costa de estas zonas y en las regiones más septentrionales de Australia.

Opciones de color: Inexistentes.

Compatibilidad: Las parejas de *eclectus* deben vivir aisladas; los *loriculus,* en cambio, son aves muy sociables.

Valor como mascota: Los *eclectus* son más desconfiados que otros sitácidos, aunque hayan sido criados por mano humana. Los *loriculus* manchan demasiado, por lo que no suelen ser bien recibidos en ningún hogar.

Dieta: Una tercera parte de la ración diaria de los *eclectus* debe consistir en vegetales de hoja y hortalizas crudas. Los loriculus necesitan ingerir néctar a diario, así como fruta fresca, cierta cantidad de vegetales de hoja y piensos para aves no granívoras. También les gustan mucho las panojas de mijo.

Problemas de salud: Los *eclectus* pueden adquirir el vicio de arrancarse las plumas; a los *loriculus* les crecen en exceso las uñas.

Consejos de cría: Los cajones de anidación deben colocarse siempre a cubierto.

Nido: Cajón-nido de unos 30 cm² con 90 cm de profundidad para los *eclectus* y de 13 cm² con 15 cm de profundidad para los *loriculus.*

ada típica: *Eclectus,* 2 huevos; *loriculus,* 3-5 huevos.

Período de incubación: *Eclectus,* 28-30 días; *loriculus,* 20 días.

Alimentación durante la época de cría: Granos de mijo remojados, piensos blandos y vegetales de hoja. Los *loriculus* necesitan ingerir presas vivas, tales como gusanos de la harina o larvas de polilla.

Desarrollo: *Eclectus,* 11 semanas; *loriculus,* 5 semanas.

Esperanza de vida: Las tres especies pueden vivir 20 años o más.

▶ *Cuando se descubrieron los* eclectus, *se creyó que las hembras y los machos pertenecían a especies diferentes, a causa de su distinta coloración.*

Loriculus galgulus (lorito verde de coronilla azul). Esta especie es inconfundible debido a la mancha azul que adorna su coronilla. Las hembras carecen de la mancha roja que adorna la garganta de los machos.

Loriculus vernalis (lorito de primavera). Como sugiere su nombre popular, en su plumaje predomina el color verde. Esta especie es difícil de sexar, aunque las hembras a veces tienen menos plumas azules en la garganta que los machos.

Características y necesidades

Por su tamaño y la capacidad destructiva de su pico, los *eclectus* necesitan pajareras resistentes, además de umbrías, ya que esta especie prefiere estar siempre a la sombra. Su voz es potente, pero no suelen resultar ruidosos, a no ser que se junten varias parejas en el mismo recinto. Su ración diaria debe incorporar grandes cantidades de hortalizas, verduras de hoja y hierbas para ensalada, además de una pequeña cantidad de fruta. Su organismo necesita gran cantidad de vitamina A, una vitamina que las semillas no aportan en cantidad suficiente. La carencia de esta vitamina propicia en los eclectos una infección por hongos denominada candidiasis. Los *loriculus* son felices compartiendo con aves no granívoras y conirrostros una pajarera frondosa, pero en las regiones de clima templado necesitan calefacción durante el invierno. Al inicio de la época de cría, arrancan hojas y ramitas tiernas para forrar con ellas el nido. Las hembras transportan el material de construcción sobre la espalda, en vez de llevarlo en el pico.

Eclectus

♂

Loriculus galgulus

♂

Loriculus vernalis

♂

▲ *Su color verde-hoja y su carácter sosegado hacen que a veces sea difícil distinguir a los* loriculus *entre el follaje de la zona de vuelo.*

● Mis eclectos ya han anidado cuatro veces, todos sus huevos han eclosionado y todos los polluelos son machos. ¿No es todo un récord?

En el Chester Zoo de Inglaterra, una pareja de eclectos llegó a criar una treintena de polluelos antes de producir su primera hembra. No se sabe muy bien porqué ocurre esto, pero podría estar relacionado con las temperaturas alcanzadas durante el período de incubación. También podría tratarse de una estrategia de la naturaleza para preservar esta especie, porque en el entorno natural la mortalidad de los machos es muy superior a la de las hembras, y la producción de más machos estaría destinada a compensar esas pérdidas.

● Acabo de comprar una pareja de eclectos y me han asegurado que ya han criado con anterioridad, pero la hembra se comporta de forma muy agresiva con el macho. ¿Será que no son compatibles entre sí?

No es raro que las hembras se comporten de esa manera. Introduzca más comederos para evitar que se peleen por la comida y alójelos en una pajarera espaciosa, para evitar roces.

● ¿Qué le ocurre a mi loriculus que tiene dificultades para volar cuando está agarrado a la malla de la pajarera?

Agárrelo y examine sus patas. Lo más seguro es que una o dos de sus uñas hayan crecido en exceso y se queden enganchadas en la malla.

Palomas y tórtolas granívoras

GÉNEROS: GEOPELIA, STREPTOPELIA, CHALCOPHAPS Y COLUMBINA

ESTOS COLÚMBIDOS se ven con mucha frecuencia en cautividad, aunque pocas personas se especializan en su cría. Conviene alojar estas especies en sus pajareras provistas de árboles o arbustos, porque utilizan sus ramas para guarecerse y también para contruir en ellas sus nidos.

Variedades más populares

Sólo se conocen bien las mutaciones de color de la *geopelia cuneata*. Hay una plateada, una *beige*, una roja (castaño-rojiza), una crema y una azul (gris-acero), aparte de variantes manchadas y de rabadilla blanca.

Geopelia cuneata (paloma diamante). Es muy robusta y fácil de cuidar, lo que explica su popularidad. Puede convivir con conirrosros, con aves no granívoras sin tendencias agresivas y con cacatúas de cara amarilla. El término «diamante» alude a las pequeñas manchas blancas en forma de diamante que adornan sus alas. El resto de su cuerpo es gris pardusco por arriba y gris azulado por debajo. Esta especie es relativamente fácil de sexar, sobre todo al inicio de la época de cría, porque la piel roja que rodea los ojos de los machos adquiere un tono rojo más intenso. Las parejas se muestran prolíficas y producen varias nidadas seguidas. Son mucho menos agresivas de lo habitual en los colúmbidos y, si la pajarera es espaciosa, varias parejas pueden convivir en armonía.

▼ ▶ *Aunque sean el símbolo de la paz, lo cierto es que las palomas se comportan de forma muy agresiva con sus congéneres, y no conviene tener más de una pareja en cada pajarera. También pueden mostrarse demasiado nerviosas, sobre todo cuando aún no se han acostumbrado plenamente al entorno. En contrapartida, estas especies son bastante fáciles de alimentar.*

Geopelia striata (paloma estriada). La especie puede verse en libertad desde en el sudeste asiático hasta en Australia, y el diferente aspecto de los ejemplares revela su distribución geográfica. Su cuerpo siempre está cubierto de finas rayas y la piel desnuda que rodea sus ojos es azul. Sexar estas palomas es difícil, pero las hembras pueden presentar tonos ligeramente más apagados.

Streptopelia senegalensis (tórtola reidora). Esta especie también disfruta de una amplia distribución geográfica, y las diferencias aparentes de los ejemplares revelan su origen concreto. La parte superior del cuerpo de las hembra es más grisácea.

Chalcophaps indica (paloma de alas verdes). En los machos, la cabeza, la pechuga y el abdomen son de color marrón violáceo, y en la parte superior de las alas hay una mancha blanca. Las manchas blancas son más grisáceas en las hembras, y su rabadilla es pardusca en vez de negra como en los machos.

Esta especie procede de regiones

Geopelia striata

Streptopelia senegalensis

Geopelia cuneata

♂

♂

Chapcophaps indica

Características de la especie

Familia: Colúmbidos.

Longitud: 18-25 cm.

Distribución geográfica: *Geopelia cuneata*, Australia; *streptopelia senegalensis*, África y Oriente Medio; *columbina cruziana*, regiones noroccidentales de Sudamérica; otras, Australasia.

Opciones de color: Bien establecidas en la *geopelia cuneata*.

Compatibilidad: Las parejas deben criar aisladas.

Valor como mascota: Suelen ser demasiado nerviosas, aunque a veces las geopelia cuneata aprenden a posarse en el dedo de sus propietarios.

Dieta: Pienso completo o mezcla de semillas a base de pequeños cereales como el mijo. También comen vegetales de hoja picados, y en ocasiones piensos blandos para aves no granívoras, preparados de huevo y migas especiales.

Problemas de salud: Pueden ser vulnerables a una infección causada por protozoos denominados trichomonas.

Consejos de cría: Necesitan aislamiento e intimidad.

Nido: Plataforma de anidación rodeada de listones con un mínimo de 2,5 cm de altura para que construyan en ella sus nidos.

Nidada típica: 2 huevos.

Período de incubación: 13 días.

Alimentación durante la época de cría: Hay que ofrecerles panojas de mijo remojadas y piensos blandos.

Desarrollo: Abandonan el nido con unos 14 días de edad.

Esperanza de vida: Pueden vivir 10 años o más.

---

boscosas y necesita vivir en pajareras con muchos árboles o arbustos, porque se siente muy insegura al raso.

Columbina cruziana (paloma de tierra peruana). Pertenece a un subgrupo de palomas sudamericanas y se reconoce al instante por la mancha dorada de su pico, de color aún más intenso en los machos.

Características y necesidades

Estos colúmbidos son resistentes después de haberse aclimatado, pero necesitan refugios nocturnos bien secos e iluminados en los que guarecerse del mal tiempo. No les gusta mojarse con la lluvia, así que hay que colocar un buen montón de arena fina en una zona seca de la pajarera para que se limpien las plumas.

Los machos en celo a veces pueden comportarse de forma muy agresiva con las hembras, acosándolas y hostigándolas sin descanso. Colocar varios comederos y bebederos puede ayudar a evitar las agresiones, como también ayuda la presencia de ramas frondosas entre las cuales las hembras puedan refugiarse. Después de la puesta se restablece la armonía en la pareja, y tanto el macho como la hembra incuban los huevos. En cuanto los pollos sean capaces de alimentarse por sí mismos hay que trasladarlos a otro lugar, porque sus padres desearán anidar otra vez. El macho empieza pronto a demostrar su contrariedad por la presencia de la primera nidada. No se debe permitir que las parejas produzcan más de tres nidadas seguidas.

▶ *La* columbina cruziana *a veces recibe el nombre de paloma pigmea, por su reducido tamaño. A pesar de su nombre, suele estar siempre posada en una percha y rara vez baja hasta el suelo.*

● *¿Qué diferencia hay entre una paloma, un palomino y un pichón?*

Se suele llamar pichones a los machos de las palomas, o a los pollos de las diferentes especies de paloma doméstica. Los palominos son los pollos de las especies salvajes.

● *Mis palomas diamante desperdigan todas las semillas cuando comen. ¿Cómo podría evitar que se desperdiciase tanta comida?*

Pruebe con un comedero de plástico compartimentado de los que se usan con las codornices, para que desperdigar las semillas les resulte mucho más difícil. También puede colocar una hoja de periódico debajo del comedero para recoger las semillas no consumidas y volcarlas de nuevo en el recipiente.

Palomas frugívoras

GÉNEROS: DUCULA Y PTINOLOPUS

▼ Ducula aenea. *En esta especie, tanto los machos como las hembras se encargan de empollar y alimentar a los polluelos.*

P/R...

● ¿Tengo que servirles hasta las uvas picadas a mis ptilinopus?

Los *ptilinopus* son capaces de tragar incluso frutas bastante grandes enteras, tal vez porque sus picos no están diseñados para arrancar pequeñas porciones. Si las semillas de esas frutas son grandes, como por ejemplo los huesos de cereza, suelen regurgitarlas.

● Los excrementos de mis ptilinopus tienen colores muy raros y cambiantes. ¿Significa esto que están enfermas?

Normalmente, no. La fruta que han comido influye mucho en el color de sus deposiciones. Si han ingerido zarzamoras o uvas negras, sus excrementos serán de color rojo violáceo, algo que no ocurirá cuando coman uvas verdes. Sólo las deposiciones blanquecinas son mala señal, ya que indican que el ave no se está alimentando correctamente.

● Mi paloma perlada hembra ha empezado a poner, pero deja caer los huevos al suelo desde la percha. ¿Qué hago?

No es raro que esto suceda al principio, pero es probable que pronto se decida a utilizar un cestillo o una plataforma de anidación. Tal vez hace eso porque los cestillos o plataformas que usted colocó están en lugares demasiado visibles, o porque el ave no tiene a su alcance tantas ramitas y musgo como necesitaría para construirse un nido.

ALGUNAS *PTILINOPUS* no tienen nada que envidiar, en lo que se refiere al colorido, a los sitácidos y aves no granívoras más espectaculares. Las *ducula* son algo menos coloristas, pero resultan verdaderamente impactantes cuando se las ve en pajareras grandes y bien provistas de arbustos (que pueden compartir con aves no granívoras desprovistas de tendencias agresivas). Ninguna de estas especies puede sexarse a simple vista, aunque los machos suelen ser algo más corpulentos y tener la cabeza un poco más grande que las hembras.

Variedades más populares

Estas especies no son precisante fáciles de adquirir, pero en los últimos años su cría en cautividad ha avanzado mucho y cada vez se están produciendo más ejemplares. Comprensiblemente, aún no se ha documentado variante de color.

Ducula aenea (paloma imperial). Normalmente su cuerpo y su cabeza son grises, y sus alas y su cola de color verde oscuro y las coberteras inferiores de la cola de color castaño oscuro. Las subespecies más diferenciadas proceden de algunas islas indonesias y filipinas. Estas razas exhiben manchas en la nuca de colores contrastados. Se ven con muy poca frecuencia en las pajareras.

Ptinilopus perlatus (paloma perlada). Existen dos razas diferenciadas de esa especie originaria de Nueva Guinea y las pequeñas islas más alejadas de sus costas. La subespecie que se ve más a menudo en cautividad es *la p. p. zonurus*, centrada en el sur de Nueva Guinea. Tiene la cabeza amarillo-verdosa, la parte superior del cuerpo verde-broncínea y la parte superior de sus alas está salpicada de las perlas o gotitas de color rosa que caracterizan la especie. Tiene un collar de plumas grisáceas alrededor de la nuca que se extiende en dirección al pico, la parte superior de su pechuga es de color bronce dorado y el resto de su pechuga y su abdomen son de un tono verde-amarillento bastante oscuro. La subespecie procedente del norte de Nueva *Guinea (p. p. plumbeicollis)* tiene la cabeza gris y un collar más ancho alrededor de la nuca.

Características y necesidades

Hay que extremar las precauciones cuando se introduce en la pajarera cualquier paloma frugívora, sobre todo si ésta no ha sido previamente aclimatada en una pajarera al aire libre. Puede que necesite calefacción durante el primer invierno, pero después se convertirá en un ave relativamente resistente. Aunque se les llame «palomas frugívoras», no pueden alimentarse exclusivamente de fruta, y si apenas ingieren otra cosa que uvas frescas y manzanas cortadas en cubitos, su salud se resentirá porque necesitan muchas más proteínas en su dieta. Estas proteínas pueden aportarse en forma de pienso en bolitas especial para aves, o en forma de piensos completos de mantenimiento para perros, a condición de que el tamaño de las croquetas sea similar. En cualquier caso, los piensos secos deben servirse previamente remojados para que resulten más apetecibles a las palomas. Todos los restos no ingeridos deben retirarse por la noche para evitar que empiecen a criar moho.

Algunos machos, sobre todo en el caso del *ducula aenea*, pueden mostrarse agresivos con las hembras al inicio de la época de cría.

Es normal que los polluelos abandonen el nido antes de haber terminado de emplumecer, pero hay que estar pendientes de ellos porque aún no vuelan con soltura y, si permanecen a ras de tierra, es improbable que los adultos bajen de las perchas para alimentarlos. Cuando se independizan de sus padres, tienden a desmandarse y hay que trasladarlos a una pajarera apartada hasta que se calmen un poco. Las parejas ya formadas pueden producir dos o tres nidadas a lo largo del año.

▲ *Las* ptilinopus perlatus *se reconocen de inmediato por las gotitas o perlas de color rosa que salpican sus alas. El tamaño y la distribución de estas manchas varía ligeramente de un ejemplar a otro, permitiendo su identificación.*

Características de la especie

Familia: Colúmbidos.

Longitud: 24-46 cm.

Distribución geográfica: *Ducula aenea,* sudeste asiático incluyendo las islas alejadas de la costa como las Filipinas; *ptilinopus perlatus,* Nueva Guinea.

Opciones de color: Inexistentes.

Compatibilidad: Las parejas deben mantenerse aisladas.

Valor como mascota: No aptas como mascota familiar.

Dieta: Fruta fresca (manzanas y uva), pasta de insectos o pienso granulado para aves no granívoras. Además de pienso para minás en bolitas o de mantenimiento para perros en croquetas.

Problemas de salud: Vulnerables a la tenia.

Consejos de cría: Las parejas necesitan tiempo para acostumbrarse al nuevo entorno. Pueden tardar hasta dos y tres años antes de criar.

Nido: Plataforma de anidación rodeada de listones con un mínimo de 5 cm de altura.

Nidada típica: 1 huevo.

Período de incubación: 28 días *(ducula aenea);* 14 días *(ptilinopus perlatus).*

Alimentación durante la época de cría: Ambas especies alimentan a sus polluelos con la llamada «leche de paloma», una papilla que elaboran en el buche cuando están criando.

Desarrollo: Salen del nido en un plazo equivalente al período de incubación.

Esperanza de vida: Pueden vivir 15 años o más.

Faisanes GÉNEROS: CHRYSOLOPHUS Y SYRMATICUS

▲ *Faisán de* Lady Amherst *macho. Las plumas rojas en los muslos de los machos sugieren una hibridación en el pasado con el faisán dorado. Las hembras híbridas suelen tener las patas amarillentas en vez de gris-azuladas.*

LOS MAJESTUOSOS FAISANES son todo un espectáculo en la pajarera, pero necesitan muchísimo espacio para vivir y un entorno seminatural. Pueden ser bastante prolíficos, pero el temperamento agresivo de los machos obliga a disponer de un alojamiento adicional, sobre todo en la época de cría.

Variedades más populares

Las especies descritas a continuación son bastante fáciles de adquirir porque se crían muchos ejemplares. Es preferible adquirir faisanes jóvenes, sobre todo teniendo en cuenta la agresividad de algunos machos adultos.

Son animales tan hermosos que casi nadie se preocupa por conseguir variantes de color, si bien existe una atractiva variedad diluida del faisán dorado. Exhibe tonos más claros en todo el cuerpo, y su abdomen es amarillo en vez de rojizo. Entre otras variedades documentadas se encuentran una casta de garganta más oscura y otra con el abdomen de color salmón.

Chrysolophus amherstiae (faisán *Lady Amherst*). Esta especie está estrechamente emparentada con el faisán dorado, pero el color de los machos es distinto. Tienen un collarín blanquinegro, la pechuga y las alas de color verde oscuro y el abdomen blanco. Las hembras son más corpulentas que las de faisán dorado y tienen

las rayas más negras y reflejos más verdosos en la parte superior del cuepo.

Chrysolophus pictus (faisán dorado). El abdomen de los machos, de un rojo anaranjado muy intenso, contrasta vivamente con las plumas del collarín, naranjas y negras por la punta. En el dorso y la cabeza tienen plumas de color oro. Las hembras exhiben tonos mucho más apagados, pues su plumaje es predominantemente pardusco.

Syrmaticus reevesi (faisán de Reeves). Esta especie es más corpulenta, y los machos son marrones con algunas zonas blanquinegras. También en este caso el plumaje de las hembras es pardusco.

Características y necesidades

Los faisanes pasan mucho tiempo a ras de tierra y necesitan pajareras muy grandes y bien drenadas, para que sus plumas no se manchen de lodo. Se los suele alojar en pajareras diseñadas expresamente para ellos, con una zona central llena de plantas en la que puedan cobijarse, rodeada de una paseo de gravilla para en la que puedan pasear a sus anchas, y la mayor parte del

▶ *El colorido del faisán dorado macho es totalmente inconfundible. Los pollos tardan unos dos años en desarrollar el plumaje de adultos.*

Características de la especie

Familia: Fasiánidos

Longitud: 74-213 cm; las plumas de la cola siempre son mucho más largas en los machos.

Distribución geográfica: China.

Opciones de color: Bien establecidas en el faisán dorado.

Compatibilidad: Los machos son agresivos, sobre todo con los otros machos.

Valor como mascota: Nulo.

Dieta: Mezcla de semillas a base de grano, más vegetales de hoja y algunos invertebrados vivos.

Problemas de salud: Vulnerables a los parásitos intestinales.

Consejos de cría: Debe haber siempre varias hembras con el macho.

Nido: En la zona de vuelo debe haber muchas plantas para que la hembra pueda esconderse del macho a ras de tierra durante la puesta, por motivos de seguridad.

Nidada típica: 7-15 huevos.

Período de incubación: 23-25 días.

Alimentación durante la época de cría: Los piensos blandos y los vegetales de hoja son muy importantes.

Desarrollo: Los pollos son capaces de moverse desde el momento en que salen del cascarón.

Esperanza de vida: Pueden vivir 15 años o más.

suelo cubierta de hierba. Las perchas del refugio deben estar más altas que las de la zona de vuelo, para animar a estas aves a dormir a cubierto, pues en las noches muy frías podrían congelárseles las patas.

Los machos de faisán son muy territoriales y pelean a muerte entre sí, de modo que, si hay que alojarlos en pajareras adyacentes, aparte de la malla metálica de separación necesitan una barrera visual, es decir, un panel opaco que los supere en altura, para que no puedan verse mutuamente. Los faisanes son polígamos durante la época de cría, y cada macho debe estar alojado necesariamente con dos o tres hembras en este período. Aún así, hay que estar muy pendientes, porque no es imposible que las ataque. Lo mejor es soltar al macho entre las hembras al inicio de la época de cría y retirarlo en cuanto empiece la puesta, para que las hembras se ocupen tranquilamente de criar a los polluelos.

P/R...

● *¿Los faisanes de distintas especies pueden cruzarse entre sí?*

Sí, y de hecho en el pasado se produjo una hibridación entre los *Lady Amherst* y los faisanes dorados. Por este motivo hay que evitar alojar juntas dos especies de faisán diferentes. Y también porque, si dos machos de la especie se reúnen, pelearán ferozmente entre sí.

● *Una de mis hembras de faisán dorado se come todos los huevos que pone. ¿Qué puedo hacer para evitarlo?*

Retírelos de inmediato tras la puesta y llévelos a una incubadora o haga que los incube una gallina enana de Bantam. Algunos criadores colocan huevos no fertilizados ya podridos debajo de las hembras para que su espantoso sabor les sirva de escarmiento, pero esta práctica las puede envenenar. En todo caso, utilizando huevos falsos se puede erradicar esta conducta.

● *¿Puedo soltar a mis faisanes en el jardín?*

No es demasiado buena idea, porque lo más probable es que se le escapasen, incluso si les recorta las plumas remeras de una de sus alas. Si les recorta las plumas de ambas alas, será menos probable que se escapen, pero los dejaría a la merced de cualquier predador, por ejemplo de un gato.

Codornices GÉNEROS: EXCALFATORIA, COLINUS Y CALLIPEPLA

AUNQUE LAS CODORNICES son parientes cercanas de los faisanes, su tamaño es menor y su plumaje menos impactante, ya que predominan los tonos marrones. Además, tienen el cuerpo rechoncho y sus plumas timoneras casi ni se ven.

Variedades más populares

Las variantes de color más conocidas son las de la *excalfatoria chinensis*, y la versión plateada de esta especie es la más popular. En ella, el abdomen de los machos conserva las manchas castañas, lo que permite sexar los ejemplares a simple vista, pero el resto de su plumaje es de color plata.

Excalfatoria chinensis (codorniz pintada china). Es una de las más populares, sobre todo por su reducido tamaño. Los machos son más coloristas, con su plumaje azul apizarrado desde la cabeza hasta el final de la pechuga, pues las hembras son marrones y moteadas de negro.

Colinus virginianus (codorniz Bobwhite o de Virginia). No es raro que el colorido del plumaje varíe de un ejemplar a otro, de la que se conocen más de 20 razas diferenciadas. Los machos exhiben en general colores más brillantes que las hembras, y se caracterizan por tener la garganta blanca en vez de color de ante.

Callipepla californica (codorniz de California). Se parece mucho a la codorniz de Gamble, con la que está es-trechamente emparentada, pero sus machos se distinguen de los de aquella por sus alas marrones y su frente de color ante. Ambos sexos exhiben una curiosa cresta en la coronilla, pero en los machos ésta es negra y más grande que en las hembras. La cresta de las hembras es marrón, y sus cabezas son pardo-grisáceas y sin franjas blancas.

Características y necesidades

Las codornices pintadas chinas pueden compartir pajarera con conirrostros o aves no granívoras, pero las especies más voluminosas dan más problemas. Suelen echar a volar en dirección al techo cada vez que se sobresaltan y prefieren dormir a cierta distancia del suelo. En la pared que separa la zona de vuelo y el refugio, hay que abrir una gatera para que puedan entrar y salir cada vez que lo necesiten. La portezuela de esta entrada debe estar provista de algún mecanismo que la impida cerrarse por accidente, dejando a las codornices atrapadas en la zona de vuelo. Los comederos y bebederos se deben colocar en el piso del refugio, pero de forma que no puedan contaminarse con las deposiciones de las otras aves. Las codornices desperdigan tanto las semillas cuando comen, que existen comederos especiales para ellas.

Nunca deben compartir pajarera con aves no granívoras tan grandes como los estorninos y *garrulax*, porque podrían devorar a los polluelos de codorniz (que, en el caso de la codorniz pintada china, no abultan mucho más que un abejorro cuando acaban de romper el cascarón). Los diminutos polluelos pueden escaparse por cualquier rendija que exista en la pajarera, e incluso atravesando la malla metálica, y por esta razón puede ser necesario cubrir con plásticos la parte inferior de las paredes hasta que crezcan un poco. En cuanto puedan alimentaerse por sí mismos, hay que sacarlos de la pajarera, porque para entonces las hembras, muchas veces, están empezando a poner otra vez.

◀ *Las codornices pintadas chinas comparten fácilmente pajarera con otros tipos de aves y no intentan dormir en las perchas, pero las especies más voluminosas pueden dar más problemas.*

P/R...

● *¿Qué puedo hacer para que mis Bobwhite no se estrellen contra el techo de la pajarera cuando echan a volar precipitadamente, asustadas?*

Estas aves suelen sentirse inseguras y nerviosas cuando llegan a una pajarera desconocida, pero con el tiempo se relajan, sobre todo si en la zona de vuelo hay muchas plantas. Para que no se hagan daño con la malla metálica del techo, puede colocar debajo una red de plástico similar a las mallas en que se envuelven las frutas y verduras, muy bien tensada, para que sirva de colchón de seguridad.

● *¿Por qué mis codornices pintadas chinas van soltando los huevos por cualquier parte en vez de ponerse a incubarlos?*

Parece que las codornices llevan tantas generaciones siendo incubadas de forma artificial en incubadoras que las hembras han empezado a perder el instinto maternal, y muchas ya se desentienden por completo de los huevos después de ponerlos. Aunque también es posible que sus machos estén acosando demasiado a las hembras y no haya suficiente vegetación en la pajarera.

● *Si utilizo una incubadora, ¿a cuántos grados tengo que ponerla?*

Entre 38° y 39° grados es la temperatura ideal. Después de la eclosión, traslade a los pollitos a un *brooder* y vaya reduciendo la temperatura de forma progresiva a medida que crecen.

● *¿Cómo debo emparejar a mis codornices para que críen?*

Los machos de codorniz son tremendamente agresivos y es esencial alojar a cada macho con varias hembras, en vez de con una sola. Si deja solo a un macho en celo con una hembra, podría atacarla causándole serias lesiones.

Codorniz de California ♂ ♀

♀

♂

Codorniz Bobwhite

▲ *Las codornices norteamericanas se ven con mucha frecuencia en las pajareras, pero si desea criarlas probablemente tendrá que invertir algo de dinero en una incubadora y un* brooder. *En caso contrario, los huevos podrían no ser incubados, ni los polluelos calentados y alimentados por sus madres. Sólo las codornices que disfrutan de muchísima intimidad se encargan –algunas veces– de realizar estas tareas.*

Características de la especie

Familia: Fasiánidos.

Longitud: 13-25 cm.

Distribución geográfica: Codorniz pintada china, sur de Asia, desde India hacia el este; Codorniz de California, costa oeste de EE. UU.; Bobwhite, EE. UU. y México.

Opciones de color: Bien establecidas en la codorniz pintada china.

Compatibilidad: Nunca se alojan juntos a dos machos.

Valor como mascota: Nulo.

Dieta: Semillas de cereales (para la codorniz pintada china, preferiblemente mezcla de mijo) más piensos blandos para aves no granívoras, invertebrados y vegetales de hoja como la pamplina.

Problemas de salud: Hay que estar muy pendientes para impedir que los machos desplumen a las hembras o incluso les causen serias lesiones.

Consejos de cría: Nunca hay que dejar dos machos juntos.

Nido: Las hembras buscarán bajo algún arbusto un trozo de tierra que excavar para dejar los huevos dentro.

Nidada típica: 10-16 huevos.

Período de incubación: 16 días; codorniz pintada china, 23 días.

Alimentación durante la época de cría: Migas especiales, piensos blandos y migas especiales de iniciación. Conviene ofrecerles panojas de mijo remojadas.

Desarrollo: Los polluelos pueden abandonar el nido inmediatamente después de la eclosión.

Esperanza de vida: Pueden vivir 8 años o más.

Términos usuales

Acicalamento del plumaje. Limpieza y peinado de las propias plumas que las aves realizan valiéndose del pico. A veces, el acicalamiento mutuo de las plumas es parte del cortejo.

Acumulación morbosa de hierro en las vísceras. Enfermedad que afecta a algunas especies cuyo organismo absorbe de forma excesiva el hierro contenido en los alimentos y lo almacena en las vísceras, causando con frecuencia daños graves en el hígado. Estas aves necesitan dietas especiales bajas en hierro.

Albino. Mutación desprovista de cualquier tipo de pigmento, que se distingue por tener todas las plumas blancas, las patas rosas y los ojos encarnados.

Alimentado por humanos. Véase *criado a mano*.

Alimentos mejoradores del color. Zanahoria rallada, pimientos y otras sustancias naturales que se ofrecen a ciertas aves durante la muda para potenciar el colorido de su plumaje. Actualmente se prefiere utilizar mejoradores del color artificiales.

Alopecia vírica del periquito. Enfermedad del plumaje provocada por un virus que afecta principalmente a los periquitos de Australia. A veces se utiliza el término británico *french molt*.

Amarillo. Aparte de para designar un color, este término se utiliza a veces en canaricultura para referirse a las plumas que no son *buff*, es decir, más sedosas, de color más intenso y más brillantes.

Anilla abierta. Tipo de anillado que puede colocarse en las patas ya formadas de las aves adultas.

Anillado. Especie de pulsera que se coloca alrededor de los tobillos de las aves para facilitar su identificación y el registro de datos tales como la edad o el parentesco. Las anillas cerradas sólo pueden colocarse en ejemplares muy jóvenes.

Ave no granívora. Con este nombre se designa a un gran número de especies que se nutren básicamente de fruta, invertebrados vivos y/o néctar.

Aviario. Colección de aves de distintas especies destinada a la exhibición. Por extensión, lugar donde se aloja a estas aves.

Avicultura. Mantenimiento y cría de aves en recintos sometidos a control.

Backcross. Término utilizado en avicultura para definir la práctica de emparejar un ave determinada con uno de sus progenitores con la intención de duplicar en la descendencia un rasgo hereditario relacionado con la coloración.

Birdroom. Recinto cerrado, normalmente de obra, destinado a alojar y sobre todo a criar aves.

Buche. Órgano en forma de bolsa presente en el aparato digestivo de las aves, situado entre el esófago y el proventrículo, y en el cual éstas almacenan los alimentos justo después de ingerirlos.

Buff. Término utilizado sobre todo en canaricultura para referirse a individuos con plumas relativamente ásperas (*cardadas*) y ligeramente más claras por la punta.

Carácter dominante. Rasgo genético que se manifiesta en la primera generación cuando se empareja un individuo con un ejemplar normal y no mezclado de la misma especie.

Carácter recesivo. Rasgo genético que no se manifiesta en la primera generación cuando el ejemplar se empareja con un individuo sin mezcla de la variedad normal de su misma especie.

Carácter vinculado al sexo. Rasgo genético asociado a la pareja de cromosomas sexuales.

Cebar los gusanos. Alimentar con ciertos preparados a los invertebrados vivos que han de ingerir después algunas aves, para que se acumulen en sus intestinos determinados complementros nutricionales y sean posteriormente asimiladas por las aves durante la digestión.

Cera. Piel desprovista de plumas que recubre, en algunas aves, el arranque del pico. Suele ser más visible en los sitácidos, especialmente en los periquitos de Australia, y su coloración indica con frecuencia el sexo del ejemplar.

Cloaca. Conducto en el que confluyen los últimos tramos del tubo digestivo, las vías urinarias y el aparato reproductor antes de expulsar lo que contienen fuera del cuerpo.

Collar. Línea o franja de plumas de color contrastado que rodean el cuello de algunas especies o variedades caracterizándolas.

Colonia. Grupo de aves de una misma especie que se alojan juntas en la pajarera para que críen mejor.

Conirrostro. Ave granívora perteneciente al grupo de los pájaros que se caracteriza por tener el pico grueso, duro y en forma de cono.

Conirrostro exótico. Conirrostro perteneciente a una especie no doméstica, normalmente importada.

Consorte. Término utilizado para designar a los ejemplares no crestados de variedades que se caracterizan por tener cresta o corona.

Corona. Mancha circular de color contrastado que adorna la coronilla de numerosas especies y variedades, identificándolas, y suele ser evaluada con especial atención por los tribunales en los concursos de belleza ornitológicos.

Cresta. Plumas más largas, y con frecuencia erectas, que adornan la coronilla de algunas especies.

Criado a mano. Ave que no fue alimentada por sus padres después de la eclosión, sino cebada artificial, o manualmente, por humanos, hasta que pudo alimentarse por sí misma (esta práctica es especialmente habitual en los sitaciformes).

Cromosoma. Estructura en forma de filamento presente en el núcleo de todas las células vivas. Estas estructuras, normalmente agrupadas de dos en dos, contienen los genes. de algunos sitaciformes.

Dimorfismo sexual. Existencia de diferencias visibles entre los machos y las hembras de una misma especie. En las aves, suele manifestarse en el colorido del plumaje.

Doble buffing. Práctica consistente en emparejar dos ejemplares *buff* para producir una nidada de aspecto más voluminoso. Es desaconsejable porque incrementa el riesgo de que la descendencia desarrolle quistes en las plumas.

Endogamia. Cría basada en el emparejamiento de individuos estrechamente emparentados entre sí (como por ejemplo madres e hijos).

Estándar. Listado de rasgos deseables en una determinada especie o variedad que los jurados utilizan como canon de belleza al evaluar los ejemplares presentados a concurso. A veces este término se usa como adjetivo para referirse a la variedad normal

Estrilda. Ave perteneciente a la familia de los estríldidos.

Factor letal. Anormalidad genética que causa la muerte espontánea de los polluelos durante el proceso de incubación o poco después de la eclosión.

Fancy. Este término se utiliza para referirse a las variedades producidas deliberadamente por los criadores con el fin de potenciar determinados rasgos físicos.

Fenotipo. Conjunto de rasgos visibles de un organismo, como por ejemplo el colorido de las plumas, tratándose de aves.

Frugívoro. Animal que se nutre básicamente de frutas.

Gatera para codornices. Orificio practicado cerca del suelo en la pared que separa el refugio nocturno de la zona de vuelo, para que las codornices puedan entrar y salir cómodamente cada vez que lo necesiten.

Gen. Parte de un cromosoma que contiene la información responsable de una serie de rasgos hereditarios.

Genotipo. Conformación genética de un organismo.

Híbrido. Ejemplar obtenido cruzando dos ejemplares de diferente especie.

Huero. Huevo no fecundado o que, a pesar de haber sido fecundado, se malogró por falta de calor.

Insectívoro. Animal que se nutre básicamente de insectos.

Iris. parte coloreada del ojo que rodea la pupila. Puede ayudar a sexar los sitácidos jóvenes, porque en estas especies suele ser bastante más claro en los ejemplares adultos.

Mejoradores del color. Preparados comerciales que se administran a algunos conirrostros y aves no granívoras durante la muda para intensificar artificialmente el colorido de su plumaje. Normalmente contienen agentes pigmentantes artificiales y se mezclan con el agua o los alimentos.

Melanismo adquirido. Oscurecimiento anormal del plumaje que se observa en algunos conirrostros, y suele estar provocado por una dieta poco equilibrada o una disfunción hepática.

Melanosis. Acumulación de melanina que oscurece el plumaje, produciendo con frecuencia manchas oscuras.

Molleja. Órgano digestivo de las aves encargado de triturar las semillas y demás alimentos.

Moño. Cresta o corona eréctil de los cacatuidos.

Mosqueado. Término utilizado para referirse al plumaje salpicado de pequeñas manchas oscuras.

Muda. Renovación periódica del plumaje. Durante la muda, las aves pierden su plumaje y desarrollan plumas nuevas.

Mutación. Cambio que se produce de forma repentina en un rasgo genético. En las aves, las mutaciones pueden provocar en los polluelos alteraciones de color, produciendo colores y tonalidades distintas de las de sus padres.

Mutación recesiva autosómica. Mutación vinculada a los autosomas (cromosomas que no influyen en el sexo del individuo). El carácter recesivo de este tipo de mutaciones hace que no se manifiesten en la descendencia cuando el ejempar se empareja con un ejemplar normal de la misma especie.

Nectarínido. Animal que se nutre básicamente del néctar extraído de las flores.

Nidada. Número de polluelos producidos en cada anidación.

Nidada típica. Número de huevos que las hembras de cada especie suelen poner sucesivamente cada vez que anidan.

Pajarera. Alojamiento exterior para las aves dotado de una zona de vuelo al aire libre y un refugio nocturno.

Panel. Pared de la zona de vuelo formada por un marco (normalmente de madera) y una malla metálica.

Papiloma. Excrecencia verrugosa que se forma algunas veces, sobre todo en las cloacas

Parásito. Organismo que vive sobre el cuerpo de otro (en el caso de los ectoparásitos o parásitos externos) o en su interior (en el caso de los endoparásitos o parásitos internos), alimentándose a sus expensas. El organismo parasitado se recibe el nombre de *huésped*. Algunos parásitos pueden causar enfermedades graves.

Pasta de insectos. Preparado comercial para aves insectívoras que contiene una elevada proporción de invertebrados desecados.

Pío. Tratándose de aves, ejemplar *manchado*, es decir, con un color de fondo claro u oscuro y grandes manchas en contraste.

Plumaje de eclipse. Plumaje que puede verse durante el resto del año en los machos que desarrollan plumaje nupcial en la época de cría.

Plumaje nupcial. Plumaje transitorio y lleno de colorido que desarrollan los machos de algunas especies durante la época de cría.

Plumón. Conjunto de plumas pequeñas, blandas y esponjosas que sólo sirven para aislar el cuerpo del frío. Es especialmente visible en los polluelos.

Probiótico. Preparado alimenticio que contiene bacterias beneficiosas para el organismo.

Quistes en las plumas. Protuberancias que se observan sobre todo en la piel de algunos canarios *buff*, producidas por plumas que no han logrado abrirse camino a través de la piel y se quedan enquistadas.

Raza. En especies que gozan de una amplia distribución geográfica, variedad geografica de una zona determinada que presenta rasgos diferenciados con respecto a la variedad normal.

Refugio nocturno. Parte cerrada de la pajarera utilizada por las aves para dormir y protegerse de las inclemencias del tiempo.

Sarna de las patas. Enfermedad provocada por ciertos ácaros que parasitan las patas de las aves, provocando excrecencias escamosas en su superficie. Estos mismos ácaros son también responsables de la *sarna facial*, que afecta al pico y las zonas colindantes.

Sexado quirúrgico. Sexado de las especies que no presentan dimorfismo sexual mediante endoscopia.

Sitaciforme. Ave perteneciente al gran grupo de especies que anatómicamente se asemejan en mayor o menor medida a los loros.

Subespecie. División taxonómica que los ornitólogos establecen en una especie teniendo en cuenta las pequeñas diferencias que presentan los ejemplares originarios de zonas geográficas diferenciadas.

Uniforme. Ejemplar de un solo color básico, sin manchas.

Variedad diluida. Variante más pálida de la coloración normal en una determinada especie.

Variedad normal. Variedad que exhibe la coloración usual en una determinada especie (como el verde claro en el caso de los periquitos de Australia, por ejemplo).

Zona de vuelo. Jaula interior de grandes dimensiones o parte de la pajarera en la cual las aves pueden volar a sus anchas.

Las aves y la ley

La tenencia de aves en jaula y pajarera está controlada por una serie de regulaciones, muchas de ellas recogidas en la CITES (*Convention on the International Trade in Endangered Species of Wild Fauna and Flora*), suscrita hasta la fecha por más de 120 naciones diferentes. La CITES regula el comercio internacional de fauna y flora, sin distinguir entre animales capturados en su entorno natural y ejemplares nacidos o criados en cautividad. Esta normativa se incorpora a la legislación vigente en los países suscriptores. En la Unión Europea y Estados Unidos existe una normativa aún más estricta que la recogida en la CITES. Como el listado de especies y las estipulaciones se modifican con el tiempo, los que deseen adquirir aves deben pedir información sobre las CITES a las autoridades locales, además de asesorarse sobre la normativa legal de su país en lo que respecta a sanidad, cuarentena, etc. Es posible que también existan restricciones locales en cada país, y que haya que solicitar autorización antes de vender ejemplares pertenecientes a especies protegidas o incluso publicar anuncios destinados a los posibles compradores, incluso si se trata de aves nacidas en una pajarera privada. Actualmente, el transporte y envío de ejemplares también está sometido a estrictas regulaciones y, si el medio de transporte no sufre un desastroso accidente durante el viaje (algo que ocurre con muy poca frecuencia), la inmensa mayoría de las aves llega a su destino en perfectas condiciones.

Bibliografía recomendada

ESTHER J. J. VERHOEF-VERHALLEN, *La enciclopedia de los pájaros domésticos*, LIBSA, Madrid, 2002.

AA. VV., *Bichos, arañas y serpientes*, LIBSA, Madrid, 2002.

KARL MÜLLER VERLAG, *La enciclopedia de los conejos y roedores*, LIBSA, Madrid, 2002.

DAVID ALDERTON, *Conejos, hámsters y otros roedores. Preguntas y respuestas,* LIBSA, Madrid, 2002.

JOHN Y CAROLINE BOWER, *El gato. Preguntas y respuestas*, LIBSA, Madrid, 2002.

JOHN Y CAROLINE BOWER, *El perro. Preguntas y respuestas*, LIBSA, Madrid, 2002.

LYDIA DARBYSHIRE, *Gatos y Gatitos*, LIBSA, Madrid, 2002.

JOAN PALMER, *Perros y perritos*, LIBSA, Madrid, 2002.

EUGÈNE BRUINS, *La enciclopedia del terrario*, LIBSA, Madrid, 2002.

ESTHER J. J. VERHOEF-VERHALLEN, *La enciclopedia de los peces tropicales*, LIBSA, Madrid, 2002.

ESTHER J. J. VERHOEF-VERHALLEN, *La enciclopedia de los perros*, LIBSA, Madrid, 2002.

ESTHER J. J. VERHOEF-VERHALLEN, *La enciclopedia de los gatos*, LIBSA, 2002.

JOSÉE HERMSEN, *La enciclopedia de los caballos*, LIBSA, Madrid, 2002.

Agradecimientos

David Alderton 15 izda., 19 ctro. izda.,19 ctro. dcha., 19 abajo izda., 19 abajo dcha., 29 abajo, 36; **Dennis Avon** 20, 22, 23, 28, 32, 33 dcha., 41 arriba, 41 abajo, 43, 46 abajo, 50, 51, 52, 53, 57, 58, 61, 64, 83, 84, 88 arriba, 88 abajo, 91, 97, 101, 102, 105, 107, 108 izda., 11, 113, 116, 127 izda., 127 dcha., 130, 131, 132, 137, 150, 154, 155, 162, 168, 169 izda., 181, 200; **Jane Burton** 199; **Hans Reinhard/Bruce Coleman Collections** 49; **Juniors Bildarchiv/F. Aschermann** 24; **Juniors Bildarchiv/M. Wegler** 2, 7, 21, 128, 129; **Juniors Bildarchiv/ J&VP. Wegner** 120-121; **Cyril Laubscher** 10 arriba, 10 abajo, 11, 15 dcha., 16, 25, 29 arriba, 31, 33 izda., 34, 37, 46 arriba, 54, 59, 67, 69, 73, 74, 77, 79, 86, 87, 89, 92, 94, 96, 99, 100, 106, 114, 121, 123, 124, 136, 140, 142, 145, 147, 149, 151, 152, 157, 159, 160, 161, 165, 166, 171, 173, 175, 177, 179, 180, 183, 185, 187, 188, 190, 192, 195, 197; **Cyril Laubscher/Eliot Lyons** 108 dcha.; **Kim Taylor** 135, 186. *Artwork* (material gráfico): Robin Budden Robin Carter/Wildlife Art; Malcolm Ellis, George Fryer, David Thelwell/Bernard Thornton Artists; Michael Loates/Linden Artists.

Índice

Las páginas escritas en *itálica* contienen ilustraciones.